#시험대비
#핵심정복

7일 끝
중간고사
기말고사

Chunjae
Makes
Chunjae

▼

[7일 끝] 고등 언어와 매체

개발총괄 김덕유
편집개발 이은주, 김한나, 송자영, 오혜연, 전은혜, 황준택
조판 풀굿(황민경)
제작 황성진, 조규영

발행일 2021년 6월 15일 초판 2021년 6월 15일 1쇄
발행인 (주)천재교육
주소 서울시 금천구 가산로9길 54
신고번호 제2001-000018호
고객센터 1577-0902
교재 내용문의 (02)3282-8525

※ 정답 분실 시에는 천재교육 홈페이지에서 내려받으세요.

7일 끝으로 끝내자!

7 고등 언어와 매체

BOOK 1

중간고사대비

이 책의 구성과 활용

일차별 시험 공부

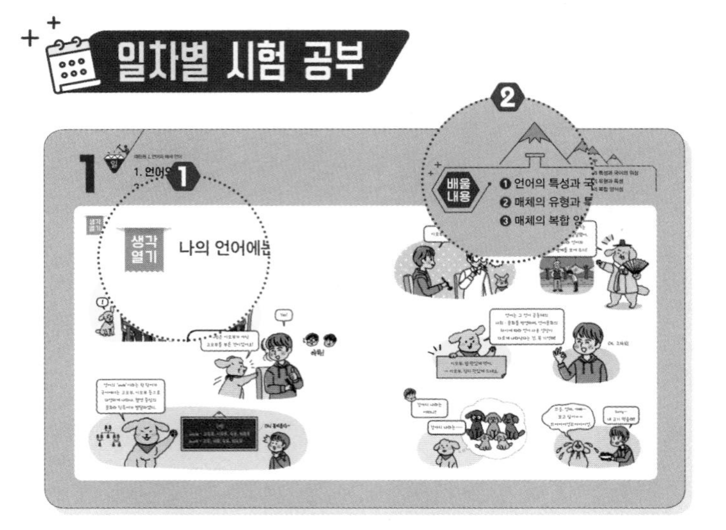

생각 열기

만화를 통해 본격적인 공부에 앞서 학습 내용을 가볍게 짚고 넘어갈 수 있습니다.

❶ **생각 열기** | 질문과 만화로 학습 내용 떠올리기
❷ **배울 내용** | 단원에서 배울 중요한 학습 요소 확인하기

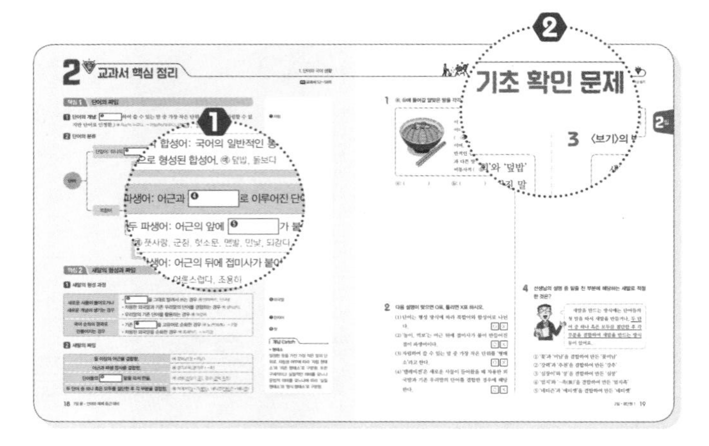

교과서 핵심 정리 + 기초 확인 문제

시험 전 꼭 알아야 할 교과서 핵심 내용과 기초 확인 문제를 통해 개념을 이해하였는지 꼼꼼히 확인할 수 있습니다.

❶ 빈칸 문제를 채우며 핵심 내용 체크하기
❷ 교과서 핵심 내용에 대한 기초 확인 문제 풀기

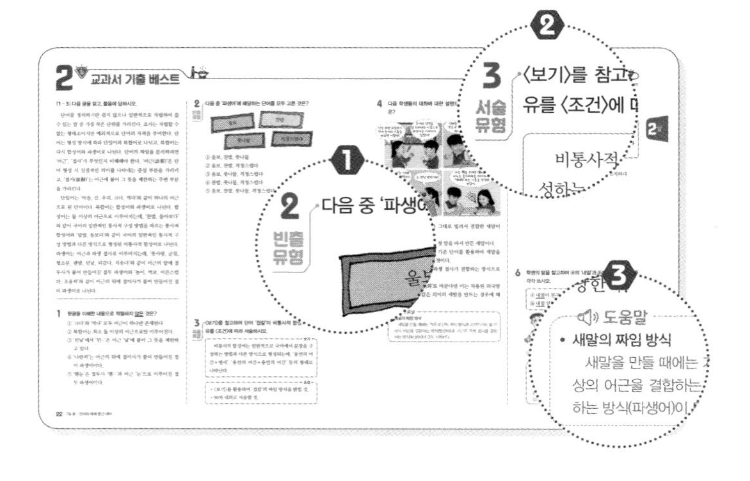

교과서 기출 베스트

기출문제를 분석하여 엄선한 빈출 유형의 문제를 집중적으로 풀며 효과적으로 기본 실력을 다질 수 있습니다.

❶ 빈출 유형을 통해 출제 빈도가 높은 문제 유형 익히기
❷ 서술 유형을 통해 주관식 문제 대비하기
❸ 도움말을 보며 문제 해결의 힌트 확인하기

시험 공부 마무리 테스트

누구나 100점 테스트

아주 쉬운 예상 문제로 100점에 도전하여 내신 자신감을 키울 수 있습니다.

창의·융합·코딩 서술형 테스트

다양한 유형의 서술형 문제를 풀며 사고력과 서술형 문제에 대한 적응력을 높일 수 있습니다.

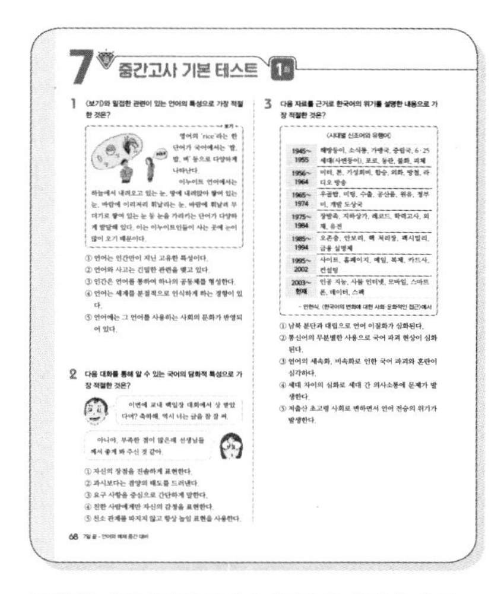

중간/기말고사 기본 테스트

실제 시험과 비슷한 예상 문제를 풀며 실전에 대비할 수 있습니다.

시험 직전까지 챙겨야 할 부록

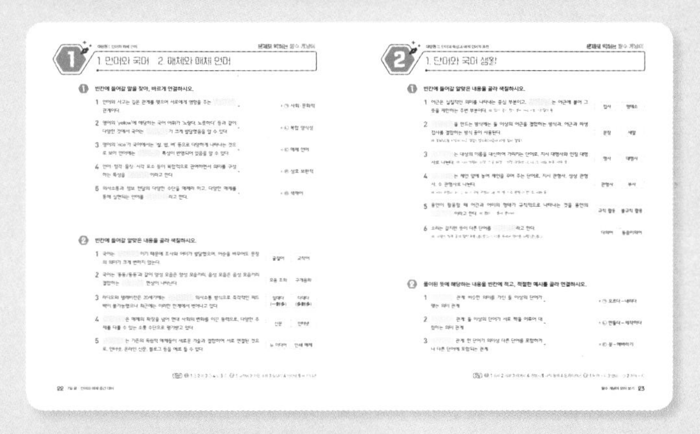

필수 개념어 모아 보기

단원별 필수 개념어를 문제를 통해 확인하며 어휘력을 기를 수 있습니다.

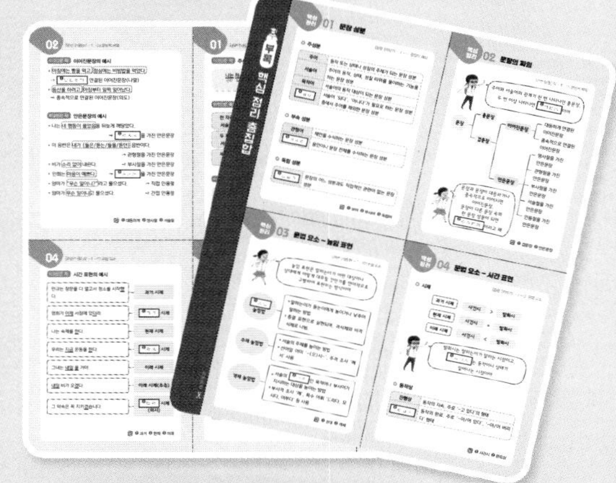

핵심 정리 총집합 카드

빈출 개념만을 모아 카드 형식으로 수록하였습니다. 휴대하여 이동할 때나 시험 직전에 활용할 수 있습니다.

이 책의 차례

우리 학교 시험 범위 확인

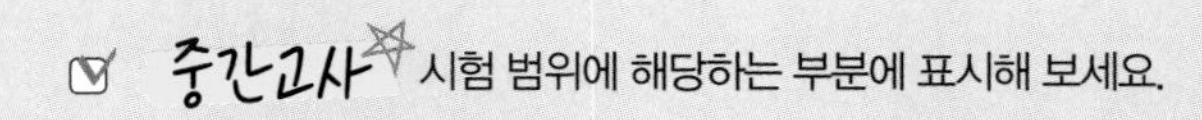

시험 범위에 해당하는 부분에 표시해 보세요.

교과서 단원			교재
I. 언어와 매체 언어	1. 언어와 국어	(1) 언어와 사고, 사회·문화 (2) 국어의 특성과 위상	☐ 중간 대비 편 1일차
	2. 매체와 매체 언어	(1) 매체의 유형과 특성 (2) 뉴 미디어 시대의 복합 양식성	☐ 중간 대비 편 1일차
II. 단어의 특성과 매체 언어의 표현	1. 단어와 국어 생활	(1) 단어의 짜임과 새말 (2) 품사와 국어 생활 (3) 단어의 의미 관계	☐ 중간 대비 편 2일차
	2. 매체의 정보 구성과 창의적 표현	(1) 매체의 정보 구성과 유통 (2) 매체 언어의 창의성	☐ 중간 대비 편 3일차
III. 국어의 규범과 매체 언어의 성찰	1. 국어의 음운과 표준 발음	(1) 음운과 음운 체계 (2) 음운의 변동과 표준 발음법	☐ 중간 대비 편 4일차
	2. 국어 규범과 국어 생활	(1) 한글 맞춤법과 표준어 규정 (2) 외래어 표기법과 국어의 로마자 표기법	☐ 중간 대비 편 5일차
	3. 매체 언어의 영향과 성찰	(1) 매체 언어의 영향 (2) 매체 언어의 성찰	☐ 중간 대비 편 5일차
IV. 문장과 담화, 매체 문화의 향유	1. 문장의 짜임과 문법 요소	(1) 문장의 짜임 (2) 문법 요소	☐ 기말 대비 편 1일차
	2. 담화의 다양한 갈래	(1) 담화의 개념과 특성 (2) 국어 자료의 다양한 갈래	☐ 기말 대비 편 2일차
	3. 매체의 수용과 향유	(1) 매체 자료의 비판적 수용 (2) 매체 문화의 향유	☐ 기말 대비 편 3일차
V. 국어의 변화와 매체 문화의 발전	1. 국어의 역사와 다양성	(1) 국어의 역사 (2) 국어와 사회	☐ 기말 대비 편 4일차
	2. 언어와 매체의 생산과 발전	(1) 매체 자료의 생산 (2) 언어문화와 매체 문화의 발전	☐ 기말 대비 편 5일차

1

대단원 I. 언어와 매체 언어

1. 언어와 국어
2. 매체와 매체 언어

생각 열기 나의 언어에는 어떤 언어문화가 담겨 있을까?

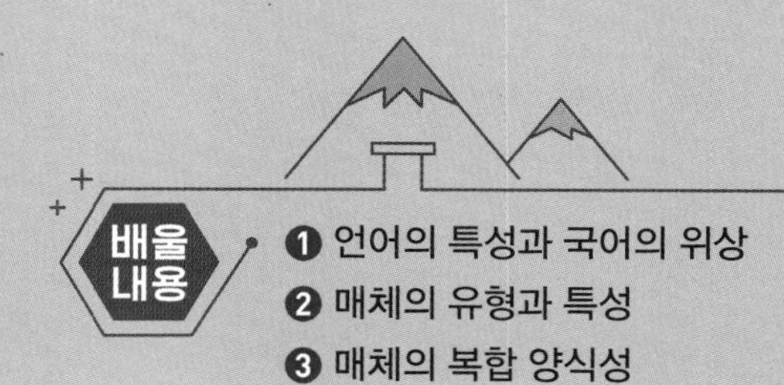

배울 내용

❶ 언어의 특성과 국어의 위상
❷ 매체의 유형과 특성
❸ 매체의 복합 양식성

교과서 핵심 정리

핵심 1 언어와 사고, 사회·문화

사고 — 언어 — 사회·문화

1 언어와 사고의 관계: 언어와 ❶ [ ]는 긴밀한 관련을 맺고 있으며 서로에게 영향을 끼침.

예 무지개를 보기 전부터 '일곱 가지 색으로 이루어진 무지개'를 중얼거리던 사람은 실제 무지개의 색과 상관없이 무지개를 일곱 가지 색으로 구분하여 이해하기 쉬움. (언어 → 사고)

2 언어와 사회·문화의 관계: 언어에는 그 언어를 사용하는 사회의 ❷ [ ]가 반영되어 있으며, 언어는 문화를 창조하고 전수하는 수단이 됨.

예 우리나라는 농경 문화가 반영된 단어들이 많음. (영어의 'rice'가 국어에서는 '쌀, 밥, 벼' 등으로 다양하게 나타남.)

3 언어생활의 성찰과 발전: 언어와 사고, 언어와 사회·문화의 관련성을 이해하고, 이를 토대로 ❸ [ ]의 발전 방향을 고민하고 실천해야 함.

❶ 사고
❷ 문화
❸ 언어문화

핵심 2 국어의 특성과 위상

1 국어의 특성

음운	• 음운 대립이 있음. 예 예사소리, 된소리, 거센소리의 대립(/ㄱ, ㄲ, ㅋ/, /ㄷ, ㄸ, ㅌ/, /ㅂ, ㅃ, ㅍ/, /ㅈ, ㅉ, ㅊ/), 예사소리와 된소리의 대립(/ㅅ, ㅆ/) • ❹ [ ]: 양성 모음은 양성 모음끼리, 음성 모음은 음성 모음끼리 결합하는 현상. 예 동동, 둥둥 / 퐁당퐁당, 풍덩풍덩
어휘	• 고유어, 한자어, ❺ [ ]의 삼중 체계를 이룸. • 고유어 계열에서 색채어, 의성어, 의태어가 발달함. 예 노랗다, 노릇하다, 노릇노릇하다, … (색채어) / 깔깔, 철썩철썩, 엉금엉금(의성어와 의태어)
문법	• 조사와 어미가 발달함. → ❻ [ ]을 바꾸어도 문장의 의미가 크게 변하지 않음. • 높임 표현이 다양하게 실현됨. 예 선어말 어미 '-(으)시-', 어말 어미 '-습니다' 등을 사용함.
담화	• 우리나라는 친소 관계, 상하 관계, 예의범절을 중시함. → 의사소통에 영향을 줌. • 국어의 요청·거절·칭찬 화행 → 국어 의사소통 문화의 영향을 많이 받음. 예 칭찬을 받는 상황 → '아니에요.'와 같은 거절 표현을 통해 겸양을 드러냄.

❹ 모음 조화
❺ 외래어
❻ 어순

2 국어의 위상과 우리의 과제

국어의 위상	경제 성장, 한류 열풍 등으로 한국의 위상 강화 → 국어의 위상이 높아짐.
우리의 과제	무분별한 외국어 및 줄임말 사용, 통신어의 남발 등을 개선하기 위해 노력해야 함.

개념 Catch

• **언어의 분절성**
세계의 실제 모습과 상관없이 세계를 분절적으로 인식하게 하는 언어의 속성.

정답과 해설 4쪽

1 ⓐ, ⓑ에 들어갈 알맞은 말을 각각 쓰시오.

무지개를 보기 전부터 '빨주노초파남보 일곱 가지 색으로 이루어진 무지개'를 중얼거리던 사람이 실제 무지개의 색과 상관없이 무지개의 색을 일곱 가지로 구분하여 이해한다면, 이는 (ⓐ)가 (ⓑ)에 영향을 미친 사례라고 할 수 있다.

ⓐ: (   )   ⓑ: (   )

2 다음 설명이 맞으면 O표, 틀리면 X표 하시오.

(1) 국어는 예사소리, 된소리, 거센소리가 대립하며, 예사소리와 된소리가 대립하기도 한다. O X

(2) 국어에는 양성 모음과 음성 모음이 섞여 결합하는 모음 조화 현상이 나타난다. O X

(3) 국어의 한자어 계열에서는 색채어, 의성어, 의태어가 크게 발달했다. O X

(4) 국어는 선어말 어미, 어말 어미, 높임을 나타내는 단어 등을 통해 높임 표현을 다양하게 실현한다. O X

3 <보기>를 통해 알 수 있는 국어의 특성으로 적절한 것은?

보기

나는 그를 사랑한다. ≒ 나는 사랑한다 그를.

① 음운 대립이 있다.
② 조사와 어미가 발달했다.
③ 색채어, 의성어, 의태어가 발달했다.
④ 예의범절을 중시하는 문화가 담화에 영향을 준다.
⑤ 어휘가 고유어, 한자어, 외래어의 삼중 체계를 이룬다.

4 다음 대화를 통해 알 수 있는 언어의 특성으로 적절한 것은?

어원어에서는 우리와 달리 이른 봄, 늦은 봄, 이른 가을, 늦은 가을을 가리키는 단어가 있어서 1년을 6계절로 나누어 부른대.

그곳의 사람들은 순록을 기르며 자연 속에서 지내기 때문에 자연과 관련된 단어가 발달했을 거야.

① 언어가 인간의 사고를 결정한다.
② 언어의 규칙은 시대에 따라 변화한다.
③ 언어는 사회 속에서 이루어진 약속이다.
④ 성별, 세대에 따라 사용하는 언어에 차이가 발생한다.
⑤ 언어에는 그 언어를 사용하는 사회의 문화가 반영된다.

1일 교과서 핵심 정리

교과서 30~43쪽

핵심 3 매체의 유형과 특성

❶	의사소통과 정보 전달의 다양한 수단.
매체 언어	다양한 매체를 통해 실현되는 언어.

구분	매체	매체의 특성
인쇄 매체	신문, 잡지	• ❷ 의 시작과 발달을 이끈 매체. • 다양한 종류의 글이 실리며, 실리는 내용들은 시의성을 띠는 것들이 많음. 예 신문의 경우 - 기사문, 칼럼, 만평, 독자 기고, 광고 등 잡지의 경우 - 안내문, 설명문, 인터뷰, 광고 등 • 최근에는 누리집에 자료를 제공하여 독자와 쌍방향으로 소통하게 됨.
❸ 매체	라디오, 텔레비전	• 20세기를 대표하는 대중 매체. • 일대다(一對多) 의사소통 방식으로 즉각적 피드백이 불가능했지만, 최근에는 인터넷과 연계하여 한계를 벗어남.
통신 매체	휴대 전화	• 공간의 제약을 극복하고 ❹ 을 가능하게 한 매체. • 음성, 문자 메시지 등을 이용하여 쌍방향 소통을 할 수 있음. • 최근에는 화상 통화와 인터넷 등을 이용해 매체적 속성이 확장되고 있음.
	❺	• 현대 사회의 변화를 이끈 매체. • 일상 대화에서 사회 문제 해결 방안까지 다양한 주제를 다룰 수 있음.

❶ 매체
❷ 대중 매체
❸ 방송
❹ 의사소통
❺ 인터넷

핵심 4 뉴 미디어와 복합 양식성

1 뉴 미디어의 개념과 특성

뉴 미디어의 개념	최근 ❻ 의 발전에 따라 새롭게 등장한 의사소통 수단. 예 인터넷, 온라인 신문, 블로그, 누리 소통망 등의 웹 사이트, 전자책 등
뉴 미디어의 특성	• 기존의 독립적 매체들을 새로운 기술과 결합하여 서로 연결함. • 실시간 ❼ 이 가능하여 정보의 전달 및 교환이 상호 능동적으로 이루어짐. • 여러 가지 매체의 속성이 하나로 통합된 ❽ 적 성격을 지님.

❻ 전자 기술
❼ 상호 작용
❽ 멀티미디어

2 복합 양식성의 이해

복합 양식성	언어 요소(음성, 문자), 청각 요소(음악, 소리 효과), 공간 요소, 몸짓 요소, 시각 요소 등이 복합적으로 작용하여 의미를 구성하는 성질. 예 전자책을 읽을 때 하이퍼텍스트를 통해 사전을 보거나 동영상을 시청하는 경우 → 언어 요소, 청각 요소, 시각 요소 등이 복합적으로 작용하여 의미를 구성함.
수용자의 태도	매체 언어의 내용을 효과적으로 이해하기 위해서는 의미를 구성하는 다양한 요소들의 개별 특성과 이들의 상호 관련성을 이해해야 함.

개념 Catch

• 뉴 미디어의 의의
• 정보의 교환과 축적 속도가 빨라짐.
• 자신의 생각을 신속하고 자유롭게 표현할 수 있게 됨.
• 사람들 사이의 물리적·사회적 거리를 줄여 세계화의 촉매제 역할을 함.

정답과 해설 4쪽

5 ㉠, ㉡에 대한 설명으로 적절하지 않은 것은?

㉠ 신문

㉡ 텔레비전

① ㉠은 대표적인 방송 매체이다.
② ㉠에는 기사문, 칼럼, 만평 등의 글이 실린다.
③ ㉡은 20세기를 대표하는 대중 매체이다.
④ ㉠과 ㉡ 모두 일대다 의사소통 방식을 취한다.
⑤ ㉠과 ㉡ 모두 최근 인터넷의 발달로 즉각적 피드백이 가능해졌다.

6 다음 설명이 맞으면 O표, 틀리면 X표 하시오.

(1) 의사소통과 정보 전달의 다양한 수단을 '매체'라고 한다. O X
(2) 라디오는 대표적인 통신 매체로 대중들에게 다양한 정보를 신속하게 전달하는 역할을 한다. O X
(3) 뉴 미디어는 음성, 문자, 그림 등이 독립되어 단일한 의미를 구성하는 경향이 강하다. O X
(4) 매체 언어를 제대로 파악하려면 의미를 구성하는 여러 요소들의 상호 관련성을 이해해야 한다. O X

7 ⓐ, ⓑ에 들어갈 알맞은 말을 각각 쓰시오.

> 최근 전자 기술의 발전에 따라 새롭게 등장한 여러 가지 의사소통 수단을 (ⓐ)라고 하며, 대표적인 예로 인터넷, 온라인 신문, 블로그, 누리 소통망 등의 웹 사이트 등이 있다. (ⓐ)는 기존의 매체와 달리 (ⓑ)으로 상호 작용이 가능하다는 특징이 있다.

ⓐ: (   )   ⓑ: (   )

8 선생님의 설명에 해당하는 개념으로 적절한 것은?

> 이것은 뉴 미디어 시대의 매체들이 갖는 특성으로 언어 요소, 청각 요소, 공간 요소, 몸짓 요소, 시각 요소 등이 복합적으로 작용하여 의미를 구성하는 성질을 말해요. '이것'은 무엇일까요?

① 지속성　② 단일성
③ 불변성　④ 시의성
⑤ 복합 양식성

9 〈보기〉에서 말하는 매체가 무엇인지 쓰시오.

> 보기
> • 매체의 확장을 넘어 현대 사회의 변화를 이끈 동력으로 평가됨.
> • '잡지'의 경우 이 매체와 만나면서 누리집을 통해 동영상이나 사진 자료를 게시할 수 있게 됨.

1일 교과서 기출 베스트

[1 ~ 2] 다음 글을 읽고, 물음에 답하시오.

가 언어와 사고는 긴밀한 관련을 맺고 있다. 우리는 언어가 분절해 놓은 세계를 보고 듣고 경험하므로 언어를 통해 사고하기 쉽다. 무지개를 보기 전부터 '빨주노초파남보 일곱 가지 색으로 이루어진 무지개'를 중얼거리던 사람은 실제 무지개의 색과 상관없이 무지개의 색을 일곱 가지로 구분하여 이해하기 쉽다. 그러나 무지개는 일곱 가지 이상의 색으로 이루어져 있으며 우리 역시 무지개에서 이 일곱 가지 외의 색을 못 보는 것도 아니다. '무지개'라는 단어가 없어도 우리는 무지개를 지각하고 사고할 수 있다.

아프리카 라이베리아의 니제르·콩고 어족의 바사어에서는 '보라', '파랑', '초록'을 모두 합쳐 하나의 단어로 부른다. 그러나 니제르·콩고 어족 사람들이 '보라', '파랑', '초록'을 구별하지 못하는 것은 아니다.

라이베리아: 아프리카 서부 사하라 사막 서남쪽에 있는 공화국.

언어가 없는 동물이나 언어 습득 이전의 유아들도 과제를 해결하려고 사고하고 행동하여 문제를 해결한다. 따라서 경험이나 사고가 먼저 생성된 후 언어에 의한 판단과 추리가 가능해졌다는 주장도 가능하다.

나 우리의 전통문화는 농경 생활을 기반으로 하기 때문에 농경 문화와 관련된 단어들이 많다. 예컨대 영어의 'rice'라는 한 단어가 국어에서는 '쌀, 밥, 벼' 등으로 다양하게 나타난다.

이누이트 언어에서는 하늘에서 내려오고 있는 눈, 땅에 내려앉아 쌓여 있는 눈, 바람에 이리저리 휘날리는 눈, 바람에 휘날려 무더기로 쌓여 있는 눈 등 눈을 가리키는 단어가 다양하게 발달해 있다. 이는 이누이트인들이 사는 곳에 눈이 많이 오기 때문이다.

1 빈출 유형 (가)를 바탕으로 언어와 사고의 관계를 정리한 내용으로 가장 적절한 것은?

① 언어가 없으면 인간은 사고할 수 없다.
② 언어와 사고는 서로 영향을 주고받는 상호 보완적인 관계이다.
③ 언어와 사고는 언어가 사고의 영향을 받는 일방적인 관계이다.
④ 언어는 사고에 종속되어 있으므로 언어와 사고는 상하 관계이다.
⑤ 언어는 사고 과정의 결과로 나타난 것이므로 사고가 언어에 앞선다.

2 (나)에 나타난 언어의 특성으로 가장 적절한 것은?

① 언어는 한 번 형성되면 쉽게 변하지 않는다.
② 언어에는 그 언어를 사용하는 사회의 문화가 반영되어 있다.
③ 언어는 실제 모습과 상관없이 세계를 분절적으로 인식하게 한다.
④ 언어는 사회 구성원들이 의사소통을 가능하게 해 주는 도구이다.
⑤ 언어의 음운과 어휘는 한정되어 있으므로 만들어 낼 수 있는 문장도 제한적이다.

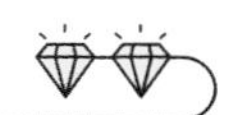

3 서술 유형

〈보기〉에 나타난 한국어 위기 현상이 무엇인지 〈조건〉에 따라 서술하시오.

보기

ⓐ "너는 왜 you're gone away"

ⓑ "네가 zoa, 너밖에 Mola."

– 유행가 가사 중에서

조건

- ⓐ와 ⓑ 현상의 특징을 언급할 것.
- 30자 내외로 쓸 것.

도움말

- 국어 파괴 현상

국어 파괴의 대표적인 현상은 한영(韓英) 혼용 현상이며, '너는 Mola'와 같은 국어의 로마자화 현상도 나타난다. 심지어 '나'를 'ㄴr'와 같이 표기하는 현상까지 나타나고 있다.

4 **㉠~㉤에 나타난 국어의 특성을 파악한 것으로 적절하지 <u>않은</u> 것은?**

보기

㉠ /ㄱ, ㄲ, ㅋ/, /ㄷ, ㄸ, ㅌ/, /ㅂ, ㅃ, ㅍ/

㉡ 동동, 둥둥 / 퐁당퐁당, 풍덩풍덩

㉢ 노랗다, 노릇하다, 노르스름하다, 노르께하다

㉣ 아버지께서 진지를 드셨습니다.

㉤ '내가 그를 사랑한다.'를 '그를 내가 사랑한다.'로 바꾸어도 기본적인 의미는 변하지 않음.

① ㉠: 국어의 어휘는 고유어, 한자어, 외래어의 삼중 체계를 이룬다.

② ㉡: 국어에는 모음 조화 현상이 나타난다.

③ ㉢: 국어의 고유어 계열에서는 색채어가 발달했다.

④ ㉣: 국어는 높임 표현이 다양하게 실현된다.

⑤ ㉤: 국어는 어순을 바꾸어도 문장의 의미가 크게 변하지 않는다.

5 빈출 유형

〈보기〉의 자료를 이해한 내용으로 적절하지 <u>않은</u> 것은?

보기

(가) 전 세계 세종학당 수: 54개국 171개소(2017년 7월 기준)

유럽 18개국 42학당
아시아 17개국 96학당
아메리카 11개국 23학당
아프리카 6개국 6학당
오세아니아 2개국 4학당

– 세종학당재단, 2017

(나) 연도별 한국어능력시험(TOPIK) 지원자 현황

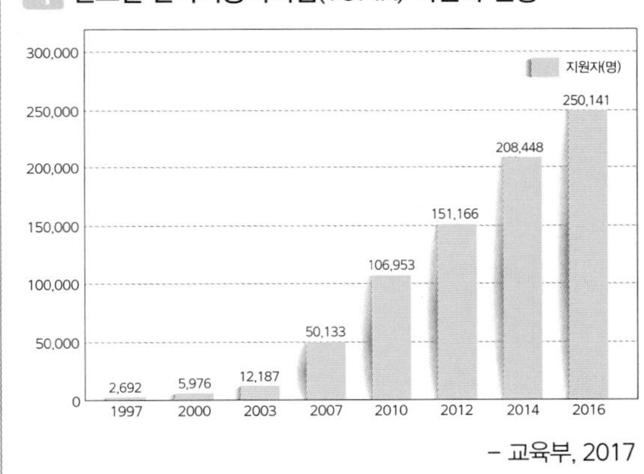

– 교육부, 2017

① 성지: (가)는 전 세계에 설치된 한국어 교육 기관의 현황을 보여 주고 있어.

② 지영: (가)를 통해 우리나라와 멀리 있는 나라일수록 한국어를 배우려는 인구가 많음을 알 수 있어.

③ 정훈: (나)는 국어의 위상이 점차 높아지고 있음을 나타내는 자료라고 할 수 있어.

④ 주원: (나)를 통해 한국어를 배우려는 외국인의 수가 점차 늘어나고 있음을 알 수 있어.

⑤ 민정: (나)에서 주목할 만한 점은 2007년 이후 한국어능력시험의 지원자가 크게 증가하고 있다는 거야.

1일

1일 교과서 기출 베스트

[6 ~ 7] 다음 글을 읽고, 물음에 답하시오.

가 0과 1로 신호를 처리하는 디지털 기반의 컴퓨터는 제한된 수의 글자가 할당된 자판을 이용하여 정보를 입력하고, 한 번에 볼 수 있는 정보의 양이 상대적으로 적은 모니터를 출력 도구로 사용함으로써 입력과 출력 면에서 자유롭게 의사소통을 하는 데 제약이 있다. 또한 기존의 글쓰기가 대체로 한 방향으로 이루어졌던 것에 반해 쌍방향으로 의사소통이 이루어지는 컴퓨터 통신 공간에서 문자의 표현과 속도의 한계를 극복하는 일은 더욱 절실하였다. 컴퓨터를 매개로 하는 사이버 공간에서는 '화자'와 '청자'의 관계가 불투명하고 기존에 존재하지 않았던 '시간'과 '공간'에서 의사소통이 이루어진다. 이러한 의사소통 맥락은 새로운 화법과 문자 사용 방식을 요구하게 되었으며 이에 자연스럽게 등장한 것이 바로 컴퓨터 통신 언어이다.

나 의사소통 방식에 영향을 미친 다른 온라인 매체로 이동 통신의 문자 메시지를 들 수 있다. [중략] 제한된 자수의 메시지밖에 보낼 수 없다는 점과 숫자판을 전용하여 문자를 입력해야 하는 불편함을 감수해야 했으며, 이러한 단점은 자연스럽게 또 다른 언어 표현 방식을 찾게 하였다. 문자 메시지를 사용할 때는 가능한 한 띄어쓰기를 하지 않으며, 입력 글자 수를 줄이기 위해 겹받침의 사용을 자제하고 줄임말을 자주 사용한다. 웬만한 오타는 그냥 넘어가는 것이 일상이다. 문자 메시지는 대개 쌍방향으로 의사소통이 이루어져 대화에 가깝다. 하지만 일상 대화에서 중요한 소통 정보인 억양이나 표정 등의 맥락 정보를 확인할 수 없어 소통에 장해가 생길 수 있다. 이러한 제약은 특히 의사소통에서 중요한 메시지인 '긍정', '부정'의 정보가 잘못 전달될 여지가 있다. 이에 문자 메시지에서는 긍정적인 의미를 표시하기 위해 내용 뒤에 '^^'나 'ㅎㅎ', 'ㅋㅋ' 등을, 부정적인 의미를 표시하기 위해 'ㅠㅠ'를 덧붙이는 것이 보편적이다. 또한 그림말을 사용하는 것은 친근감을 표시하는 수단이 되기도 한다.

전용하여: 예정되어 있는 곳에 쓰지 아니하고 다른 데로 돌려 쓰다.

– 박동근, 〈매체 변화에 따른 언어 사용 방식의 변화〉에서

6 윗글을 통해 알 수 있는 내용으로 가장 적절한 것은? (빈출 유형)

① 매체의 발달은 언어 발전의 원동력이 된다.
② 매체 언어는 사회 구성원이 동의해야 성립한다.
③ 매체의 유형에 따라 의사소통 방식이 달라진다.
④ 매체가 변화해도 인간의 의식은 변하지 않는다.
⑤ 매체가 발달하면 맞춤법을 더 엄격하게 지키게 된다.

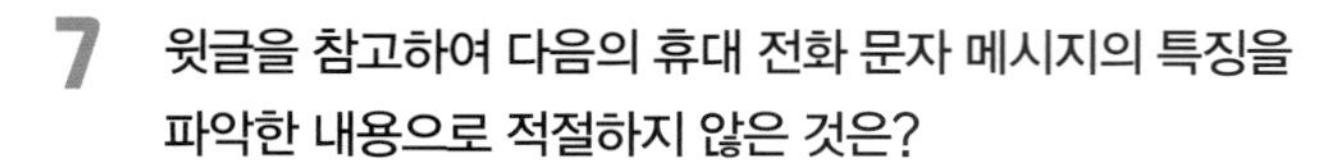

7 윗글을 참고하여 다음의 휴대 전화 문자 메시지의 특징을 파악한 내용으로 적절하지 <u>않은</u> 것은?

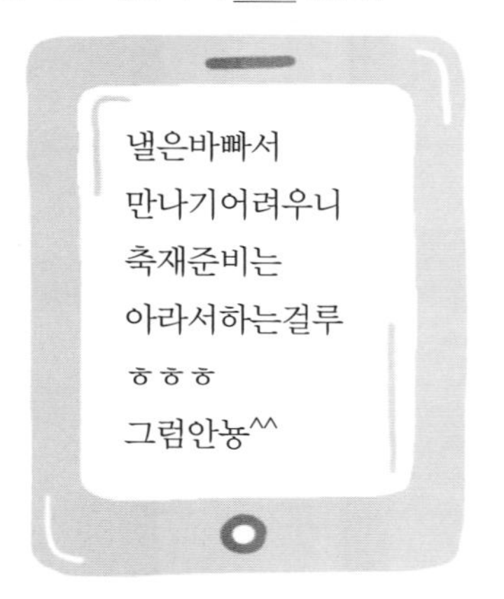

낼은바빠서
만나기어려우니
축재준비는
아라서하는걸루
ㅎㅎㅎ
그럼안뇽^^

① 줄임말을 사용한다.
② 오타가 자주 나타난다.
③ 가급적 돌려서 표현한다.
④ 가능한 한 띄어쓰기를 하지 않는다.
⑤ 그림말을 사용하여 맥락 정보를 나타낸다.

도움말
• 그림말(이모티콘)
그림말은 문자 메시지 등에서 결여된 맥락적 요소를 보완하기 위해 사용하는 일종의 비언어적 표현이다. 그림말은 감정을 전달하는 유용한 소통 수단이 될 수 있지만, 공적인 소통이나 정보 전달을 목적으로 하는 소통에서는 그림말을 사용하는 것이 부적절할 수 있다.

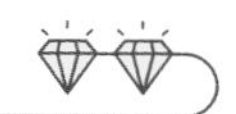

[8~9] 다음 글을 읽고, 물음에 답하시오.

가

– 한국방송광고진흥공사 공익광고협의회, 2012

나

○○○학교 동아리는 '하는 말이 고와야 오는 말이 좋다' 캠페인을 벌였다. 이 캠페인은 청소년들이 휴대 전화 대화창, 누리 소통망(SNS) 등 가상 공간에서의 사이버 폭력을 호소하자 언어문화 개선 활동의 일환으로 추진됐다.

400명의 전교생을 대상으로 말로 상처를 주었거나 받았던 적이 있는 경험을 묻고, '상처받았던 말'과 '듣고 싶은 말'을 적은 종이를 비행기 모양으로 접어 운동장을 향해 날리는 활동을 했다.

학생들이 적은 종이에는 '네가 뭔데?', '너 같은 건 필요 없어.', '네가 내 자식인 것이 자랑스러워.', '넌 할 수 있어!' 등 다양한 글이 쏟아졌다.

– 《경기일보》, 2017년 5월 19일 자에서

8 빈출 유형 (가)와 (나)의 매체적 특성을 비교한 내용으로 적절하지 않은 것은?

① (가)는 동영상 제작 기술을, (나)는 인쇄 기술을 필요로 한다.
② (가)와 (나)는 둘 다 시각 요소를 사용해 주제를 전달하고 있다.
③ (가)와 (나)는 매체에 따라 주제를 표현하는 방법이 다를 수 있음을 보여 준다.
④ (가)는 (나)와 달리 일대다 의사소통 방식을 취하고 있다.
⑤ (가)는 (나)와 달리 음악이나 소리 효과 등의 청각 요소를 활용할 수 있다.

9 (나)에서 확인할 수 있는 복합 양식성으로 적절한 것은?

① 캠페인의 이름과 활동을 모두 제시한 것
② 해당 학교의 이름을 익명으로 제시한 것
③ 글과 사진을 결합하여 의미를 구성한 것
④ 학생들이 사용하는 여러 매체를 언급한 것
⑤ 학생들이 쓴 다양한 글을 구체적으로 언급한 것

10 서술 유형 〈보기〉에 제시된 매체의 특성을 〈조건〉에 따라 서술하시오.

보기

조건

- 접근 가능성 및 검색 여부를 기준으로 쓸 것.
- '~할 수 있으므로 〈보기〉의 매체는 ~하다.'의 형식으로 쓸 것.
- 45자 내외로 쓸 것.

1일

2일

대단원 II. 단어의 특성과 매체 언어의 표현

1. 단어와 국어 생활

생각 열기 단어는 얼마나 다양한 의미를 가지고 있을까?

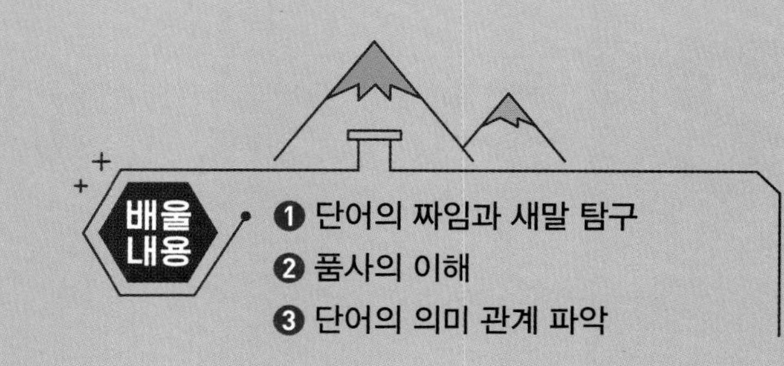
배울 내용
❶ 단어의 짜임과 새말 탐구
❷ 품사의 이해
❸ 단어의 의미 관계 파악

국어사전
국어사전에도 나와 있어!
손01 「명사」
「3」 일을 하는 사람. =일손 「3」.
¶ 손이 부족하다.
손02 「명사」
「2」 여관이나 음식점 따위의 영업하는 장소에 찾아온 사람.
¶ 그 가게는 손이 많다.
아하, 발음이 같다고 뜻까지 같은 건 아니구나.
맞아. 소리는 같지만 뜻이 다른 단어를 '동음이의어'라고 해!
그리고 하나의 단어가 여러 의미를 지니고 있는 '다의어'도 있지!
먹다
중심적 의미
주변적 의미
주변적 의미
생 일 축
으히히 히히
밥을 먹다.
나이를 먹다.
겁을 먹다.
우리말은 알면 알수록 참 신기한 거 같아!
아무튼 괜찮다면 나도 일손을 도우러 가 줄까?
우와, 그럼 좋지! 정말 고마워!
나도 갈래!

교과서 52~58쪽

핵심 1 단어의 짜임

1 단어의 개념: ❶ ______하여 쓸 수 있는 말 중 가장 작은 단위. (단, 조사는 자립할 수 없지만 단어로 인정함.) 예 하늘이 푸르다. → 하늘/이/푸르다(3개의 단어로 이루어짐.)

2 단어의 분류

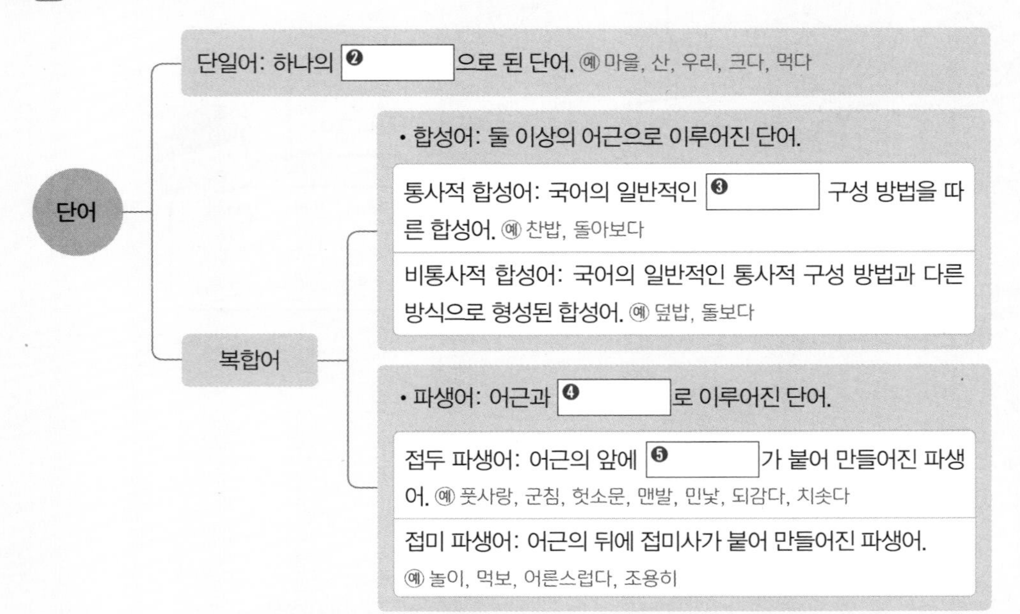

단어
단일어: 하나의 ❷ ______으로 된 단어. 예 마을, 산, 우리, 크다, 먹다
복합어
• 합성어: 둘 이상의 어근으로 이루어진 단어.
통사적 합성어: 국어의 일반적인 ❸ ______ 구성 방법을 따른 합성어. 예 찬밥, 돌아보다
비통사적 합성어: 국어의 일반적인 통사적 구성 방법과 다른 방식으로 형성된 합성어. 예 덮밥, 돌보다
• 파생어: 어근과 ❹ ______로 이루어진 단어.
접두 파생어: 어근의 앞에 ❺ ______가 붙어 만들어진 파생어. 예 풋사랑, 군침, 헛소문, 맨발, 민낯, 되감다, 치솟다
접미 파생어: 어근의 뒤에 접미사가 붙어 만들어진 파생어. 예 놀이, 먹보, 어른스럽다, 조용히

핵심 2 새말의 형성과 짜임

1 새말의 형성 과정

새로운 사물이 들어오거나 새로운 개념이 생기는 경우	• ❻ ______을 그대로 빌려서 쓰는 경우 예 텔레비전, 인터넷 • 차용한 외국말과 기존 우리말의 단어를 결합하는 경우 예 실버산업 • 우리말의 기존 단어를 활용하는 경우 예 외벌이
국어 순화의 결과로 만들어지는 경우	• 기존 ❼ ______를 고유어로 순화한 경우 예 노견(路肩) → 갓길 • 차용된 외국말을 순화한 경우 예 홈페이지 → 누리집

2 새말의 짜임

둘 이상의 어근을 결합함.	예 꽃미남(꽃+미남)
어근과 파생 접사를 결합함.	예 캥거루족(캥거루+-족)
단어들의 ❽ ______ 말을 따서 만듦.	예 심쿵(심장이 쿵), 강추(강력 추천)
두 단어 중 하나 혹은 모두를 절단한 후 각 부분을 결합함.	예 차계부(차+가계부), 네티켓(네티즌+에티켓)

❶ 자립
❷ 어근
❸ 통사적
❹ 파생 접사
❺ 접두사
❻ 외국말
❼ 한자어
❽ 첫

개념 Catch

• **형태소**
일정한 뜻을 가진 가장 작은 말의 단위로, 자립성 여부에 따라 '자립 형태소'와 '의존 형태소'로 구분함. 또한 구체적이고 실질적인 의미를 갖느냐 문법적 의미를 갖느냐에 따라 '실질 형태소'와 '형식 형태소'로 구분함.

기초 확인 문제

정답과 해설 6쪽

1 ⓐ, ⓑ에 들어갈 알맞은 말을 각각 쓰시오.

'회덮밥'은 '회'와 '덮밥'이 결합하여 만들어진 말이다. 이때 '회'는 하나의 (ⓐ)으로 된 단일어이며, '덮밥'은 국어의 일반적인 통사적 구성 방법과 다른 방식으로 형성된 비통사적 (ⓑ)이다.

ⓐ: (　　　　)　　　ⓑ: (　　　　)

2 다음 설명이 맞으면 O표, 틀리면 X표 하시오.

(1) 단어는 형성 방식에 따라 복합어와 합성어로 나뉜다. [O X]

(2) '놀이, 먹보'는 어근 뒤에 접미사가 붙어 만들어진 접미 파생어이다. [O X]

(3) 자립하여 쓸 수 있는 말 중 가장 작은 단위를 '형태소'라고 한다. [O X]

(4) '텔레비전'은 새로운 사물이 들어왔을 때 차용한 외국말과 기존 우리말의 단어를 결합한 경우에 해당한다. [O X]

3 〈보기〉의 빈칸에 들어갈 말로 적절한 것은?

보기

새말은 국어 순화의 결과로 만들어지는 경우가 있는데, (　　　　)와/과 같은 단어는 차용된 외국말을 순화하여 만든 새말이다.

① 갓길　② 누리집　③ 외벌이
④ 인터넷　⑤ 실버산업

4 선생님의 설명 중 밑줄 친 부분에 해당하는 새말로 적절한 것은?

새말을 만드는 방식에는 단어들의 첫 말을 따서 새말을 만들거나, <u>두 단어 중 하나 혹은 모두를 절단한 후 각 부분을 결합하여 새말을 만드는 방식</u> 등이 있어요.

① '꽃'과 '미남'을 결합하여 만든 '꽃미남'
② '강력'과 '추천'을 결합하여 만든 '강추'
③ '심장이'와 '쿵'을 결합하여 만든 '심쿵'
④ '엄지'와 '-족(族)'을 결합하여 만든 '엄지족'
⑤ '네티즌'과 '에티켓'을 결합하여 만든 '네티켓'

교과서 핵심 정리

교과서 59~77쪽

핵심 3 품사

1 ❶ [　　] : 단어의 성질이 공통된 것끼리 모아 갈래지어 놓은 것.

체언	명사	사람이나 사물 등의 ❷ [　　] 을 나타내는 단어. 예 주시경, 배, 책상, 것
	❸ [　　]	대상의 이름을 대신하여 가리키는 단어. 예 이것(지시 대명사), 나(인칭 대명사)
	수사	사물의 수량이나 ❹ [　　] 를 가리키는 단어. 예 하나(양수사), 첫째(서수사)
관계언	조사	자립성이 있는 말에 붙어 그 말과 다른 말과의 문법적 관계를 나타내거나 의미를 더해 주는 단어. 예 가(격 조사), 만(보조사), 와(접속 조사)
용언	동사	사람이나 사물의 동작이나 작용을 나타내는 단어. 예 가다(자동사), 읽다(타동사)
	형용사	사람이나 사물의 성질이나 ❺ [　　] 를 나타내는 단어. 예 높다(성상 형용사), 이러하다(지시 형용사)
수식언	관형사	체언 앞에 놓여서 체언을 꾸며 주는 단어. 예 이(지시 관형사), 새(성상 관형사), 한(수 관형사)
	❻ [　　]	용언이나 문장을 수식하는 기능을 하는 단어. 예 매우(성분 부사), 과연(문장 부사)
독립언	❼ [　　]	부름, 응답, 놀람, 느낌 등을 나타내는 단어. 예 여보세요, 네, 아

2 **용언의 활용**: 용언의 어간에 여러 어미가 번갈아 결합하는 현상.

- 규칙 활용: 용언이 활용할 때 어간과 어미의 형태가 규칙적으로 나타남. 예 뽑-+-아 → 뽑아
- 불규칙 활용: 용언이 활용할 때 어간이나 어미의 기본 형태가 유지되지 않음.
  예 돕-+-아 → 도와

핵심 4 단어의 의미 관계

1 **다의어와 동음이의어**

다의어	의미적 관련성이 있는 여러 의미를 지닌 단어. 예 손: 사람의 팔목 끝에 달린 부분.(중심적 의미), 일손.(주변적 의미)
❽ [　　]	소리는 같지만 뜻이 다른 단어. 예 배(배나무 열매)–배(선박)–배(신체 일부)

2 **단어의 의미 관계**

유의 관계	비슷한 의미를 가진 둘 이상의 단어가 맺는 의미 관계. 예 부추–정구지 / 이–치아
❾ [　　] 관계	둘 이상의 단어가 서로 짝을 이루어 대립하는 의미 관계. 예 남자:여자(상보 반의어) / 높다:낮다(등급 반의어) / 오다:가다(방향 반의어)
상하 관계	한 단어가 의미상 다른 단어를 포함하거나 다른 단어에 포함되는 관계. 예 동물:척추동물

❶ 품사
❷ 이름
❸ 대명사
❹ 순서
❺ 상태
❻ 부사
❼ 감탄사
❽ 동음이의어
❾ 반의

개념 Catch

- 어간과 어미
  - 어간: 용언이 활용할 때 변하지 않는 부분. 예 보았다
  - 어미: 어간에 결합하여 여러 가지 문법적 의미를 더해 주는 요소.
    예 보았다 → '-았-'은 선어말 어미, '-다'는 어말 어미임.

정답과 해설 6쪽

5 빈칸에 공통으로 들어갈 말을 쓰시오.

> (　　　)은 형태가 변하지 않는 단어로, 명사, 대명사, 수사가 있다. (　　　)은 문장에서 주로 주어가 되는 자리에 오며 목적어, 보어, 서술어 등의 자리에도 오는 부류의 단어이다.

6 품사와 그 예를 바르게 연결하시오.

품사			예
대명사	㉠ •	• ⓐ	그것
수사	㉡ •	• ⓑ	하나
동사	㉢ •	• ⓒ	빠르다
형용사	㉣ •	• ⓓ	솟다

7 다음 설명이 맞으면 O표, 틀리면 X표 하시오.

(1) 용언이 활용할 때 변하지 않는 부분을 '어간'이라고 한다. [O | X]

(2) 의미적 관련성이 있는 여러 의미를 지닌 단어를 '동음이의어'라고 한다. [O | X]

(3) '척추동물'은 '포유류'와 상하 관계를 이루며, 이때 상의어는 '포유류'이다. [O | X]

8 ㉠과 ㉡을 가리키는 말로 알맞은 것은?

물은 맑고 산은 푸르다.
(맑고 ㉠, 다 ㉡)

	㉠	㉡
①	체언	용언
②	어간	어미
③	수사	조사
④	동사	형용사
⑤	명사	대명사

9 〈보기〉에서 설명하는 '상보 반의어'의 예로 적절하지 않은 것은?

> 보기
> • 상보 반의어: 개념적 영역이 상호 배타적이어서 중립 지역이 없는 반의어.

① 남자 : 여자
② 죽다 : 살다
③ 크다 : 작다
④ 성공하다 : 실패하다
⑤ 합격하다 : 불합격하다

교과서 기출 베스트

[1 ~ 3] 다음 글을 읽고, 물음에 답하시오.

단어를 정의하기란 쉽지 않으나 일반적으로 자립하여 쓸 수 있는 말 중 가장 작은 단위를 가리킨다. 조사는 자립할 수 없는 형태소이지만 예외적으로 단어의 자격을 부여한다. 단어는 형성 방식에 따라 단일어와 복합어로 나뉘고, 복합어는 다시 합성어와 파생어로 나뉜다. 단어의 짜임을 분석하려면 '어근', '접사'가 무엇인지 이해해야 한다. '어근(語根)'은 단어 형성 시 실질적인 의미를 나타내는 중심 부분을 가리키고, '접사(接辭)'는 어근에 붙어 그 뜻을 제한하는 주변 부분을 가리킨다.

단일어는 '마을, 산, 우리, 크다, 먹다'와 같이 하나의 어근으로 된 단어이다. 복합어는 합성어와 파생어로 나뉜다. 합성어는 둘 이상의 어근으로 이루어지는데, '찬밥, 돌아보다'와 같이 국어의 일반적인 통사적 구성 방법을 따르는 통사적 합성어와 '덮밥, 돌보다'와 같이 국어의 일반적인 통사적 구성 방법과 다른 방식으로 형성된 비통사적 합성어로 나뉜다. 파생어는 어근과 파생 접사로 이루어지는데, '풋사랑, 군침, 헛소문, 맨발, 민낯, 되감다, 치솟다'와 같이 어근의 앞에 접두사가 붙어 만들어진 접두 파생어와 '놀이, 먹보, 어른스럽다, 조용히'와 같이 어근의 뒤에 접미사가 붙어 만들어진 접미 파생어로 나뉜다.

1 윗글을 이해한 내용으로 적절하지 않은 것은?

① '크다'와 '먹다' 모두 어근이 하나만 존재한다.
② 복합어는 최소 둘 이상의 어근으로만 이루어진다.
③ '민낯'에서 '민-'은 어근 '낯'에 붙어 그 뜻을 제한하고 있다.
④ '나란히'는 어근의 뒤에 접미사가 붙어 만들어진 접미 파생어이다.
⑤ '맨눈'은 접두사 '맨-'과 어근 '눈'으로 이루어진 접두 파생어이다.

2 빈출 유형 다음 중 '파생어'에 해당하는 단어를 모두 고른 것은?

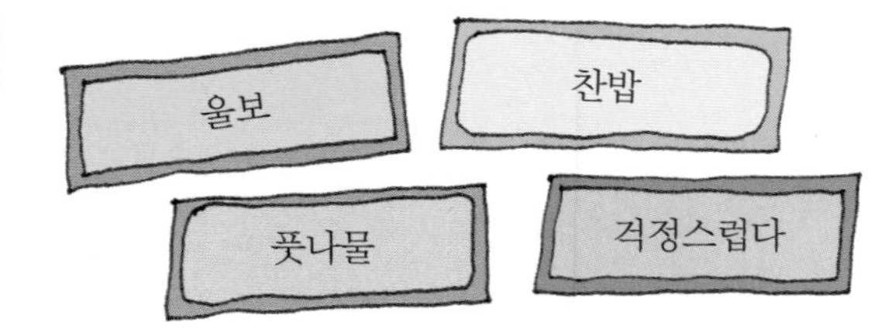

① 울보, 찬밥, 풋나물
② 울보, 찬밥, 걱정스럽다
③ 울보, 풋나물, 걱정스럽다
④ 찬밥, 풋나물, 걱정스럽다
⑤ 울보, 찬밥, 풋나물, 걱정스럽다

3 서술 유형 〈보기〉를 참고하여 단어 '접칼'이 비통사적 합성어인 이유를 〈조건〉에 따라 서술하시오.

보기

비통사적 합성어는 일반적으로 국어에서 문장을 구성하는 방법과 다른 방식으로 형성되는데, '용언의 어간+명사', '용언의 어간+용언의 어간' 등의 형태로 나타난다.

조건

- 〈보기〉를 활용하여 '접칼'의 짜임 방식을 밝힐 것.
- 90자 내외로 서술할 것.

4 다음 학생들의 대화에 대한 설명으로 적절하지 <u>않은</u> 것은?

① '북토크'는 외국말을 그대로 빌려서 결합한 새말이다.
② '책사이'는 세 단어의 첫 말을 따서 만든 새말이다.
③ '책사이'는 우리말의 기존 단어를 활용하여 새말을 만든 방법을 사용한 것이다.
④ '책대화'는 어근과 파생 접사가 결합하는 방식으로 만든 파생어이다.
⑤ '북토크'를 '책대화'로 바꾼다면 이는 차용된 외국말을 순화하여 같은 의미의 새말을 만드는 경우에 해당한다.

> 도움말
> • **새말의 짜임 방식**
> 새말을 만들 때에는 기존의 단어 짜임 방식과 마찬가지로 둘 이상의 어근을 결합하는 방식(합성어)과, 어근과 파생 접사를 결합하는 방식(파생어)이 모두 사용된다.

5 빈출 유형 두 단어의 의미 관계가 〈보기〉의 밑줄 친 부분에 해당하는 것은?

> 보기
> 비슷한 의미를 가진 둘 이상의 단어가 맺는 의미 관계, 즉 유의 관계에 있는 단어를 유의어라고 한다. 유의 관계는 표준어와 방언, 고유어와 한자어, 일반어와 전문어, <u>금기어와 완곡어</u> 등의 양상으로 구분된다.

① 이 – 치아
② 부추 – 정구지
③ 변소 – 화장실
④ 알리다 – 고지하다
⑤ 소금 – 염화 나트륨

6 학생의 말을 참고하여 ⓐ의 '내일'과 ⓑ의 '내일'의 품사를 각각 쓰시오.

> ⓐ <u>내일</u>이 친구 생일이라 선물 사러 가야 해.
> ⓑ <u>내일</u> 일어나는 대로 바로 출발하겠습니다.

ⓐ의 '내일'은 문장에서 주어의 기능을 하고 있고, ⓑ의 '내일'은 '일어나다'라는 용언을 수식하고 있구나!

ⓐ: (   )   ⓑ: (   )

> 도움말
> • **품사의 통용**
> 하나의 단어가 둘 이상의 품사로 처리되는 경우 이를 품사의 통용이라고 한다. 품사의 통용에는 '오늘'과 같이 명사와 부사로 쓰이는 경우, '만큼'과 같이 의존 명사와 조사로 쓰이는 경우, '다섯'과 같이 수사와 관형사로 쓰이는 경우, '정말'과 같이 명사, 부사, 감탄사로 쓰이는 경우 등 다양한 유형이 존재한다.

2일 교과서 기출 베스트

[7~8] 다음 글을 읽고, 물음에 답하시오.

오늘 유네스코㉠가 지정한 '세계 책의 날' 행사에 다녀왔다. 소설을 읽어 주는 '낭독 공연'을 비롯해서, 작가와 직접 대화할 수 있는 '작가의 방', 각 출판사의 책들을 둘러보고 살 수 있는 '책 벼룩시장'도 열렸다. 오늘 행사 중 기억에 남는 것은 ㉡첫째, 낭독 공연이고 둘째, 작가와의 대화이다. 특히 낭독 공연이 ㉢가장 좋았다. ⓐ낭독 공연은 나에게 새로움 그 자체였다. 평소 반응이 별로 없는 ㉣내가 낭독 공연을 들으며 연신 ㉤'우와'라고 혼잣말을 한 것도 낭독하는 것을 들으면서 읽을 때와는 또 다른 감동을 느낄 수 있었기 때문이다.

---

7 ㉠~㉤의 품사를 이해한 내용으로 적절하지 않은 것은?

① ㉠은 자립성이 있는 말에 붙어 그 말과 다른 말과의 문법적 관계를 나타내거나 의미를 더해 주는 역할을 해.

② ㉡은 사물의 수량이나 순서를 가리켜.

③ ㉢은 체언 앞에 놓여서 체언을 꾸며 주는 역할을 해.

④ ㉣은 대상의 이름을 대신하여 가리켜.

⑤ ㉤은 부름, 응답, 놀람, 느낌 등을 나타내.

도움말

• **관형사와 부사**

관형사와 부사는 문장에서 뒤에 오는 다른 말을 꾸며 주는 기능을 하는 수식언이다. 하지만 관형사는 체언 앞에 놓여서 체언을 꾸며 주고, 부사는 용언이나 문장을 수식하는 기능을 한다는 점에서 차이가 있다.

8 ⓐ를 이해한 내용으로 적절하지 않은 것은?

① '공연'은 고유 명사이면서 자립 명사이다.

② '은'은 앞말에 특별한 뜻을 더해 주는 보조사이다.

③ '나'는 사람을 가리키는 인칭 대명사이다.

④ '에게'는 다른 말과의 문법적 관계를 표시하는 격 조사이다.

⑤ '자체였다'의 '였다'는 서술격 조사 '이다'에 선어말 어미 '-었-'이 결합한 것이다.

도움말

• **명사의 종류**

명사는 몇 가지 기준에 따라 분류할 수 있는데, 일반적으로 사용 범위에 따라 고유 명사와 보통 명사로 나눌 수 있고, 자립성 유무에 따라 자립 명사와 의존 명사로 나눌 수 있다.

9 서술유형 〈보기〉의 밑줄 친 조사 '에서'의 기능을 〈조건〉에 따라 서술하시오.

보기

ⓐ 정부에서 유치원 교육비를 지원해 준다.

ⓑ 그 가수는 무대에서 열창을 한다.

조건

• ⓐ와 ⓑ에서 조사 '에서'의 기능에 어떤 차이가 있는지 밝힐 것.

• 50자 내외로 서술할 것.

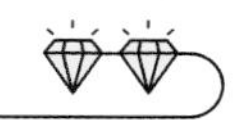

10 빈출 유형 다음 중 〈보기〉의 밑줄 친 단어와 가장 비슷한 의미로 쓰인 것은?

보기

할아버지께서는 생전에 당신의 물건을 소중히 다루셨다.

① 당신이 뭔데 참견이야.
② 이 일을 한 사람이 당신이오?
③ 당신의 희생을 잊지 않겠습니다.
④ 당신에게 좋은 남편이 되도록 노력하겠소.
⑤ 어머니는 당신의 무릎에 내 머리를 눕히셨다.

11 〈보기〉를 통해 동사와 형용사의 차이를 탐구한 내용으로 적절하지 않은 것은?

보기

먹다	맑다
밥을 먹는다.	하늘이 맑다.
밥을 먹어라.	–
밥을 먹자.	–
밥을 먹는구나.	하늘이 맑구나.
밥을 제때 먹는 것이 중요하다.	하늘이 맑은 날이다.

① '먹는다'와 같이 동사는 현재 시제 선어말 어미 '-는/ㄴ-'과 결합할 수 있으나 형용사는 그렇지 않다.
② '먹어라'와 같이 동사는 명령형 어미 '-아라/어라'와 결합할 수 있으나 형용사는 그렇지 않다.
③ '먹자'와 같이 동사는 청유형 어미 '-자'와 결합할 수 있으나 형용사는 그렇지 않다.
④ '먹는구나'와 같이 동사는 종결 어미 '-구나'와 결합할 수 있으나 형용사는 그렇지 않다.
⑤ '먹는'과 같이 동사는 관형사형 어미 '-는'과 결합할 수 있으나 형용사는 그렇지 않다.

12 빈출 유형 다음은 국어사전에서 '발'을 검색한 결과이다. 이에 대한 이해로 적절하지 않은 것은?

발[1] 「명사」
「1」 사람이나 동물의 다리 맨 끝부분.
예) 발로 밟다.
「2」 가구 등의 밑을 받쳐 균형을 잡고 있는, 짧게 도드라진 부분.
예) 장롱의 발.
「3」 '걸음'을 비유적으로 이르는 말.
예) 발이 빠른 선수.

발[3] 「명사」 가늘고 긴 대를 줄로 엮거나, 줄 따위를 여러 개 나란히 늘어뜨려 만든 물건. 주로 무엇을 가리는 데 쓴다.
예) 문에 발을 늘어뜨리다.

발[5] 「명사」 실이나 국수 따위의 가늘고 긴 물체의 가락.
예) 국수의 발이 가늘다.

발[9] 「의존 명사」 총알, 포탄, 화살 따위를 세는 단위.
예) 총을 수십 발 쏘다.

① '발[1]'은 다의어에 해당하겠군.
② '발[1]'의 「1」이 중심적 의미이고, 「2」와 「3」은 주변적 의미이군.
③ '발[3]'과 '발[5]'는 소리는 같지만 뜻이 서로 다른 단어이군.
④ '발[9]'가 다른 말의 도움 없이 단독으로 쓰일 수 있는 것과 달리 '발[3]'은 단독으로 쓰일 수 없겠군.
⑤ '발[1]', '발[3]', '발[5]', '발[9]'는 서로 동음이의 관계이겠군.

도움말
• 자립 명사와 의존 명사
자립 명사는 다른 말의 도움을 받지 않고 단독으로 쓰일 수 있지만, 의존 명사는 관형어의 수식을 받아야만 문장에서 쓰일 수 있다.

3일 2. 매체의 정보 구성과 창의적 표현

생각 열기 우리는 일상에서 정보를 어떻게 얻을까?

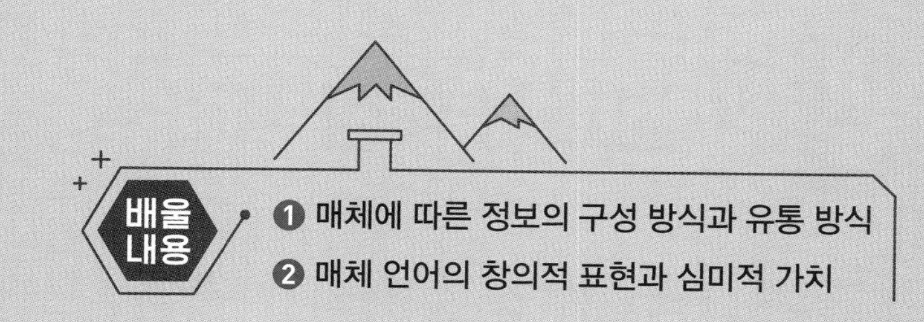
배울 내용
❶ 매체에 따른 정보의 구성 방식과 유통 방식
❷ 매체 언어의 창의적 표현과 심미적 가치

저기 이 식당 음식에 관한 신문 기사가 붙어 있어.
오, 냥냥 세트 메뉴가 유명한가 봐.
천재 식당의 히트 비결 냥냥 세트 집중 분석!
인터넷 리뷰를 보니 별★ 메뉴가 맛있대.
그럼 그것도 시키자.
리뷰
천재 식당 OO역점
소떡소떡
별★ 메뉴 너무 맛있어요!
설탕 소년
다 맛있어요. 근데 주말에는 사람이 너무 많네요.
그러고 보니 리뷰를 달 수 있는 인터넷은 소통 방식이 쌍방향적이구나.
종이 신문은 일방향적이라고 할 수 있겠어.
매체
매체가 어떻게 구성되고 유통되는지도 궁금해진다.
그러게! 그걸 알면 매체를 더 알차게 활용할 수 있을 것 같아!
알고 싶다멍~!!!
훗, 나만 따라오라고. 매체에 대한 모든 걸 알려 주지.

교과서 78~87쪽

핵심 1 매체에 따른 정보 구성 방식

	책	신문	텔레비전	인터넷
정보의 양과 질	분량의 제약이 적고, 전문적인 내용을 깊게 다룸.	시의성 있는 주제를 다루며, 사회적 현상과 그 현상이 야기한 사회적 문제를 함께 다룸.	• ❶ ( ) 있는 정보를 전달함. • 프로그램의 종류에 따라 전달되는 정보의 양이 다름.	다양한 주제의 정보를 확인할 수 있지만, 정보의 ❷ ( ) 을 반드시 확인해야 함.
정보의 배치 및 제시 방식	❸ ( )에 따라 정보가 장, 절 등으로 나뉨.	• 1면에 주요 내용을 배치함. • ❹ ( )와 전문을 통해 전반적 내용을 파악할 수 있게 함.	음성 언어, 영상, 음향 등을 복합적으로 활용해 정보를 구성함. → 정보의 실재감이 높음.	• ❺ ( )를 통해 비순차적 검색을 허용함. • 최근에는 사용자의 특성을 고려한 맞춤형 정보 제공 방식이 등장함.

휴대 전화	음성 통화, 영상 통화, 문자 메시지 전송, 인터넷 검색은 물론 신문, 라디오, 텔레비전으로 전송되는 정보까지 확인할 수 있음. → 여러 매체의 기능을 ❻ ( )적으로 구현하고 있어 사용하는 기능에 따라 정보의 양이나 질, 제시 방식이 달라짐.

❶ 시의성

❷ 신뢰성

❸ 목차

❹ 표제

❺ 하이퍼텍스트

❻ 통합

핵심 2 매체에 따른 정보 유통 방식

	책	신문	라디오	텔레비전	인터넷
정보 제공의 속도	책 < 신문 < 라디오, 텔레비전, 인터넷				
정보 제공 방식과 개방성 정도	책을 구매하거나 빌린 사람, 신문을 구독하거나 구매한 사람에게만 정보가 제공됨. → 정보 제공의 개방성이 낮음.		• 라디오, 텔레비전: 틀어 놓으면 정보가 계속 제공됨. • 인터넷: ❼ ( )을 통해 정보를 손쉽게 확인함. → 정보 제공의 개방성이 높음.		
정보 소통의 방향성	• 라디오와 인터넷이 다른 매체보다 쌍방향 의사소통이 활발한 편 • 최근 ❽ ( )을 중심으로 매체가 통합되는 양상을 보임. → 인터넷 댓글 등을 통해 신문과 텔레비전의 정보도 쌍방향으로 소통 가능				

휴대 전화	• 여러 매체의 기능을 통합적으로 갖추고 있음. • 다양한 유형의 정보가 쌍방향으로 빠르게 소통됨.

❼ 검색

❽ 인터넷

개념 Catch

• **정보의 시의성**
'시의성'이란 당시의 상황이나 사정에 딱 들어맞는 성질이라는 뜻으로, 라디오나 텔레비전의 경우 그날그날의 주요 정보를 전달하기 때문에 정보의 시의성이 높은 편임.

정답과 해설 8쪽

1 괄호에 들어갈 말로 알맞은 것에 O표를 하시오.

책은 다른 매체에 비해 분량의 제약이 (많고 / 적고), 정보 제공의 개방성은 (높은 / 낮은) 편이다.

2 다음 설명이 맞으면 O표, 틀리면 X표 하시오.

(1) 라디오는 종이 신문이나 책에 비해 정보 제공의 개방성이 낮다. [O | X]

(2) 신문은 표제와 전문을 통해 정보의 전반적 내용을 파악할 수 있도록 되어 있다. [O | X]

(3) 책은 일반적으로 앞에 제시된 목차에 따라 정보를 장, 절 등으로 나누어 배치한다. [O | X]

(4) 최근에는 인터넷 댓글 등을 통해 텔레비전의 정보도 쌍방향으로 소통할 수 있게 되었다. [O | X]

3 ㉠에 공통으로 들어갈 매체로 적절한 것은?

(㉠)은/는 시의성 있는 정보를 다루는 경향이 있고, 음성 언어나 영상, 음향 등을 복합적으로 활용하여 정보를 구성하기 때문에 정보의 실재감이 높은 편이다. 한편 (㉠)을/를 통해 전달되는 정보의 양은 프로그램의 종류에 따라 차이가 있다.

① 책 ② 신문 ③ 잡지
④ 라디오 ⑤ 텔레비전

4 ⓐ와 ⓑ에 대한 설명으로 적절하지 않은 것은?

ⓐ 인터넷

ⓑ 휴대 전화

① ⓐ는 정보의 신뢰성이 부족한 경우가 있다.
② ⓐ는 검색을 통해 정보를 손쉽게 확인할 수 있다.
③ ⓐ는 하이퍼텍스트를 통해 정보를 비순차적으로 제공할 수 있다.
④ ⓑ는 최근 여러 매체의 기능을 통합적으로 구현하고 있다.
⑤ ⓑ는 다양한 유형의 정보를 쌍방향으로 소통할 수 있지만, 정보 제공의 속도는 느린 편이다.

3일 교과서 핵심 정리

교과서 88~93쪽

핵심 3 매체 언어의 창의적 표현

1 언어 표현을 통한 창의적 표현

표현 방법	동음이의어, 발음의 유사성, ❶ ______ 와 비유 등을 활용함.
예	• 신문 기사 제목 '국제 유가 高高 국내 산업 苦苦' → 높다는 뜻의 '고고(高高)'와 괴롭다는 뜻의 '고고(苦苦)'가 ❷ ______ 은 같지만 뜻이 다른 관계에 있다는 점을 활용함. • 광고 표현 '지하철에서는 잠시 休대 전화' → 쉰다는 뜻의 한자 '휴(休)'가 '휴대 전화'의 '휴(携)'와 뜻은 다르지만 발음이 같다는 점을 활용함.

2 복합 양식성을 통한 창의적 표현

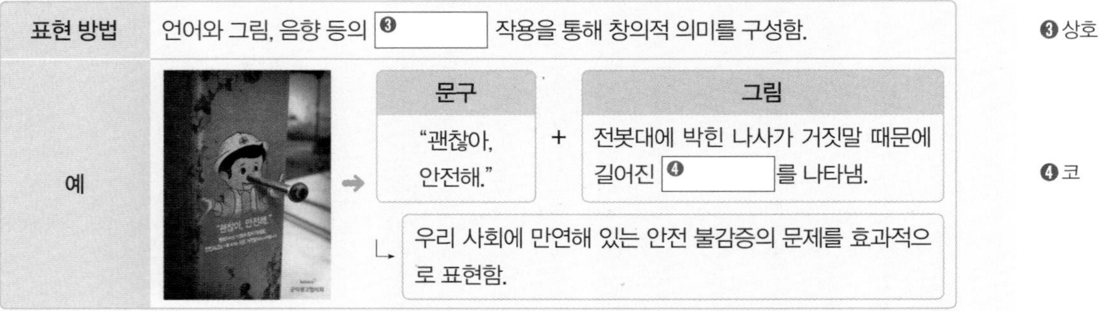

표현 방법	언어와 그림, 음향 등의 ❸ ______ 작용을 통해 창의적 의미를 구성함.
예	문구: "괜찮아, 안전해." + 그림: 전봇대에 박힌 나사가 거짓말 때문에 길어진 ❹ ______ 를 나타냄. → 우리 사회에 만연해 있는 안전 불감증의 문제를 효과적으로 표현함.

핵심 4 매체 언어의 심미적 가치

• 언어적 표현, 그림, 사진 등이 ❺ ______ 를 이루는 방식은 매우 다양함.
• 주제를 효과적으로 전달하는 데 기여하고, 주제와 잘 어우러질 때 보는 이로 하여금 아름다움을 느끼고 감동을 받게 하기도 함. → ❻ ______ 가치를 느낄 수 있음.

예 독서 동아리에서 만든 블로그

→ ① 창의적 언어 표현: 'book'과 '북돋움'의 첫 글자와의 ❼ ______ 의 유사성을 활용함.
② 책의 단면 그림을 활용하여 메뉴를 구성함.
③ 동아리 구성원이 활동하는 사진을 제시하여 독서 동아리의 성격을 나타냄.
└→ 언어적 표현, 그림, 사진 등이 조화롭게 배치되어 주제를 효과적으로 전달함.

❶ 대구 ❷ 발음 ❸ 상호 ❹ 코 ❺ 조화 ❻ 심미적 ❼ 발음

개념 Catch

• **매체 언어의 복합 양식성**
제시된 공익 광고에서 "괜찮아, 안전해."라는 문구만으로는 주제를 파악하기 어려움. 거짓말로 인해 코가 길어진 그림과 해당 문구를 함께 분석해야만 '안전 불감증'이라는 주제를 효과적으로 파악할 수 있음. 따라서 매체 언어의 의미를 파악할 때에는 언어와 그림, 음향 등의 여러 요소를 복합적으로 분석해야 함.

5 다음 설명이 맞으면 O표, 틀리면 X표 하시오.

(1) 창의적인 매체 언어 표현을 위해 동음이의어, 대구, 비유 등을 활용할 수 있다. (O X)

(2) 매체 언어의 복합 양식성을 고려하면 매체 언어를 창의적으로 사용할 수 없다. (O X)

(3) 매체 언어의 창의적 표현이 주제와 잘 어우러질 때 심미적 가치를 느낄 수 있게 된다. (O X)

6 다음 광고에서 주제 의식을 전달하는 데 기여하는 것으로 적절하지 않은 것은?

– 한국방송광고진흥공사 공익광고협의회, 2014

① 머리에 안전모를 쓴 아이의 그림
② "괜찮아, 안전해."라는 언어적 표현
③ 거짓말 때문에 길어진 코를 표현하는 나사
④ 안전하다는 것을 알려 주는 붉은색의 기둥
⑤ 두 손을 양옆으로 벌리며 괜찮음을 나타내는 그림

7 〈보기〉의 광고 문구에 나타난 창의적 표현을 다음과 같이 분석했다고 할 때, ⓐ, ⓑ에 들어갈 말을 쓰시오.

보기

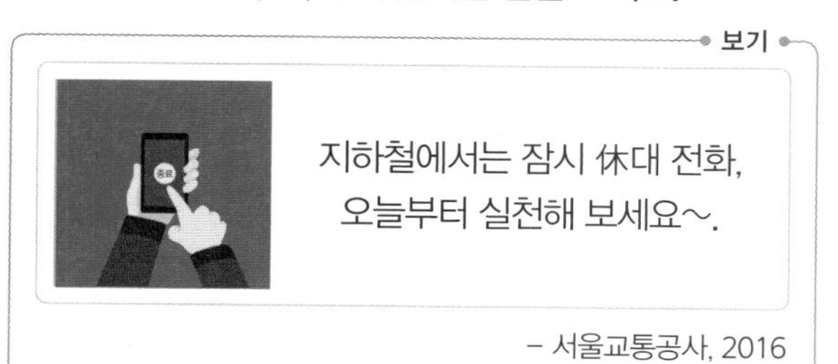

– 서울교통공사, 2016

위 광고는 한자 '휴(休)'와 '휴대 전화'의 첫 말인 '휴(携)'가 (ⓐ)은 다르지만, (ⓑ)이 같다는 점을 활용하여 창의적 표현 방법을 구성하고 있다.

ⓐ: (   )   ⓑ: (   )

8 다음은 독서 동아리에서 만든 블로그이다. 이에 대한 설명으로 적절하지 않은 것은?

① 언어적 표현, 그림, 사진 등을 조화롭게 배치하고 있다.
② 책의 단면 그림을 활용한 메뉴 구성을 통해 동아리의 성격을 잘 나타내고 있다.
③ 책에서 나무가 자라는 그림을 통해 '북돋움'의 뜻을 효과적으로 뒷받침하고 있다.
④ '북돋움'의 '북'과 'book'의 발음이 유사한 것을 활용하여 창의적으로 표현하고 있다.
⑤ 학생들이 책으로 얼굴을 가린 사진을 제시하여 독서에 대한 거부감을 인상적으로 나타내고 있다.

교과서 기출 베스트

[1~3] 다음 글을 읽고, 물음에 답하시오.

가 누리 소통망(SNS)

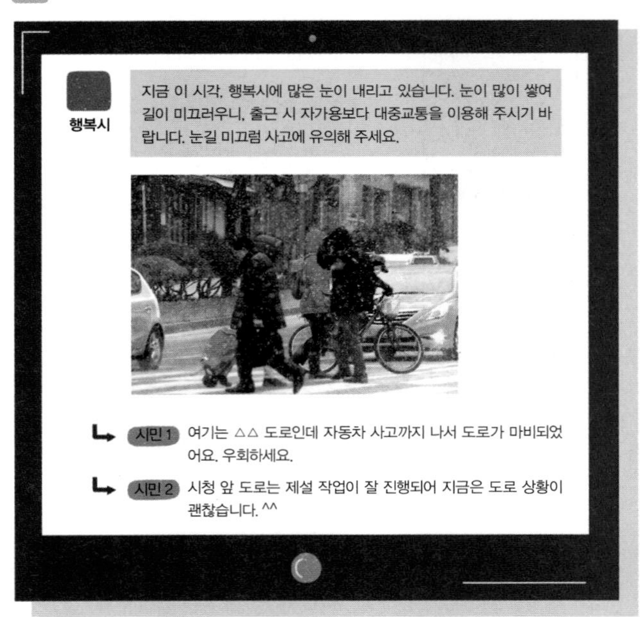

나 텔레비전

뉴스 진행자: 오늘 오후부터 내린 눈으로 퇴근길 혼잡이 우려되는데요. △△△ 광장 연결하여 자세한 소식 알아보겠습니다. ○○○ 기자, 현재 상황 어떻습니까?

기자: 오늘 오후부터 기습적으로 내리기 시작한 눈이 여전히 그칠 줄 모르고 쏟아지고 있습니다. 시내 도로 곳곳이 이미 빙판이 되어 사고 위험도 높아진 상태입니다.

다 책

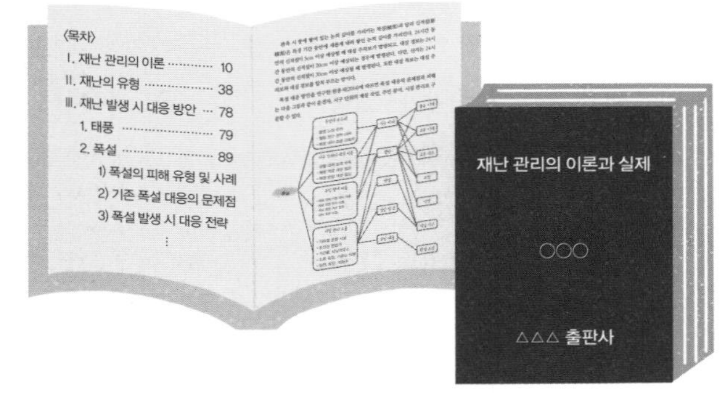

– 원종석, 《서울시 도로의 폭설 대응 방안 연구》에서

1 (가)~(다)의 정보 유통 방식으로 적절하지 않은 것은?

① (가)는 인터넷을 매개로 정보가 유통된다.
② (나)는 프로그램 방영을 통해 정보가 전달된다.
③ (다)는 책을 구매하거나 빌린 독자에게 정보가 제공된다.
④ 일반적으로 정보 제공 속도는 (다)가 가장 느리다.
⑤ (다)에 비해 (가)는 쌍방향 정보 소통이 활발하지 않다.

2 빈출 유형 (가)~(다)의 정보 구성 방식에 대한 학생들의 대화로 적절하지 않은 것은?

① (가)와 (나)는 폭설에 따른 도로 상황 정보를 전달하고 있어.

② (다)는 재난 관리에 대한 이론적인 정보를 전달하고 있어.

③ (나)는 (가)와 달리 시각 정보를 활용하여 내용을 전달하고 있어.

④ (다)는 (가)와 (나)에 비해 다양하고 전문적인 내용이 많이 담겨 있어.

⑤ (가), (나), (다)는 모두 문자 언어를 사용하고 있어.

3 서술 유형

(가)에 나타난 의사소통의 특성을 〈보기〉를 활용하여 〈조건〉에 따라 쓰시오.

보기

누리 소통망(SNS)을 포함한 인터넷에서는 누구나 손쉽게 정보를 제공하고 유통할 수 있다. 일반 시민들도 게시글을 올리거나 댓글을 작성함으로써 생생한 정보를 실시간으로 전달할 수 있는 것이다.

조건

- (가)에 나타난 의사소통의 특징을 언급할 것.
- (가)에 나타난 의사소통의 방향성을 밝힐 것.
- 75자 내외로 서술할 것.

4 **〈보기〉에서 설명하는 ㉠이 어떤 매체인지 쓰시오.**

보기

㉠은 인터넷 검색과 신문, 라디오, 텔레비전으로 전달되는 정보까지 확인할 수 있다. 처음에는 음성 통화나 문자 메시지를 주고받는 것만 가능했지만, 지금은 손에 들고 다니며 가장 간편하게 쌍방향으로 의사소통할 수 있는 매체가 되었다.

㉠: (   )

도움말

- **복합 매체(멀티미디어)의 등장**
  개별적으로 이용되던 매체의 기능이 하나의 매체 속에서 통합적으로 구현됨으로써, 매체 간의 전통적인 구분이 무의미해지고, 하나의 매체로 인터넷 검색과 방송 수신 등을 모두 할 수 있게 되었다.

5 빈출 유형

다음 토의에서 학생들이 고려한 내용으로 적절하지 않은 것은?

① 누리 소통망에 올린 정보는 전달 속도가 빠르다.
② 누리 소통망에서 댓글을 달 수 있게 하면 쌍방향으로 소통할 수 있다.
③ 학생들이 많이 사용하는 누리 소통망을 이용하면 정보 전달 효과가 크다.
④ 누리 소통망에는 글 대신에 동영상 자료를 올려 학생들의 흥미를 유발해야 한다.
⑤ 누리 소통망에 올라온 댓글 의견을 반영하겠다고 안내하면 소통하는 학생회의 모습을 나타낼 수 있다.

[6 ~ 7] 다음 광고를 보고, 물음에 답하시오.

가

– 한국방송광고진흥공사 공익광고협의회, 2013

나

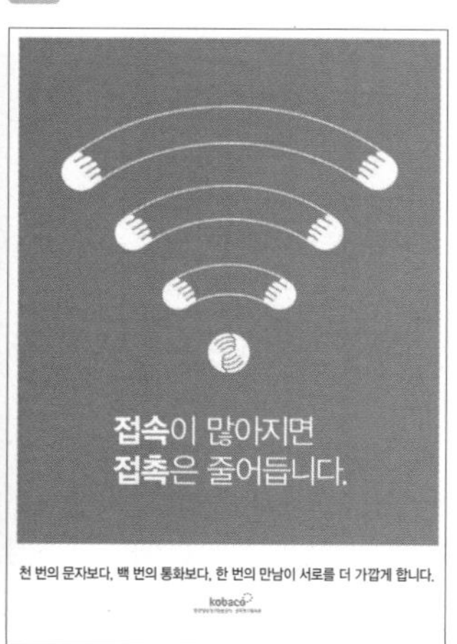

접속이 많아지면
접촉은 줄어듭니다.
천 번의 문자보다, 백 번의 통화보다, 한 번의 만남이 서로를 더 가깝게 합니다.
kobaco

– 한국방송광고진흥공사 공익광고협의회, 2012

6 (가)와 (나)의 공통점으로 적절한 것은?

① 대구와 발음의 유사성을 통해 문제 상황에 대한 호기심을 유발하고 있다.
② 제시된 그림과 정반대되는 문구를 보여 줌으로써 반어의 기법을 활용하고 있다.
③ 전문가의 견해를 직접적으로 인용함으로써 전달하려는 정보의 권위를 높이고 있다.
④ 그림과 문구를 통해 문제 상황을 나타내고 문구를 통해 해결 방안을 제시하고 있다.
⑤ 여러 사람들의 의견을 다양하게 제시함으로써 정보가 편파적이지 않다는 것을 강조하고 있다.

7 (가)에 사용된 표현이 어떤 점에서 창의적인지 〈조건〉에 따라 서술하시오.

조건
- (가)에서 그림을 활용한 방식과 관련하여 서술할 것.
- 60자 내외로 서술할 것.

8 빈출 유형 다음 기사문의 표현 방식을 설명한 내용으로 가장 적절한 것은?

우물을 보면 유물이 보인다

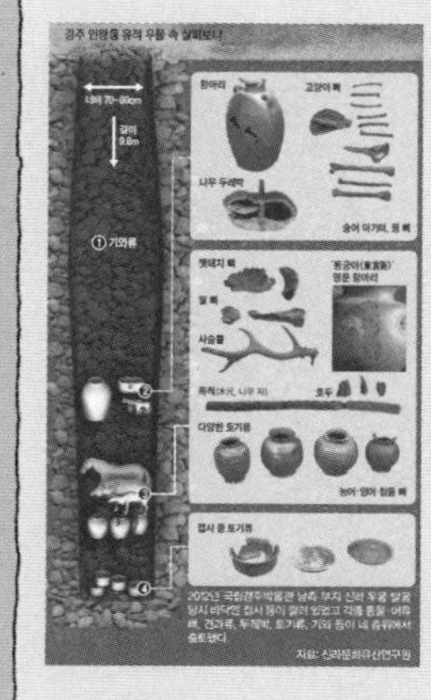

발굴도 유행을 탄다. 최근 국내 고고학에서 가장 주목받는 발굴 보고는 연못·우물 등 저습지 유적이다. 학계 전문가들은 "촉촉한 펄이 유기물을 온전히 보존해 주기 때문에 연못이나 우물, 저수 시설에선 다른 데에 없는 보물이 잔뜩 나온다. 요즘엔 물이 고여 있는 유적을 일부러 찾아서 파헤치기도 한다."라고 말했다. [후략]

– 《조선일보》, 2015년 6월 4일 자에서

① 대구와 발음의 유사성을 활용해 표제를 구성하고 있다.
② 쌍방향 의사소통을 통해 독자의 참여를 유도하고 있다.
③ 사진을 통해 유물 발굴 현장을 생생하게 보여 주고 있다.
④ 전문가의 말을 인용하여 유물 발굴의 위험성을 강조하고 있다.
⑤ 지면의 한계로 전달하지 못한 추가 정보의 검색 방법을 제시하고 있다.

[9~11] 다음 광고를 보고, 물음에 답하시오.

〈영상〉		〈소리〉
중년의 회사 대표와 젊은 현장 근무자가 무표정으로 카메라를 응시		해설) 59세 박성길 회사 대표 33세 김유환 현장 근무자
사이좋은 친구처럼 함께 밝게 웃는다.		해설) 우리는 동갑입니다.
	⋮	
중년 편의점 사장과 20대 초반의 아르바이트생이 무표정으로 카메라를 응시		해설) 40세 김진욱 편의점 사장 20세 김혜리 아르바이트생
사이좋은 친구처럼 함께 밝게 웃는다.		해설) 우리는 동갑입니다.
#1컷에 등장한 중년의 대표와 젊은 현장 근무자가 밝게 악수한다.		해설) 높낮이의 차별 없이 평등할 때
#3컷에 등장한 경비 아저씨와 입주민이 밝게 인사를 나눈다.		해설) 비로소, 함께 웃는 대한민국이 됩니다.
#5컷에 등장한 편의점 사장과 아르바이트생이 서로를 도와주며 짐을 가게로 옮긴다.		해설) 을은 없습니다. 우리는 모두 동갑(同甲)입니다.

– 한국방송광고진흥공사 공익광고협의회, 2015

9 **위 광고에 담긴 주제 의식으로 가장 적절한 것은?**

① 차별 없는 평등한 사회를 만들자.
② 어려운 이웃에게 도움의 손길을 내밀자.
③ 세대와 성별 간의 차이를 인정하고 존중하자.
④ 사회 문제 해결에 주체적이고 적극적인 마음을 갖자.
⑤ 함께 사는 세상을 만들기 위해 다른 사람에게 관심을 갖자.

10 빈출 유형 **위 광고의 표현 방식으로 적절하지 <u>않은</u> 것은?**

① 특정 표현을 반복하여 제시하고 있다.
② 인물들의 대화를 해설에서 제시하여 광고 수용자의 이해를 돕고 있다.
③ 서로 다른 나이의 두 인물을 동갑이라고 하며 궁금증을 유발하고 있다.
④ 두 인물이 악수하는 모습과 해설을 통해 광고의 주제를 드러내고 있다.
⑤ 두 인물씩 짝을 지어 배치하여 두 사람의 관계에 집중하도록 유도하고 있다.

도움말
- **영상 광고의 화면과 소리**
  영상 광고는 화면과 소리로 이루어져 있다. 화면 속에는 인물이나 사물이 제시되며, 소리는 해설(내레이션), 대화, 음향 등을 통해 나타난다. 영상 광고의 주제를 파악할 때에는 화면과 소리의 관계를 잘 파악해야 한다.

11 서술 유형 **위 광고에서 '우리는 동갑입니다.'라는 문구가 갖는 의미를 〈조건〉에 따라 서술하시오.**

조건
- '동갑'의 사전적 의미와 광고에서 쓰인 의미를 구분하여 쓸 것.
- 70자 내외로 서술할 것.

4

대단원 III. 국어의 규범과 매체 언어의 성찰

1. 국어의 음운과 표준 발음

생각 열기 나는 얼마나 정확하게 발음하고 있을까?

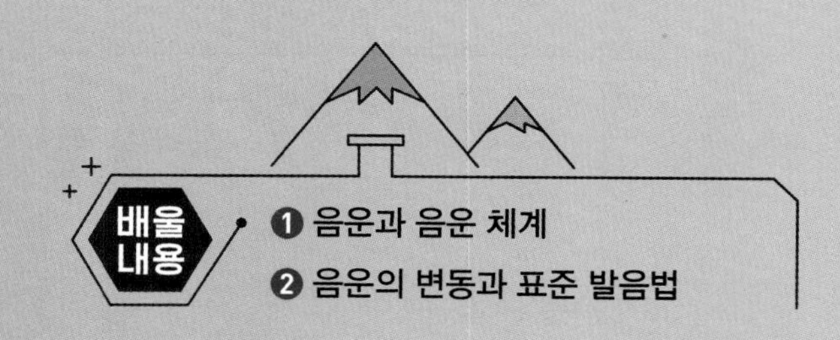
배울 내용
❶ 음운과 음운 체계
❷ 음운의 변동과 표준 발음법

음운과 음운이 결합하는 과정에서 어떻게 발음해야 하는지 규정해 놓은 거야.
말하는 사람은 자연스럽게 발음하게 하고, 듣는 사람은 알아듣기 쉽게 하는 거지.
< 표준 발음법 >
(예)
구개음화
해돋이
→ [해도지]
거센소리되기
국화
→ [구콰]
표준 발음법
아하!
아, 수업 시간에 배운 기억이 난다.
자, 수업 시간에 배운 걸 실생활에서 적용해야겠지?
알겠어! 흠흠
[오탄벌과솜 : 니불]
가르친 보람이 있군~
짝짝짝

핵심 1 음운

1 음운의 개념

- 말의 ❶ [　　　] 을 구별해 주는 소리의 가장 작은 단위.
- 화자의 머릿속에서 하나의 소리로 인식되는 추상적인 말소리.

2 음운의 종류

(1) 분절 음운[음소]: 소리마디의 경계를 나눌 수 있음.

모음	단모음	발음 도중 입술이나 혀가 고정되어 움직이지 않는 모음. 예 ㅣ, ㅔ, ㅐ, ㅟ, ㅚ, ㅡ, ㅓ, ㅏ, ㅜ, ㅗ
	이중 모음	발음할 때 입술 모양이나 혀의 위치가 달라지는 모음. 예 반모음 ㅣ̆[j] + 단모음: ㅑ, ㅕ, ㅛ, ㅠ, ㅒ, ㅖ 반모음 ㅗ̆/ㅜ̆[w] + 단모음: ㅘ, ㅝ, ㅙ, ㅞ
❷ [　　　]		• 목청을 통과한 공기의 흐름이 발음 기관의 방해를 받아 만들어지는 소리. • 조음 위치와 조음 방법에 따라 여러 가지 소리로 나뉨. 예 파열음(ㄱ, ㄲ, ㅋ, ㄷ, ㄸ, ㅌ, ㅂ, ㅃ, ㅍ), 파찰음(ㅈ, ㅉ, ㅊ), 마찰음(ㅅ, ㅆ, ㅎ), 비음(ㅁ, ㄴ, ㅇ), 유음(ㄹ) → 조음 방법에 따른 분류

(2) 비분절 음운[운소]: '소리의 길이(장단)', '소리의 높이(고저)', '소리의 세기(강약)'를 가리키는 말. 현대 국어의 표준어에서는 소리의 ❸ [　　　] 만이 음운의 역할을 함.
예 눈[眼] – 눈[눈ː][雪], 말[馬] – 말[말ː][言]

❶ 뜻
❷ 자음
❸ 길이

핵심 2 음운의 변동: 교체

음절의 끝소리 규칙	국어의 음절 끝에서 발음될 수 있는 자음은 'ㄱ, ㄴ, ❹ [　　　], ㄹ, ㅁ, ㅂ, ㅇ'뿐임. 이 밖의 나머지 자음이 음절 끝에 오면 이 일곱 자음 중 하나로 발음되는 현상. 예 앞[압], 옷[옫], 밖[박], 낫[낟], 있다[읻따], 꽃[꼳], 히읗[히읃]
된소리되기	예사소리가 된소리로 발음되는 현상. 예 먹고[먹꼬], 듣고[듣꼬], 앉다[안따], 할 바[할빠], 갈 데가[갈떼가], 갈증[갈쯩], 봄비[봄삐]
비음화	'ㄱ, ㄷ, ㅂ'이 비음 앞에서 ❺ [　　　] 으로 발음되는 현상. 예 국내[궁내], 받는[반는], 밥물[밤물]
유음화	'ㄴ'의 앞이나 뒤에 'ㄹ'이 올 때, 'ㄴ'이 [ㄹ]로 발음되는 현상. 예 물난리[물랄리], 권력[궐력], 신라[실라]
구개음화	끝소리가 'ㄷ, ㅌ'인 형태소가 모음 'ㅣ'나 반모음 'ㅣ̆'로 시작되는 형식 형태소와 만나면 ❻ [　　　] 인 [ㅈ], [ㅊ]으로 발음되는 현상. 예 굳이[구지], 같이[가치]

❹ ㄷ
❺ 비음
❻ 구개음

개념 Catch

• **음절**
홀로 발음할 수 있는 최소의 단위. 자음과 모음으로 이루어지며, 모음은 단독으로 한 음절이 되기도 함.

숲[숩] – 첫소리 / 가운뎃소리 / 끝소리

정답과 해설 10쪽

1 다음 설명에서 빈칸에 공통으로 들어가기에 적절한 말을 쓰시오.

> 말의 뜻을 구별해 주는 소리의 가장 작은 단위를 (　　　　)이라고 한다. 예를 들어, '공'과 '콩'의 뜻을 구별해 주는 (　　　　)은 'ㄱ'과 'ㅋ'이다.

2 다음 설명이 맞으면 O표, 틀리면 X표 하시오.

(1) 모음은 목청을 통과한 공기의 흐름이 발음 기관의 방해를 받아 만들어지는 소리이다. [O | X]

(2) 단모음은 발음 도중 입술이나 혀가 고정되어 움직이지 않는 모음이다. [O | X]

(3) 자음은 혀의 높이와 혀의 앞뒤 위치에 따라 체계가 나뉜다. [O | X]

(4) '춤'에서 음절의 끝소리는 'ㅁ'이다. [O | X]

3 〈보기〉의 설명 중 ㉠의 사례에 해당하지 않는 것은?

보기

> '먹다'는 [먹따]로 발음된다. 둘째 음절의 첫소리인 'ㄷ'이 된소리인 [ㄸ]로 바뀌는 것이다. 이처럼 어떤 형태소의 음운이 일정한 환경에 따라 변하는 현상을 ㉠음운의 변동이라고 한다. 하지만 '먹이[머기]'의 경우, 첫음절의 끝소리인 'ㄱ'이 다음 음절의 첫소리로 이어져 발음될 뿐 음운 변동이 일어나지 않는데, 이러한 현상을 연음이라고 한다.

① 꽃[꼳]
② 꽃길[꼳낄]
③ 꽃만[꼰만]
④ 꽃을[꼬츨]
⑤ 꽃나무[꼰나무]

4 다음 단어를 발음할 때 일어나는 음운의 변동을 바르게 연결하시오.

(1) 같이[가치] •　　　　• ㉠ 음절의 끝소리 규칙
(2) 국민[궁민] •　　　　• ㉡ 된소리되기
(3) 부엌[부억] •　　　　• ㉢ 비음화
(4) 돌집[돌찝] •　　　　• ㉣ 유음화
(5) 진리[질리] •　　　　• ㉤ 구개음화

4일 교과서 핵심 정리

교과서 111~117쪽

핵심 3 음운의 변동: 탈락

자음군 단순화	자음이 두 개 연결된 자음군이 음절의 ❶ [ ] 에 놓이게 되면 둘 중 하나만 남고 나머지 하나는 탈락하는 현상. 예 넋[넉], 넓다[널따], 맑다[막따], 읊고[읍꼬]
'ㄹ' 탈락	'ㄹ'이 끝소리인 용언 어간이 어미의 첫소리 'ㄴ, ㅅ'과 결합하는 경우 '❷ [ ]'이 탈락하는 현상. 예 살-+-는 → [사:는], 알-+-(으)시-+-ㄴ다 → (알신다) →[아:신다]
'ㅎ' 탈락	'ㅎ'이 끝소리인 어간이 모음으로 시작하는 어미나 접미사와 결합할 때 'ㅎ'이 탈락하는 현상. 예 좋은[조:은], 끓여[❸ [ ]], 않은[아는]
'ㅏ, ㅓ' 탈락	모음 'ㅏ, ㅓ'로 끝나는 용언 어간이 'ㅏ, ㅓ'로 시작하는 어미와 결합할 때 'ㅏ, ㅓ'가 탈락하는 현상. 예 가-+-아서 → [가서], 서-+-어도 → [서도]
'ㅡ' 탈락	모음 'ㅡ'로 끝나는 용언 어간이 모음 'ㅏ, ㅓ'로 시작하는 어미와 결합할 때 'ㅡ'가 탈락하는 현상. 예 담그-+-아서 → [❹ [ ]], 쓰-+-어라 → [써라]

❶ 끝소리
❷ ㄹ
❸ 끄려
❹ 담가서

핵심 4 음운의 변동: 첨가와 축약

1 첨가

'ㄴ' 첨가	합성어 및 파생어에서 자음으로 끝나는 형태소 뒤에 단모음 'ㅣ'나 반모음 'ǐ'로 시작하는 형태소가 올 때 'ㄴ'이 첨가되는 현상. 예 솜+이불 → 솜이불[솜:니불], 맨-+입 → 맨입[❺ [ ]]
사잇소리 현상으로서의 'ㄴ' 첨가	❻ [ ] 를 이루는 뒷말의 첫소리 'ㄴ, ㅁ' 앞에서 'ㄴ' 소리가 덧나거나, 뒷말의 첫소리 모음 앞에서 'ㄴㄴ' 소리가 덧나는 현상. 예 후(後)+날 → 훗날[훈:날], 이+몸 → 잇몸[인몸], 뒤+일 → 뒷일[뒨:닐]

❺ 맨닙
❻ 합성어

2 축약

거센소리되기	'❼ [ ]'과 'ㄱ, ㄷ, ㅂ, ㅈ'이 만나 각각 [ㅋ, ㅌ, ㅍ, ㅊ]와 같은 거센소리로 발음되는 현상. 예 놓고[노코], 낳다[나:타], 앉히다[안치다]

❼ ㅎ

개념 Catch

- **사잇소리 현상**
두 개의 형태소 또는 단어가 어울려 합성어를 이룰 때, 그 사이에 사잇소리를 삽입시키는 현상.
  - 경음화 현상(교체)
    예 초+불 → 촛불[촏뿔/초뿔]
  - 'ㄴ' 첨가 현상(첨가)
    예 코+날 → 콧날[콘날]

핵심 5 표준 발음법

- 표준 발음법은 표준어의 올바른 발음을 규정해 놓은 어문 규범으로, 지역, 사회 계층, 개인의 개별적인 발음의 차이 때문에 발생하는 혼란을 막기 위해 제정함.
- 표준 발음법은 표준어의 실제 발음을 따르되, 국어의 전통성과 합리성을 고려하여 정함을 원칙으로 함.

5 다음 단어들의 올바른 발음을 각각 쓰시오.

(1) 여덟[　　　]

(2) 싫어[　　　]

(3) 한여름[　　　]

(4) 굽히다[　　　]

6 ㉠~㉢을 발음할 때 일어나는 음운 변동 현상을 바르게 짝지은 것은?

- 가게에 사람이 ㉠많다.
- 대형 서점에 ㉡가서 그 책을 살 수 있었어.
- 시장에 들러 ㉢식용유를 사 오면 좋겠구나.

	㉠	㉡	㉢
①	첨가	축약	탈락
②	탈락	축약	교체
③	탈락	교체	첨가
④	축약	교체	탈락
⑤	축약	탈락	첨가

7 다음 단어에서 일어나는 음운 변동이 나머지와 다른 하나는?

① 법학[버팍]　② 않던[안턴]
③ 끓다[끌타]　④ 넣어[너어]
⑤ 좁히다[조피다]

8 다음은 단어의 발음 과정을 나타낸 것이다. ㉠~㉥에 들어갈 발음과 음운 변동을 각각 쓰시오.

(1) 밝다 ──(㉠)──▸ [박다] ──된소리되기──▸ [㉡]

(2) 막일 ──(㉢)──▸ [막닐] ──비음화──▸ [㉣]

(3) 옷 한 벌 ──음절의 끝소리 규칙──▸ [온한벌] ──(㉤)──▸ [㉥]

9 다음 빈칸에 공통으로 들어갈 알맞은 말을 쓰시오.

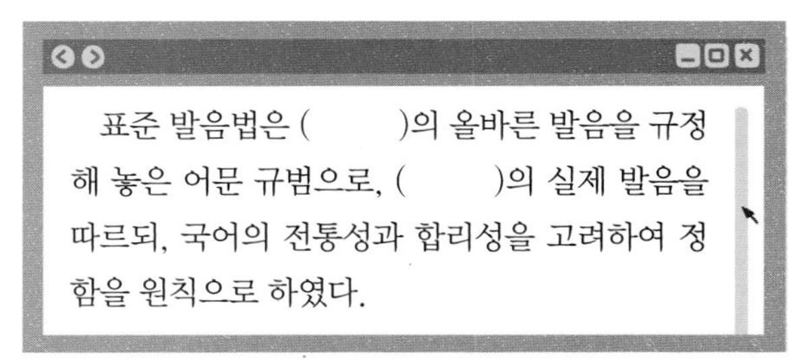
표준 발음법은 (　　　)의 올바른 발음을 규정해 놓은 어문 규범으로, (　　　)의 실제 발음을 따르되, 국어의 전통성과 합리성을 고려하여 정함을 원칙으로 하였다.

교과서 기출 베스트

1 음운에 대한 설명으로 적절하지 않은 것은?

① 뜻을 지닌 가장 작은 소리의 단위이다.
② 화자의 머릿속에서 하나의 소리로 인식된다.
③ 음운 하나의 차이로 말의 뜻이 달라질 수 있다.
④ 뜻을 구별해 주는 소리의 길이도 음운에 해당한다.
⑤ 자음과 모음은 소리마디의 경계를 나눌 수 있는 분절 음운이다.

[2~3] 다음 단모음 체계를 보고, 물음에 답하시오.

혀의 앞뒤 위치 / 혀의 높이 / 입술 모양	전설 모음		후설 모음	
	평순	원순	평순	원순
고모음	ㅣ	ㅟ	ㅡ	ㅜ
중모음	ㅔ	ㅚ	ㅓ	ㅗ
저모음	ㅐ		ㅏ	

2 다음 모음 중 성격이 나머지와 다른 하나는?

① ㅣ ② ㅡ ③ ㅓ ④ ㅚ ⑤ ㅐ

3 다음 단어를 발음할 때, 둘째 음절에서 나타나는 변화를 설명한 내용으로 적절하지 않은 것은?

① 에이: 혀의 높이가 낮아진다.
② 외어: 혀의 위치가 뒤로 이동한다.
③ 아우: 입술의 모양이 둥글게 바뀐다.
④ 우위: 혀의 위치가 앞으로 이동한다.
⑤ 오이: 입술의 모양이 평평하게 바뀐다.

[4~5] 다음 자음 체계를 보고, 물음에 답하시오.

조음 위치 / 조음 방법		입술소리 (양순음)	잇몸소리 (치조음)	센입천장 소리 (경구개음)	여린입천장소리 (연구개음)	목청소리 (후음)
파열음	예사소리	ㅂ	ㄷ		ㄱ	
	된소리	ㅃ	ㄸ		ㄲ	
	거센소리	ㅍ	ㅌ		ㅋ	
파찰음	예사소리			ㅈ		
	된소리			ㅉ		
	거센소리			ㅊ		
마찰음	예사소리		ㅅ			ㅎ
	된소리		ㅆ			
비음		ㅁ	ㄴ		ㅇ	
유음			ㄹ			

4 위의 표를 이해한 내용으로 적절하지 않은 것은?

① 'ㄷ'과 'ㄱ'은 조음 방법이 같다.
② 'ㅂ'과 'ㅁ'은 같은 위치에서 소리가 난다.
③ 'ㅁ'과 'ㅇ'은 조음 방법이 같다.
④ 'ㅅ'은 'ㄱ'과 달리 짝을 이루는 된소리가 없다.
⑤ 목청에서 소리가 만들어지는 자음은 'ㅎ'뿐이다.

5 다음 설명에 해당하는 자음으로 적절한 것은?

• 혀끝이 윗잇몸에 닿아서 나는 소리이다.
• 파열음 중에서 거센소리에 해당한다.

① ㅋ ② ㅌ ③ ㅉ ④ ㅅ ⑤ ㄹ

6 빈출 유형

〈보기〉의 표준 발음법을 참고할 때, 밑줄 친 단어의 발음으로 적절하지 않은 것은?

> 보기
>
> 제5항 ‘ㅑ ㅒ ㅕ ㅖ ㅘ ㅙ ㅛ ㅝ ㅞ ㅠ ㅢ’는 이중 모음으로 발음한다.
>
> 다만 1. 용언의 활용형에 나타나는 ‘져, 쪄, 쳐’는 [저, 쩌, 처]로 발음한다.
>
> 다만 2. ‘예, 례’ 이외의 ‘ㅖ’는 [ㅔ]로도 발음한다.
>
> 다만 3. 자음을 첫소리로 가지고 있는 음절의 ‘ㅢ’는 [ㅣ]로 발음한다.

① 건우는 예절[예절]이 바른 아이야.
② 지수는 워낙[워낙] 바빠서 만나기 어려워.
③ 언제 출발할지 미리 귀띔[귀뜸]이라도 해 줘.
④ 줄을 서서 내 차례[차레]가 오기를 기다렸다.
⑤ 살이 많이 쪄서[쩌서] 바지가 들어가지 않아.

7

〈보기〉를 이해한 내용으로 적절하지 않은 것은?

> 보기
>
> 한국어 화자는 ‘고기’의 두 ‘ㄱ’을 같은 소리로 인식하지만, 영어권 화자는 첫 번째 ‘ㄱ’은 무성음 [k]로, 두 번째 ‘ㄱ’은 유성음 [g]로 인식한다. 이와 달리 한국어 화자는 ‘짜다’와 ‘차다’의 초성 ‘ㅉ’, ‘ㅊ’을 서로 다른 소리로 인식하지만 영어권 화자는 이 두 소리의 차이를 의식적으로 구별하지 못한다.
>
> 무성음: 성대의 진동이 없는 소리.
> 유성음: 성대의 진동이 있는 소리.

① 영어권 화자는 ‘찜’과 ‘침’을 같은 말로 인식하겠군.
② 영어의 자음 체계에는 유성음과 무성음 구별이 있겠군.
③ 영어의 자음 체계에는 된소리와 거센소리 구별이 없겠군.
④ 한국어 화자는 ‘다도’의 두 ‘ㄷ’을 같은 소리로 인식하겠군.
⑤ 한국어 화자는 의식적으로 무성음과 유성음을 구별하여 쓰는군.

8 서술 유형

다음은 소리의 길이에 관한 탐구 과정이다. 빈칸에 들어갈 내용을 〈조건〉에 따라 서술하시오.

> **• 수집 자료**
>
> 눈[雪], 눈꽃, 눈사람, 첫눈, 함박눈, 싸라기눈
>
> **• 자료 분석**
>
> – ‘눈[雪]’의 발음은 [눈ː]으로 길게 발음한다.
> – ‘눈’이 첫음절에 올 경우: ‘눈꽃’은 [눈ː꼳]으로, ‘눈사람’은 [눈ː싸람]으로 발음된다.
> – ‘눈’이 둘째 음절 이하에 올 경우: ‘첫눈’은 [천눈]으로, ‘함박눈’은 [함방눈]으로, ‘싸라기눈’은 [싸라기눈]으로 발음된다.
>
> **• 탐구 결과**
>
> ‘눈[雪]’이 홀로 쓰이거나 첫음절에 올 때는 길게 발음하지만, (   ) 경향이 있다.

> 조건
>
> • ‘자료 분석’의 내용을 바탕으로 할 것.
> • 20자 내외로 서술할 것.

9 빈출 유형 **㉠~㉤의 예로 적절하지 않은 것은?**

> 된소리되기는 예사소리가 된소리로 발음되는 현상으로, 다음과 같은 몇 가지 유형으로 분류된다.
> ㉠ 끝소리 'ㄱ, ㄷ, ㅂ' 뒤에서 'ㄱ, ㄷ, ㅂ, ㅅ, ㅈ'이 된소리로 나는 경우
> ㉡ 용언이 활용할 때, 어간의 끝소리 'ㄴ, ㅁ' 뒤에서 어미의 첫소리 'ㄱ, ㄷ, ㅅ, ㅈ'이 된소리로 나는 경우
> ㉢ 관형사형 어미 '-(으)ㄹ' 뒤에서 'ㄱ, ㄷ, ㅂ, ㅅ, ㅈ'이 된소리로 나는 경우
> ㉣ 한자음의 끝소리 'ㄹ' 뒤에서 'ㄷ, ㅅ, ㅈ'이 된소리로 나는 경우
> ㉤ 합성어 구성에서 뒷부분의 예사소리가 된소리로 나는 경우

① ㉠: 국밥[국빱] ② ㉡: 받고[받꼬]
③ ㉢: 갈 데[갈떼] ④ ㉣: 발전[발쩐]
⑤ ㉤: 봄비[봄삐]

10 **다음 단어들에 공통적으로 나타나는 음운의 변동으로 적절한 것은?**

> ㉠ 읽다[익따] ㉡ 놀- + -니 → [노:니]
> ㉢ 놓아[노아] ㉣ 쓰- + -어 → [써]

① 원래 있던 음운이 없어졌다.
② 없던 음운이 새롭게 추가되었다.
③ 두 개의 음운이 합쳐져서 하나가 되었다.
④ 어떤 한 음운이 다른 음운으로 바뀌었다.
⑤ 음절 끝의 자음이 다음 음절 모음 앞에서 없어졌다.

11 서술 유형 **다음 대화 내용을 참고하여 밑줄 친 부분에 들어갈 알맞은 말을 〈조건〉에 맞게 서술하시오.**

'선릉'을 [선능]이라고 발음했더니, 발음이 틀렸다고 해. 왜 그런 걸까?

비음 'ㄴ'과 유음 'ㄹ'이 만나면 유음화가 일어나거든. 그래서 'ㄴ'을 [ㄹ]로 발음해야 해.

'왕릉'은 [왕능]이라고 발음하지 않나?

맞아. 한자어에서 받침 'ㅁ, ㅇ' 뒤에 결합하는 'ㄹ'은 [ㄴ]으로 발음하는 비음화가 일어나기 때문이야.

'산림'과 '삼림'도 발음이 다르겠네? 어떻게 다르지?

'산림'은 유음화에 따라 [살림]으로 발음하고, '삼림'은 ______________________.

조건
- 음운의 변동 유형과 정확한 발음을 밝혀 적을 것.
- '~에 따라 [ ]으로 발음한다.'의 형식으로 쓸 것.
- 20자 내외로 서술할 것.

12 빈출 유형 〈보기〉를 참고할 때, 밑줄 친 단어 중 구개음화 현상이 일어나지 않는 것은?

> 보기
>
> 구개음화는 끝소리가 'ㄷ, ㅌ'인 형태소가 모음 'ㅣ'나 반모음 'ǐ'로 시작되는 형식 형태소와 만나면 구개음이 아니었던 'ㄷ, ㅌ'이 구개음인 [ㅈ], [ㅊ]으로 발음되는 현상이다.

① 편지 봉투에 우표를 붙이고 제출하세요.
② 해돋이를 보기 위해 아침 일찍 일어났다.
③ 우리 집은 남향집이라서 빛이 잘 들어온다.
④ 이 의자는 등받이가 무척 튼튼하고 편하다.
⑤ 어떤 일이든 처음뿐만 아니라 끝이 좋아야 해.

> 도움말
> • 구개음화를 파악할 때 주의해야 할 점
> 구개음화는 'ㄷ, ㅌ'이 구개음으로 바뀌는 현상이다. '빛이[비치]', '꽃이[꼬치]'처럼 'ㅈ, ㅊ'이 연음되는 것은 음운의 변동이 아니기 때문에 구개음화에 해당하지 않는다.

13 ㉠~㉤의 발음으로 적절하지 않은 것은?

> ㉠대숲에서 바람 소리가 일고 있는 것이 ㉡굳이 날씨 때문이랄 수는 ㉢없었다. 청명하고 ㉣볕발이 고른 날에도 대숲에서는 늘 ㉤그렇게 소소(簫簫)한 바람이 술렁이었다.
>
> – 최명희, 〈혼불〉에서

① ㉠: [대수베서]　② ㉡: [구지]
③ ㉢: [업ː썯따]　④ ㉣: [변빨]
⑤ ㉤: [그러케]

[14~15] 다음 자료를 보고, 물음에 답하시오.

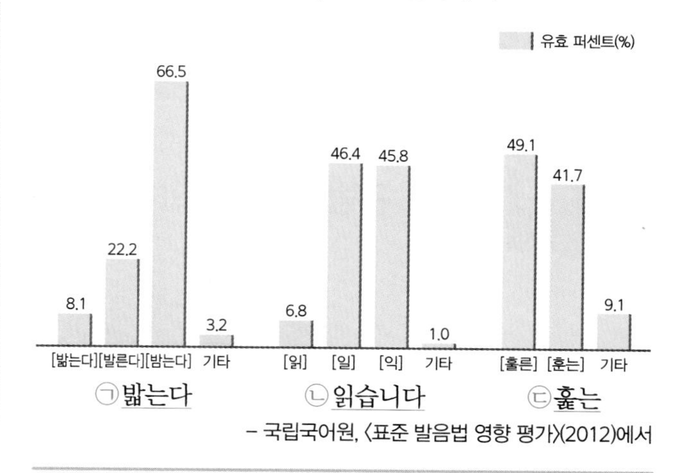

– 국립국어원, 〈표준 발음법 영향 평가〉(2012)에서

14 위 자료를 바탕으로 주장할 수 있는 내용으로 가장 적절한 것은?

① 상황에 맞는 높임 표현을 사용해야 한다.
② 자신의 개성이 드러나도록 발음해야 한다.
③ 한글 맞춤법에 맞게 올바르게 표기해야 한다.
④ 표준 발음법에 따라 정확하게 발음해야 한다.
⑤ 같은 단어라도 상황에 따라 다르게 발음해야 한다.

15 ㉠~㉢의 올바른 발음으로 짝지어진 것은?

	㉠	㉡	㉢
①	[발ː른다]	[일씀니다]	[훈는]
②	[발ː른다]	[일씀니다]	[훌른]
③	[밤ː는다]	[익씀니다]	[훈는]
④	[밤ː는다]	[일씀니다]	[훌른]
⑤	[밤ː는다]	[익씀니다]	[훌른]

5일

대단원 Ⅲ. 국어의 규범과 매체 언어의 성찰

2. 국어의 규범과 국어 생활
3. 매체 언어의 영향과 성찰

생각 열기 국어 규범, 나는 얼마나 알고 있을까?

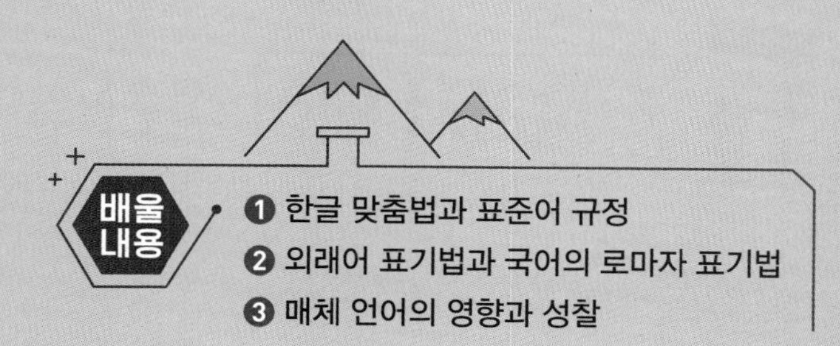
배울 내용
❶ 한글 맞춤법과 표준어 규정
❷ 외래어 표기법과 국어의 로마자 표기법
❸ 매체 언어의 영향과 성찰

〈외래어 표기법〉
제4항. 파열음 표기에는 된소리를 쓰지 않는 것을 원칙으로 한다.
자~ 여기 외래어 표기법을 보라고! 파열음 표기에는 된소리를 쓰지 않으므로 '뻐스'는 '버스'로 고쳐야 해.
닫히다
또 '닫히다'는 '문짝 따위가 도로 제자리로 가 막히다.'라는 말이야. 그러므로 '신체에 상처가 생기다.'라는 뜻의 '다치다'를 써야 하지.
다치다
아! 그럼 이렇게 고쳐야겠다.
〈주의 사항〉
1. 버스 출발 시간에 늦지 않는다.
2. 경기 중 몸이 다치지 않도록 조심한다.
오~ 잘했어.
찰칵~
그건 왜 찍어?
이미 본 친구들도 있을 것 같아서. 수정한 내용을 누리 소통망에 공유하려 해!
오~ 좋은 생각이야!

교과서 118~131쪽

핵심 1 한글 맞춤법과 표준어 규정

1 한글 맞춤법: 표준어를 소리대로 적되, 어법에 맞도록 함을 원칙으로 함.

구분	내용
소리에 관한 것	• 한 단어 안에서 뚜렷한 까닭 없이 나는 된소리는 다음 음절의 첫소리를 ❶ [ ] 로 적음. ㉠ 어깨[어깨], 잔뜩[잔뜩] • 단어의 발음이 원래 형태와 달라진 경우에는 원래 형태를 밝혀 적음. ㉠ 굳이[구지] • 모음 'ㅖ'가 [ㅔ]로 소리 나는 경우가 있더라도 'ㅖ'로 적음. ㉠ 혜택, 핑계
형태에 관한 것	• 체언은 조사와 구별하여 적음. ㉠ 떡이[떠기], 떡을[떠글] • 용언의 어간과 ❷ [ ] 는 구별하여 적음. ㉠ 먹다[먹따], 먹고[먹꼬] • 합성어와 파생어에서 어원이 분명한 경우는 원형을 밝혀 적음. ㉠ 굶주리다, 곳곳이 • 어원이 분명하지 않은 경우는 원형을 밝혀 적지 않음. ㉠ 귀머거리, 끄트머리
띄어쓰기	• 문장의 각 단어는 띄어 씀을 원칙으로 함. • ❸ [ ] 는 홀로 쓰일 수 없으므로 그 앞의 단어에 붙여 씀.

❶ 된소리

❷ 어미

❸ 조사

2 표준어 규정

- 교양 있는 사람들이 두루 쓰는 현대 ❹ [ ] 로 정함을 원칙으로 함.
- 둘 이상이 널리 쓰이면 두 경우를 모두 복수 표준어로 인정하기도 함.

❹ 서울말

핵심 2 외래어 표기법과 국어의 로마자 표기법

1 외래어 표기법: 외국에서 들어온 말을 한글로 표기하는 방법.

- 원칙

• **제1항** 외래어는 국어의 현용 24 자모로만 적는다.
• **제2항** 외래어의 1 음운은 원칙적으로 ❺ [ ] 기호로 적는다. ㉠ family: 훼밀리(X) → 패밀리(O)
• **제3항** 받침에는 'ㄱ, ㄴ, ㄹ, ㅁ, ㅂ, ㅅ, ㅇ'만을 쓴다. ㉠ rocket: 로켇(X) → 로켓(O)
• **제4항** 파열음 표기에는 된소리를 쓰지 않는 것을 원칙으로 한다. ㉠ bus: 뻐스(X) → 버스(O)
• **제5항** 이미 굳어진 외래어는 관용을 존중하되, 그 범위와 용례는 따로 정한다.
㉠ camera: 캐머러(X) → 카메라(O), radio: 레이디오(X) → 라디오(O)

❺ 1

2 국어의 로마자 표기법: ❻ [ ] 을 로마자로 표기하는 방법.

- 원칙

• **제1항** 국어의 로마자 표기는 국어의 표준 발음법에 따라 적는 것을 원칙으로 한다.
• **제2항** 로마자 이외의 부호는 되도록 사용하지 않는다.

❻ 우리말

기초 확인 문제

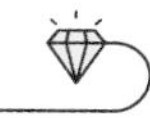

정답과 해설 12쪽

1 〈보기〉를 참고할 때, ㉠의 예로 적절하지 않은 것은?

보기

한글 맞춤법은 표준어를 소리대로 적되, 어법에 맞도록 함을 원칙으로 한다. 표준어를 소리대로 적는다는 것은 표준어의 발음대로 적는다는 뜻이다. 그러나 모든 말을 소리대로 적을 경우 의미를 빠르게 파악하는 데 불편이 생기므로 기본 형태를 통일해 가독성을(인쇄물이 얼마나 쉽게 읽히는가 하는 능률의 정도.) 높일 필요가 있다. 한글 맞춤법이 또한 ㉠'어법에 맞도록 함'을 원칙으로 하는 이유는 이 때문이다.

① 샛별 ② 햇빛
③ 지붕 ④ 먹구름
⑤ 보름달

2 한글 맞춤법에 대한 다음 설명이 맞으면 O표, 틀리면 X표 하시오.

(1) 용언의 어간과 어미가 연결될 때에는 각각의 형태를 밝혀 적는다. [O] [X]
(2) 조사는 하나의 단어로 다루어지고 있으므로 그 앞의 단어와 띄어 쓴다. [O] [X]
(3) 어원이 분명하지 않거나 본래의 의미에서 멀어진 말들은 원형을 밝혀 적는다. [O] [X]
(4) 한 단어 안에서 뚜렷한 까닭 없이 나는 된소리는 다음 음절의 첫소리를 된소리로 적는다. [O] [X]

3 ⓐ와 ⓑ에 들어갈 적절한 말을 각각 쓰시오.

표준어는 교양 있는 사람들이 두루 쓰는 (ⓐ) (ⓑ)로 정함을 원칙으로 한다.
– 표준어 규정 제1장 총칙, 제1항

조건

ⓐ에는 시대적 조건, ⓑ에는 지역적 조건을 고려하여 쓸 것.

4 다음에서 설명하고 있는 어문 규범으로 적절한 것은?

이 어문 규범은 외국에서 들어온 말을 한글로 표기하는 방법입니다. 사람마다 외래어를 다르게 적으면 혼란이 생길 수 있겠죠? 이러한 혼란을 막기 위해서 이 규범이 필요해요.

① 표준 발음법 ② 표준어 규정
③ 한글 맞춤법 ④ 외래어 표기법
⑤ 국어의 로마자 표기법

핵심 3 매체 언어의 영향

1 매체 언어와 인간관계

긍정적 영향	• 의사소통이 ❶ [　　] 으로 개방 → 여러 사람과 동시에 소통 가능 • 시·공간의 제약 없이 연락을 주고받을 수 있음. → 비교적 쉽게 친밀한 관계 형성 가능 • 자신의 감정을 다양한 방식으로 표현 → 좋은 관계 유지, 어색해진 관계 극복 가능
부정적 영향	• 불특정 다수에게 개인 정보 유출, 원하지 않는 시간에 연락 → ❷ [　　] 침해 • 직접 만나 대화를 나누고 친분을 쌓는 기회가 상대적으로 줄어듦.

2 매체 언어와 사회생활

긍정적 영향	• 교육 정보화 사업에 활용 → 교육 기회의 ❸ [　　] 에 기여 • 사이버 여론 조사, 사이버 민원 건의 등 민주적 소통 문화 형성에 기여 • 업무 처리의 효율성과 신속성을 높일 수 있게 됨.
부정적 영향	• 여론의 폭발, 가짜 뉴스의 선동 → 사회적 갈등 심화 • 차별 및 혐오 표현, 욕설, 저주 등 → ❹ [　　] 으로 인한 심각한 정서적 피해 유발

핵심 4 매체 언어의 성찰

1 매체 언어 사용 시 고려 사항

맥락	목적	대상
• 공적인 맥락 • 사적인 맥락	• 정보 전달 • ❺ [　　] • 개인적 정서 표현 • 사회적 상호 작용	• 상대의 연령과 성별 • 상대의 인원수(다수/소수) • 의사소통 참여자와의 관계

↓

맥락, 목적, 대상을 고려하여 적합한 매체 언어를 사용해야 함.

2 바람직한 매체 언어 사용의 태도

바람직한 매체 언어 사용 태도	• 자신의 생각, 느낌, 경험을 겸손하고 진솔하게 표현 • 언어적 표현, 준언어적 표현, 비언어적 표현을 다양하고 생생하게 구사 → 창의적이고 건전하며 긍정적인 매체 언어를 생산하려는 태도 • 타인과의 ❻ [　　] 을 조정하고, 건전한 비판을 주고받으려는 태도 • 성숙한 시민 의식을 바탕으로 폭력적, 차별적 언어 표현 지양 • 자신의 매체 언어생활을 성찰하려는 태도 • 개인 정보와 ❼ [　　] 을 보호하려는 태도

❶ 다차원적
❷ 사생활
❸ 평등화
❹ 언어폭력
❺ 설득
❻ 갈등
❼ 저작권

개념 Catch

• **준언어적 표현**
목소리의 크기, 빠르기, 높낮이, 말투 등과 같이 언어에 부수되는 표현.

• **비언어적 표현**
언어가 아닌 몸짓, 손짓, 표정, 시선 등으로 생각이나 느낌을 나타내는 것.

5 매체 언어가 인간관계에 미치는 영향으로 맞으면 O표, 틀리면 X표 하시오.

(1) 여러 사람과 동시에 소통하는 일이 가능해졌다. [O | X]

(2) 직접 만나 대화를 나누고 친분을 쌓는 기회가 상대적으로 늘어났다. [O | X]

(3) 감정을 표현하는 방식이 제한적이기 때문에 인간관계에 부정적 영향을 미친다. [O | X]

(4) 인터넷이 가능한 환경이면 시·공간의 제약 없이 언제 어디서든 연락을 주고받을 수 있다. [O | X]

6 매체 언어가 사회생활에 미치는 영향 중, 〈보기〉와 밀접한 관련이 있는 것은?

보기

- 사이버 평생 교육
- 무료 어학 학습 사이트
- 낙도 소외 지역을 위한 온라인 교육

육지에서 멀리 떨어진 외딴섬.

① 사회적 갈등의 심화
② 교육 기회의 평등화
③ 민주적 소통 문화 형성
④ 계층 간 소통의 어려움
⑤ 업무 처리의 효율성과 신속성

7 다음 대화에 나타난 누리 소통망(SNS)의 특징을 하나만 쓰시오.

수영: 오늘 누리 소통망(SNS)에 '5년 전 오늘'이 뜨는 거야. 생각나? 우리 교문 앞에서 사진 찍었던 거!

미은: 생각나! 진짜 누리 소통망 덕분에 추억을 되새기게 되네. 그때 성훈이도 같이 있었지? 요즘 성훈이는 뭐해?

수영: 나도 성훈이랑 연락 못 한 지는 꽤 됐는데, 누리 소통망 보니까 얼마 전에 자전거 여행한 것 같더라.

8 다음 설명의 빈칸에 들어가기에 적절하지 않은 것은?

> 매체 언어를 통해 이루어지는 소통은 현실 세계에서 이루어지는 소통보다도 그 '맥락'과 '목적', '대상'에 특히 유의할 필요가 있다. 따라서 매체 언어를 사용할 때에는 (   )를 고려해야 한다.

① 소통하려는 상대가 다수인지 소수인지
② 소통하려는 정보의 양이 많은지 적은지
③ 소통하려는 상대의 연령과 성별은 어떠한지
④ 공적인 맥락과 사적인 맥락 중 어디에 해당하는지
⑤ 개인적 정서 표현과 사회 상호 작용 중 무엇을 위한 것인지

교과서 기출 베스트

1 서술 유형 다음 대화를 읽고, 빈칸에 들어갈 적절한 내용을 〈조건〉에 따라 서술하시오.

한글 맞춤법을 정할 때 표준어를 소리대로 적도록 하는 한 가지 원칙으로만 했으면 쓰기 편했을 텐데…….

소리대로 적도록 하면 '끝'이 들어가는 말이라도 '끝이'는 '끄치', '끝내'는 '끈내'라고 적어야 하잖아.

그렇게 적으면 의미를 제대로 파악하기 어렵겠네?

맞아. 그래서 '어법에 맞도록 함'이라는 원칙을 추가한 이유는 (　　　　　　) 하기 위해서야.

조건
- 대화 내용과 관련지어 쓸 것.
- 20자 내외로 서술할 것.

2 다음 한글 맞춤법 규정을 참고할 때, 표기가 적절하지 않은 것은?

> **제5항** 한 단어 안에서 뚜렷한 까닭 없이 나는 된소리는 다음 음절의 첫소리를 된소리로 적는다.
> 1. 두 모음 사이에서 나는 된소리 ㉮ 어깨, 오빠
> 2. 'ㄴ, ㄹ, ㅁ, ㅇ' 받침 뒤에서 나는 된소리 ㉮ 살짝, 훨씬
>
> 다만, 'ㄱ, ㅂ' 받침 뒤에서 나는 된소리는, 같은 음절이나 비슷한 음절이 겹쳐 나는 경우가 아니면 된소리로 적지 아니한다.

① 으뜸　② 듬뿍
③ 잔뜩　④ 깍뚜기
⑤ 엉뚱하다

3 ㉠~㉤을 한글 맞춤법에 맞게 고쳐 쓴 것으로 적절하지 않은 것은?

> 아무런 희망 없이 무기력하기만 했던 제 삶은 항공 정비사라는 직업을 알게 ㉠되면서 부터 눈에 ㉡띠게 달라졌습니다. 직업 체험 시간에 선생님의 지도로 모형 비행기를 만들 때까지만 해도 별다른 감흥이 없었는데, 격납고라는 곳에서 실제 비행기를 보는 순간, ㉢어찌할바를 모를 정도로 심장이 두근거렸습니다. 그리고 비행기 내부를 둘러보면서 얼마나 많은 분들이 땀 흘려 일하고 계신지가 고스란히 ㉣들어나 한시도 눈을 ㉤뗄수가 없었습니다.
>
> 격납고: 비행기나 비행선을 넣어두거나 정비하는 건물.

① ㉠: 되면서부터　② ㉡: 띄게
③ ㉢: 어찌 할바를　④ ㉣: 드러나
⑤ ㉤: 뗄 수가

5일

4 〈보기〉에서 설명한 예로 적절하지 않은 것은?

보기

우리말에서 형태는 다르지만 의미가 동일한 단어가 널리 쓰이고, 그 단어들이 표준어 규정에 맞으면 그 모두를 표준어로 삼는다. 예를 들어, '옥수수'와 '강냉이'는 형태는 다르지만 한 가지 의미를 나타내므로 모두 표준어로 삼는다.

① 자장면 – 짜장면
② 삐치다 – 삐지다
③ 복사뼈 – 복숭아뼈
④ 울궈먹다 – 우려먹다
⑤ 간질이다 – 간지럽히다

5 다음 외래어 표기법 규정의 사례로 적절한 것은?

제5항 이미 굳어진 외래어는 관용을 존중하되, 그 범위와 용례는 따로 정한다.

① conte: 꽁트(X), 콩트(○)
② family: 훼밀리(X), 패밀리(○)
③ camera: 캐머러(X), 카메라(○)
④ doughnut: 도너츠(X), 도넛(○)
⑤ coffee shop: 커피숖(X), 커피숍(○)

도움말
- 외래어 표기법의 중요성
  우리말과 외국어는 음운 구조나 체계가 다르기 때문에 사람마다 외래어를 다르게 적을 가능성이 매우 높다. 이러한 혼란을 막기 위해서는 외래어의 표기를 통일할 필요가 있다.

6 빈출 유형 〈보기〉를 참고할 때, 국어의 로마자 표기로 적절하지 않은 것은?

보기

〈국어의 로마자 표기법〉

제3장 표기상의 유의점

제1항 음운 변화가 일어날 때에는 변화의 결과에 따라 다음 각호와 같이 적는다.

1. 자음 사이에서 동화 작용이 일어나는 경우
   예 백마[뱅마] Baengma
2. 'ㄴ, ㄹ'이 덧나는 경우
   예 학여울[항녀울] Hangnyeoul
3. 구개음화가 되는 경우 예 같이[가치] gachi
4. 'ㄱ, ㄷ, ㅂ, ㅈ'이 'ㅎ'과 합하여 거센소리로 소리 나는 경우 예 좋고[조코] joko

다만, 체언에서 'ㄱ, ㄷ, ㅂ' 뒤에 'ㅎ'이 따를 때에는 'ㅎ'을 밝혀 적는다.

[붙임] 된소리되기는 표기에 반영하지 않는다.

〈모음의 로마자 표기〉

ㅏ	ㅓ	ㅐ	ㅔ	ㅗ	ㅜ	ㅚ	ㅟ	ㅡ	ㅣ	
a	eo	ae	e	o	u	oe	wi	eu	i	
ㅑ	ㅕ	ㅒ	ㅖ	ㅛ	ㅠ	ㅘ	ㅝ	ㅙ	ㅞ	ㅢ
ya	yeo	yae	ye	yo	yu	wa	wo	wae	we	ui

〈자음의 로마자 표기〉

ㅂ	ㅍ	ㅃ	ㄷ	ㅌ	ㄸ	ㄱ	ㅋ	ㄲ	
b, p	p	pp	d, t	t	tt	g, k	k	kk	
ㅈ	ㅊ	ㅉ	ㅅ	ㅆ	ㅎ	ㄴ	ㅁ	ㅇ	ㄹ
j	ch	jj	s	ss	h	n	m	ng	r, l

① 알약[알략] – allyak
② 묵호[무코] – Mukho
③ 합정[합쩡] – Hapjjeong
④ 해돋이[해도지] – haedoji
⑤ 왕십리[왕심니] – Wangsimni

7 서술 유형 **다음 외래어 표기법을 참고하여, 학생의 질문에 대한 답을 〈조건〉에 따라 서술하시오.**

제1항 외래어는 국어의 현용 24 자모로만 적는다.
제2항 외래어의 1 음운은 원칙적으로 1 기호로 적는다.
제3항 받침에는 'ㄱ, ㄴ, ㄹ, ㅁ, ㅂ, ㅅ, ㅇ'만을 쓴다.
제4항 파열음 표기에는 된소리를 쓰지 않는 것을 원칙으로 한다.

'file'을 '파일'이라고 써야 한다는 건 알겠는데, 'fighting'은 왜 '화이팅'이 아니라 '파이팅'이라고 써야 하는 거지?

조건
- 관련 조항과 구체적인 음운이 드러나도록 쓸 것.
- 20자 내외로 서술할 것

[8~9] 다음 글을 읽고, 물음에 답하시오.

전문가들은 ㉠온라인 폭력의 심각성에 대한 사회적 인식 개선과 법·제도적 대책 마련을 동시에 주문했다.

곽○○ □□대 심리학과 교수는 "온라인 공간에서는 익명성(어떤 행위를 한 사람이 누구인지 드러나지 않는 특성.) 탓에 자기 안에 억제된 분노나 억울함을 공격적으로 표출하는 경향이 있다."라고 분석했다. 이어 "인터넷 악성 댓글(악플)은 접근에 제한이 없는 온라인 공간에서 불특정 다수의 사람에게 노출된다는 점에서 피해가 크고 심각하다."라면서 "문제의 심각성을 인식하고 자신의 행위를 책임지는 성숙한 의식이 필요하다."라고 조언했다.

– 《연합뉴스》, 2018년 1월 1일 자에서

8 **윗글을 읽고 대화를 나눈 내용으로 적절하지 않은 것은?**

① 인터넷 악성 댓글은 당사자에게 커다란 피해를 줄 수 있어.

② 맞아. 인터넷에서는 불특정 다수의 사람들이 그 글을 읽어 볼 수 있잖아.

③ 자신을 밝히지 않아도 되는 온라인 공간의 특성도 사이버 언어폭력의 원인이야.

④ 온라인 공간에 접근 가능한 사람이 따로 있다는 점도 문제의 심각성을 키웠어.

⑤ 온라인 폭력을 줄이려면 자신의 행위에 책임지려는 자세가 필요한 것 같아.

9 빈출 유형 **㉠을 해결하기 위한 사회적 차원의 노력에 해당하지 않는 것은?**

① 온라인 언어폭력의 피해 실태를 홍보한다.
② 온라인 언어폭력에 대한 처벌을 강화한다.
③ 온라인 언어폭력 예방 프로그램을 진행한다.
④ 온라인 언어폭력 신고 체계를 구축하고 활성화한다.
⑤ 온라인 언어폭력의 위험성을 인지하고 모욕적인 표현을 자제한다.

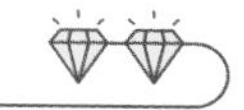

[10~11] 다음 글을 읽고, 물음에 답하시오.

가

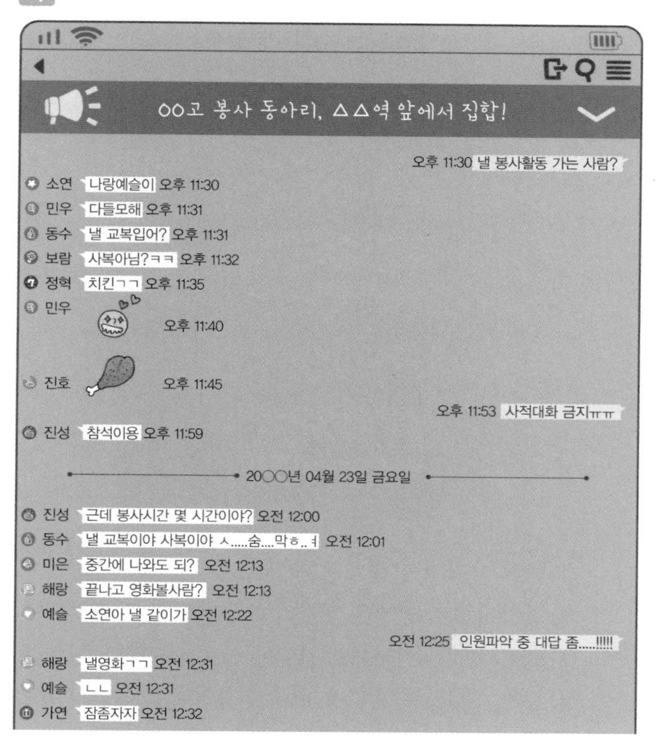

나

○○고 신문

제251호(20○○. 12. 5.)

[교내 동아리 활동 보고: 풍물반]

혼소리, 교내 축제의 불꽃을 피우다

2-7 이미소

교내 축제 때마다 항상 시작을 알리는 건 우리 혼소리 풍물패의 힘찬 공연!! ⟩.⟨ 꺄악ㅋㅋㅋ 올해도 어김없이 우리의 공연은 시작됐다. 올해는 특별히 □□고의 비담으로 알려진 난타반과 합동으로 진행하여 훨씬 더 뜨거운 반응이 나왔던 것 같다. 이 순간을 위해 지난 여름 방학부터 연습실에서 열심히 연습했는데 반응이 좋아서 어찌나 힘이 나던지ㅎㅎㅎ 엄청난 박수와 환호 속에서 공연을 한다는 건 정말 말로 표현할 수 없는 기쁨이다. ^_^V 힘든 시간도 있었지만 포기하지 않도록 우리를 이끌어 주신 최애 형탁 샘, 여러 악조건 속에서도 연습할 수 있도록 도와주신 세젤멋 교감 샘께도 감사의 말씀을 드리고 싶다. 사랑해요, 샘~~♡.♡ 한편으로는 올해가 혼소리 단원으로서의 마지막 공연이라 넘넘 아쉽기도 했다. ㅠㅠ

10 〈보기〉를 참고할 때, (가)와 (나)에 공통적으로 나타난 문제점으로 가장 적절한 것은?

> 보기
>
> 매체 언어를 통해 이루어지는 소통은 현실 세계에서 이루어지는 소통보다도 그 '맥락'과 '목적', '대상'에 특히 유의할 필요가 있다.

① 소통하려는 상대가 누구인지 분명하지 않다.
② 의사소통의 목적과 관련 없는 내용을 다루고 있다.
③ 독자의 연령을 고려한 높임 표현을 사용하지 않았다.
④ 공적인 맥락의 의사소통에 사적인 매체를 이용하고 있다.
⑤ 늦은 시간에 의사소통을 함으로써 언어 예절을 지키고 있지 않다.

11 빈출 유형 (가)와 (나)의 글쓴이에게 공통으로 필요한 매체 언어 사용 태도로 가장 적절한 것은?

① 똑같은 말을 지나치게 반복하여 사용하지 않는다.
② 정확한 사실로 확인되지 않은 내용은 유포하지 않는다.
③ 욕설이나 선정적·폭력적인 언어 표현을 사용하지 않는다.
④ 상대의 인격을 모독하거나 상대를 비방하는 댓글을 쓰지 않는다.
⑤ 줄임말과 비규범적 언어 사용을 자제하고 정확하고 올바른 우리말을 쓰려고 노력한다.

5일

6일 누구나 100점 테스트 1회

1 〈보기〉에 나타난 국어의 특성으로 적절한 것은?

보기

영어의 'yellow'에 해당하는 국어 어휘는 '노랗다, 노릇하다, 노릇노릇하다, 노르스름하다, 노르께하다, 누르스름하다, 누르끄레하다' 등으로 다양하다.

① 국어는 높임 표현이 다양하게 실현된다.
② 국어의 고유어 계열에서는 색채어가 크게 발달했다.
③ 국어는 교착어이기 때문에 조사와 어미가 크게 발달했다.
④ 국어의 어휘는 고유어, 한자어, 외래어의 삼중 체계를 이룬다.
⑤ 국어에는 예사소리, 된소리, 거센소리가 대립하는 음운 대립이 있다.

2 신문과 잡지에 대한 설명으로 적절하지 않은 것은?

① 대중 매체의 시작과 발달을 이끈 매체이다.
② 전기·전자·통신 기술의 발전에 따라 나타난 대표적인 통신 매체이다.
③ 의사소통 수단으로 주로 문자 언어를 사용하며 다양한 종류의 글이 실린다.
④ 시의성을 띤 내용들이 많이 실리기 때문에 당대의 유행어나 신조어가 반영된다.
⑤ 인터넷 사용이 일상화되면서 누리집을 통해 사진이나 동영상 자료를 제공하고 있다.

3 다음 자료를 통해 알 수 있는 뉴 미디어의 특성으로 적절하지 않은 것은?

① 다른 사람과 일대일의 방식으로 소통할 수 있다.
② 즉각적으로 의견을 개진하고 응답을 받을 수 있다.
③ 떨어져 있는 친구에게 간단한 정보를 전달할 수 있다.
④ 문자, 그림 등을 활용하여 자신의 생각이나 감정을 나타낼 수 있다.
⑤ 내용에 대한 접근 가능성이 높아 누구나 검색을 통해 내용을 쉽게 확인할 수 있다.

4 ㉠에 들어갈 단어로 적절한 것은?

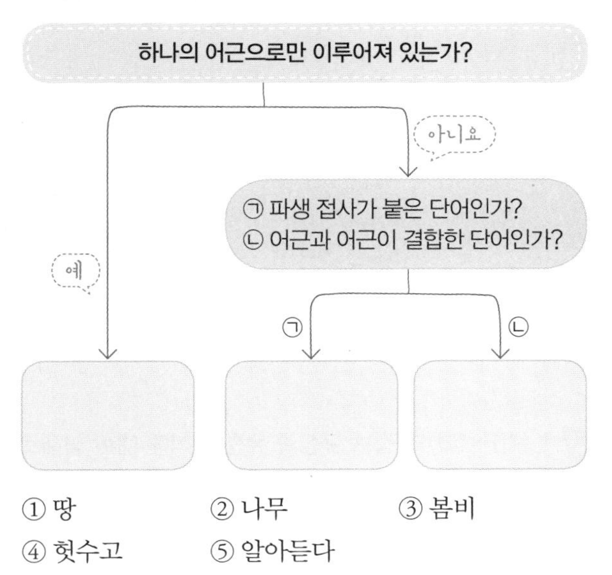

① 땅 ② 나무 ③ 봄비
④ 헛수고 ⑤ 알아듣다

5 〈보기〉의 밑줄 친 단어가 만들어진 방식으로 적절한 것은?

보기

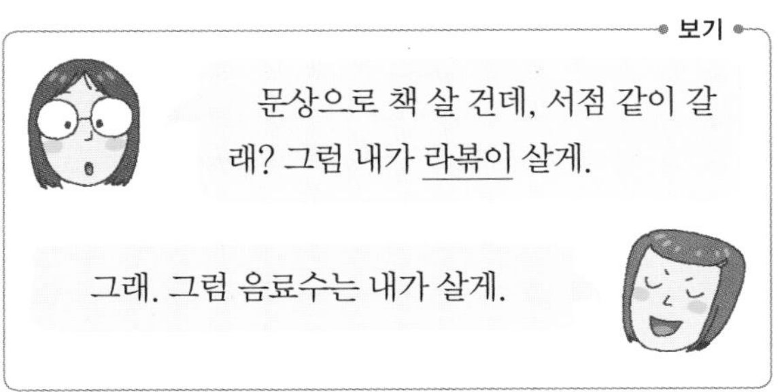

① 둘 이상의 어근을 결합하는 방식
② 어근과 파생 접사를 결합하는 방식
③ 단어들의 첫 말을 따서 결합하는 방식
④ 두 단어를 각각 절단한 후 각 부분을 결합하는 방식
⑤ 두 단어 중 하나를 절단한 후 각 부분을 결합하는 방식

6 서술 유형 밑줄 친 단어의 사용이 적절하지 않은 이유를 〈조건〉에 따라 밝힌 후, 이를 적절한 표현으로 고치시오.

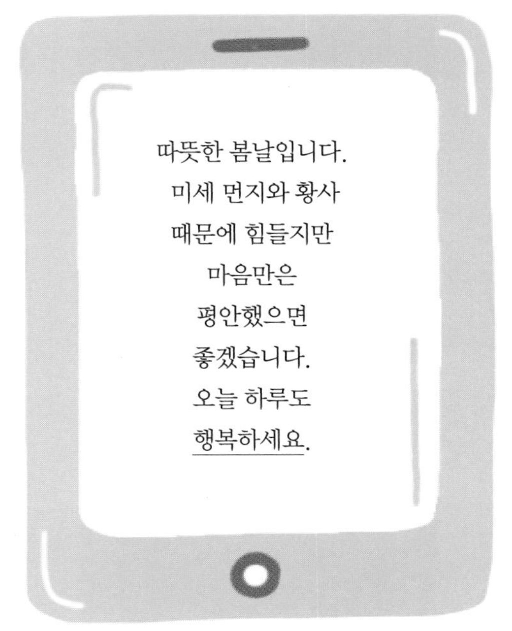

조건
- '행복하다'의 품사를 밝힐 것.
- 60자 내외로 서술할 것.

6일

[7~8] 다음 자료를 보고, 물음에 답하시오.

가 누리 소통망(SNS)

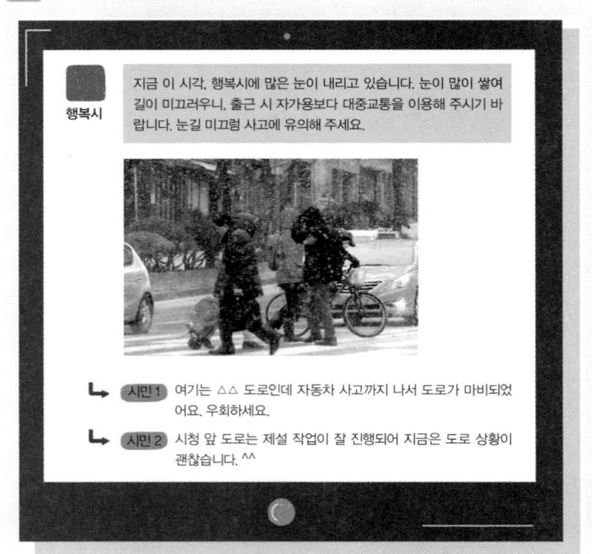

나 텔레비전

뉴스 진행자: 오늘 오후부터 내린 눈으로 퇴근길 혼잡이 우려되는데요. △△△ 광장 연결하여 자세한 소식 알아보겠습니다. ○○○ 기자, 현재 상황 어떻습니까?

기자: 오늘 오후부터 기습적으로 내리기 시작한 눈이 여전히 그칠 줄 모르고 쏟아지고 있습니다. 시내 도로 곳곳이 이미 빙판이 되어 사고 위험도 높아진 상태입니다.

다 책

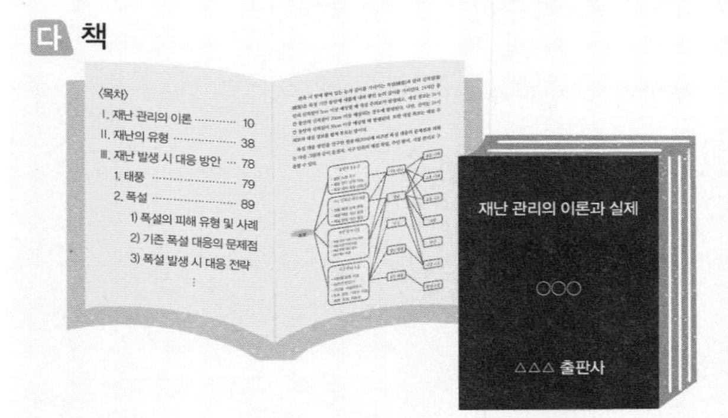

– 원종석, 《서울시 도로의 폭설 대응 방안 연구》에서

7 (가)~(다)의 정보 구성과 유통 방식에 대한 이해로 적절하지 <u>않은</u> 것은?

① (가)는 사진을 통해 상황을 생생하게 전달하고 있다.
② (나)는 정보를 실시간으로 제공하고 있다.
③ (나)는 문자 언어를 통해 상황을 상세히 설명하고 있다.
④ (다)는 (가)와 (나)에 비해 정보 제공의 속도가 느리다.
⑤ (다)는 책을 구매하거나 빌린 사람에게만 정보가 전달된다.

8 (가)~(다) 중 〈보기〉의 상황에서 활용하기에 적절한 매체와 그 이유로 적절한 것은?

보기

우리 시의 축제에 대한 정보를 제공하고, 이에 대해 시민들의 의견을 수렴하고자 한다.

	매체	선정 이유
①	(가)	쌍방향 의사소통이 가능하므로
②	(가)	표제와 전문을 통해 내용을 체계적으로 나타낼 수 있으므로
③	(나)	음성 언어를 사용할 수 있으므로
④	(나)	자막을 통해 핵심 내용을 요약적으로 제시할 수 있으므로
⑤	(다)	깊이 있는 정보를 전달할 수 있으므로

[9~10] 다음 글을 읽고, 물음에 답하시오.

창의적인 매체 언어 표현을 위해 동음이의어, 발음의 유사성, 대구와 비유 등 다양한 방법을 활용할 수 있다. 다음은 동음이의어를 활용한 창의적 표현의 사례이다.

경남신문 2007년 10월 29일

국제 유가 高高 국내 산업 苦苦

- 《경남신문》, 2007년 10월 29일 자에서

지하철에서는 잠시 休대 전화.
오늘부터 실천해 보세요~.

- 서울교통공사, 2016

위 신문 기사 제목은 높다는 뜻의 '고고(高高)'와 괴롭다는 뜻의 '고고(苦苦)'가 발음은 같지만 뜻이 다른 관계에 있다는 점을 활용하였다. 또한 '지하철에서는 잠시 休대 전화'라는 표현은 쉰다는 뜻의 한자 '휴(休)'가 '휴대 전화'의 '휴(携)'와 뜻은 다르지만 발음이 같다는 점을 활용하였다.

매체 언어를 창의적으로 사용하기 위해서는 매체 언어의 복합 양식성도 고려할 필요가 있다. 언어 그 자체의 특성을 통해 창의성이 실현되는 경우도 있지만, 그림, 음향 등과의 상호 작용을 통해 창의적 의미가 구성되는 경우가 많기 때문이다.

예를 들어, ㉠오른쪽 광고에 사용된 "괜찮아, 안전해."라는 문구는 그 자체로는 창의적인 표현이라고 보기 어렵지만, 전봇대에 박힌 나사가 거짓말 때문에 길어진 코에 해당한다는 그림의 내용을 함께 고려하면 우리 사회에 만연해 있는 안전 불감증의 문제를 효과적으로 표현한 것임을 알 수 있다.

- 한국방송광고진흥공사 공익광고협의회, 2014

9 윗글을 이해한 내용으로 적절하지 않은 것은?

① 신문 기사의 제목은 동음이의어를 활용하고 있다.
② '휴대 전화' 광고 문구는 발음의 유사성을 활용하고 있다.
③ '안전' 관련 광고는 여러 가지 요소를 복합적으로 사용하고 있다.
④ 언어 자체의 특성을 통해 매체 언어의 창의성을 실현할 수 있다.
⑤ 매체 언어를 창의적으로 사용하려면 시각 요소와 청각 요소는 섞지 않는 것이 좋다.

10 서술 유형 ㉠이 창의적인 이유를 〈조건〉에 따라 서술하시오.

조건
- ㉠에 사용된 두 가지 표현 요소를 쓸 것.
- '상호 작용'이라는 단어를 포함할 것.
- 35자 내외로 서술할 것.

6일

누구나 100점 테스트 2회

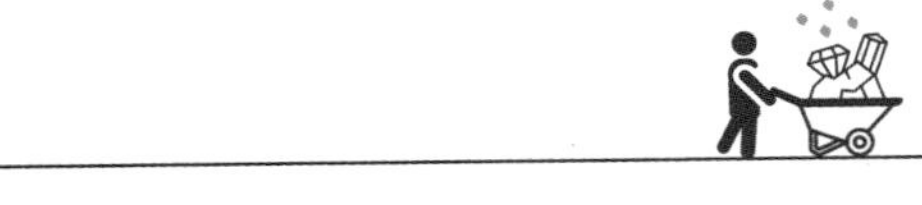

1 다음 표를 보고 대화한 내용으로 적절하지 <u>않은</u> 것은?

혀의 높이 \ 혀의 앞뒤 위치 / 입술 모양	전설 모음		후설 모음	
	평순	원순	평순	원순
고모음	ㅣ	ㅟ	ㅡ	ㅜ
중모음	ㅔ	ㅚ	ㅓ	ㅗ
저모음	ㅐ		ㅏ	

① 'ㅣ'를 발음할 때 혀의 위치는 앞에 있고, 입술의 모양은 평평해.

② 'ㅜ'를 발음할 때는 혀의 위치가 뒤에 있고, 입술은 둥글게 돼.

③ 'ㅣ'와 'ㅡ'를 연달아 발음하면 혀의 위치가 앞에서 뒤로 이동해.

④ '너'를 발음할 때는 '나'를 발음할 때보다 입술을 동그랗게 만들어 줘야 해.

⑤ '개'를 발음할 때는 '게'를 발음할 때보다 혀의 높이를 더 낮추어야 해.

[2~3] 다음 자음 체계표를 보고, 물음에 답하시오.

조음 방법 \ 조음 위치		입술소리 (양순음)	잇몸소리 (치조음)	센입천장 소리 (경구개음)	여린입천장 소리 (연구개음)	목청소리 (후음)
파열음	예사소리	ㅂ	ㄷ		ㄱ	
	된소리	ㅃ	ㄸ		ㄲ	
	거센소리	ㅍ	ㅌ		ㅋ	
파찰음	예사소리			ㅈ		
	된소리			ㅉ		
	거센소리			ㅊ		
마찰음	예사소리		ㅅ			ㅎ
	된소리		ㅆ			
비음		ㅁ	ㄴ		ㅇ	
유음			ㄹ			

2 〈보기〉에서 자음에 대한 설명으로 적절한 내용을 모두 고른 것은?

보기

a. 'ㅂ'과 'ㄱ'은 조음 위치가 같다.
b. 잇몸에서 소리가 나는 비음은 'ㄴ'뿐이다.
c. 마찰음과 비음, 유음에는 거센소리가 없다.
d. 콧물로 코가 막힐 경우 'ㅁ, ㄴ, ㅇ'을 발음하기 어려울 수 있다.

① a, b
② c, d
③ a, b, c
④ b, c, d
⑤ a, b, c, d

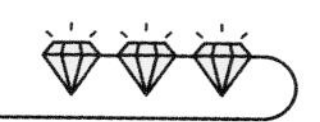

정답과 해설 14쪽

3 **다음 단어를 발음할 때 공통으로 일어나는 현상을 설명한 내용으로 가장 적절한 것은?**

- 국물[궁물]: ㄱ + ㅁ → ㅇ + ㅁ
- 담력[담:녁]: ㅁ + ㄹ → ㅁ + ㄴ
- 공룡[공:뇽]: ㅇ + ㄹ → ㅇ + ㄴ

① 두 개의 자음이 만나 하나의 자음이 되었다.
② 구개음이 아닌 자음이 구개음으로 바뀌었다.
③ 유음과 비음이 만나 비음이 유음으로 바뀌었다.
④ 두 개의 자음이 만날 때 그 중 하나가 탈락하였다.
⑤ 비음이 아닌 자음이 비음을 만나 비음으로 바뀌었다.

4 **다음에서 설명하고 있는 음운 변동이 일어나는 단어를 모두 고르시오.**

예사소리인 'ㄱ, ㄷ, ㅂ, ㅈ'이 'ㅎ'과 만나면 각각 [ㅋ, ㅌ, ㅍ, ㅊ]와 같은 거센소리로 발음되는 현상을 축약이라고 합니다.

김치　　법학　　좋아　　놓다　　간호

5 **〈보기〉의 표준 발음법을 참고하여, 아래 문장의 올바른 발음을 쓰시오.**

보기

제12항 받침 'ㅎ'의 발음은 다음과 같다.
1. 'ㅎ(ㄶ, ㅀ)' 뒤에 'ㄱ, ㄷ, ㅈ'이 결합되는 경우에는, 뒤 음절 첫소리와 합쳐서 [ㅋ, ㅌ, ㅊ]으로 발음한다.

제17항 받침 'ㄷ, ㅌ(ㄾ)'이 조사나 접미사의 모음 'ㅣ'와 결합되는 경우에는, [ㅈ, ㅊ]으로 바꾸어서 뒤 음절 첫소리로 옮겨 발음한다.

별이 참 좋구나.

6일

6 다음 빈칸에 공통으로 들어갈 말을 쓰시오.

> • 한글 맞춤법은 (   )를 소리대로 적되, 어법에 맞도록 함을 원칙으로 한다.
> • (   )는 교양 있는 사람들이 두루 쓰는 현대 서울말로 정함을 원칙으로 한다.
> • 표준 발음법은 (   )의 실제 발음을 따르되, 국어의 전통성과 합리성을 고려하여 정함을 원칙으로 한다.

7 다음 외래어 표기법 조항의 사례로 가장 적절한 것은?

> **제3항** 받침에는 'ㄱ, ㄴ, ㄹ, ㅁ, ㅂ, ㅅ, ㅇ'만을 쓴다.

① 'cafe'는 '까페'가 아니라 '카페'로 적는다.
② 'Paris'는 '빠리'가 아니라 '파리'로 적는다.
③ 'rocket'은 '로켇'이 아니라 '로켓'으로 적는다.
④ 'radio'는 '레이디오'가 아니라 '라디오'로 적는다.
⑤ 'fitness'는 '휘트니스'가 아니라 '피트니스'로 적는다.

8 〈보기〉를 참고할 때, 국어의 로마자 표기로 적절하지 않은 것은?

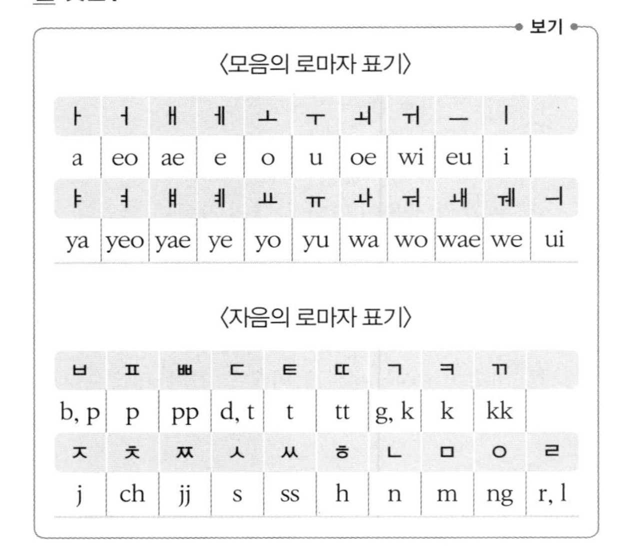
보기

〈모음의 로마자 표기〉

ㅏ	ㅓ	ㅐ	ㅔ	ㅗ	ㅜ	ㅚ	ㅟ	ㅡ	ㅣ	
a	eo	ae	e	o	u	oe	wi	eu	i	
ㅑ	ㅕ	ㅒ	ㅖ	ㅛ	ㅠ	ㅘ	ㅝ	ㅙ	ㅞ	ㅢ
ya	yeo	yae	ye	yo	yu	wa	wo	wae	we	ui

〈자음의 로마자 표기〉

ㅂ	ㅍ	ㅃ	ㄷ	ㅌ	ㄸ	ㄱ	ㅋ	ㄲ	
b, p	p	pp	d, t	t	tt	g, k	k	kk	
ㅈ	ㅊ	ㅉ	ㅅ	ㅆ	ㅎ	ㄴ	ㅁ	ㅇ	ㄹ
j	ch	jj	s	ss	h	n	m	ng	r, l

① 제주 – Jeju
② 부산 – Busan
③ 대전 – Dejoen
④ 세종 – Sejong
⑤ 광주 – Gwangju

9 매체 언어의 영향에 대한 대화 내용으로 적절하지 않은 것은?

① 실시간으로 자신의 일상을 공유할 수 있게 되었어.

② 개인 정보 노출과 같은 사생활 침해 문제가 발생하게 되었어.

③ 일대일 의사소통이 강화되면서 여러 사람과 동시에 소통하는 일이 어려워졌어.

④ 매체를 통한 의사소통의 비중이 높아지면서 매체 언어가 우리 생활에 미치는 영향이 점차 커지고 있어.

⑤ 시각적 이미지와 청각적 요소 등을 활용하여 자신의 감정을 다양한 방식으로 표현할 수 있게 되었어.

10 서술 유형 다음 기사에 언급된 사이버 언어폭력의 원인과 해결 방안을 각각 쓰시오.

이○○ □□대 글로벌커뮤니케이션학부 교수는 악성 댓글 문제의 원인을 '주목 경쟁'이라고 짚었다. 자극적인 댓글을 달아 타인의 관심을 끌고 이를 통해 자존감을 세우려는 심리가 이런 행동의 밑바닥에 깔렸다는 것이다.

이 교수는 "주목 경쟁에서는 '누가 더 혐오를 발산하느냐'가 하나의 경쟁 요소가 됐다."라면서 "확고한 법적 근거를 토대로 인터넷 게시판이나 기사 등에 악플이 달렸을 때 제재를 가할 방안이 강구돼야 한다."라고 강조했다.

– 《연합뉴스》, 2018년 1월 1일 자에서

(1) 문제의 원인:

(2) 해결 방안:

참의·융합·코딩 서술형 테스트

1 참의 ㉠에 들어갈 문장을 〈조건〉에 따라 서술하시오.

중국어의 '我愛他。'라는 문장은 '他愛我。'로 어순을 바꾸면 의미가 달라지는데, 국어는 '내가 그를 사랑한다.'와 '그를 내가 사랑한다.'라는 문장을 통해 알 수 있듯이 ______㉠______
______________________.

조건
- '문장의 어순'과 '의미'를 중심으로 국어의 특징을 파악할 것.
- 30자 내외로 서술할 것.

2 참의 다음 자료에서 주제를 효과적으로 나타내기 위해 사용한 방법을 〈조건〉에 따라 서술하시오.

○○○학교 동아리는 '하는 말이 고와야 오는 말이 좋다' 캠페인을 벌였다. 이 캠페인은 청소년들이 휴대 전화 대화창, 누리 소통망(SNS) 등 가상 공간에서의 사이버 폭력을 호소하자 언어문화 개선 활동의 일환으로 추진됐다.

400명의 전교생을 대상으로 말로 상처를 주었거나 받았던 적이 있는 경험을 묻고, '상처받았던 말'과 '듣고 싶은 말'을 적은 종이를 비행기 모양으로 접어 운동장을 향해 날리는 활동을 했다.

학생들이 적은 종이에는 '네가 뭔데?', '너 같은 건 필요 없어.', '네가 내 자식인 것이 자랑스러워.', '넌 할 수 있어!' 등 다양한 글이 쏟아졌다.

-《경기일보》, 2017년 5월 19일 자에서

조건
- 자료에 나타난 언어 요소와 시각 요소를 언급할 것.
- 30자 내외로 서술할 것.

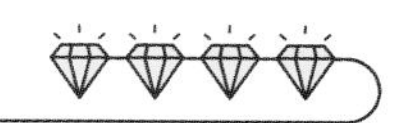

정답과 해설 15쪽

3 창의 융합

〈보기〉를 참고하여 다음 자료에 밑줄 친 '요린이'라는 새말의 짜임 방식에 대해 〈조건〉에 따라 서술하시오.

보기

새말을 만들 때에는 단어들의 첫 말을 따서 새말을 만들거나, 두 단어 중 하나 혹은 모두를 절단한 후 각 부분을 결합하여 새말을 만드는 방식이 많이 사용된다.

조건

- '요린이'를 구성하는 단어를 언급할 것.
- 30자 내외로 서술할 것.

4 창의 융합

다음 국어사전을 참고하여 여학생의 질문에 대한 답을 〈조건〉에 따라 서술하시오.

나는 집을 대궐 만큼 크게 지어야지.

'대궐 만큼'은 띄어 쓰는 것이 맞을까?

'만큼'이 의존 명사인지 조사인지를 먼저 파악해 보자.

만큼

[Ⅰ]「의존 명사」

「1」((주로 어미 '-은, -는, -을' 뒤에 쓰여)) 앞의 내용에 상당한 수량이나 정도임을 나타내는 말.

[Ⅱ]「조사」

((체언의 바로 뒤에 붙어))

앞말과 비슷한 정도나 한도임을 나타내는 격 조사.

조건

- '대궐 만큼'에서 '만큼'의 품사를 제시하고 띄어쓰기 여부와 그 이유를 밝힐 것.
- 30자 내외로 서술할 것.

6일

5 창의 학생회가 누리 소통망(SNS)에 정보를 올린 이유를 〈조건〉에 따라 서술하시오.

조건
- 소통 방식과 관련하여 서술할 것.
- '댓글'이라는 단어를 포함할 것.
- 30자 내외로 서술할 것.

6 창의 다음 광고가 창의적인 이유를 〈조건〉에 따라 서술하시오.

– 이제석 광고연구소, 2015

조건
- '발목을 잡는다.'라는 말이 새로운 방식으로 표현되고 있다는 점을 언급할 것.
- 30자 내외로 서술할 것.

7 창의 융합 다음은 '옷 한 벌'이 발음되는 과정을 나타낸 것이다. 이 과정에서 나타난 음운 변동 현상을 〈조건〉에 따라 서술하시오.

단어		발음되는 과정		
옷 한 벌	➡	[옫한벌]	➡	[오탄벌]

조건

[옫한벌]로 발음되는 과정과 [오탄벌]로 발음되는 과정을 각각 구분하여 쓸 것.

8 창의
다음 글을 참고하여 '백마'를 로마자로 표기하고, 그렇게 표기한 이유를 〈조건〉에 따라 서술하시오.

'신라'를 국어의 로마자 표기법에 맞게 적으려면 한글 표기 그대로 'Sinra'로 적는 것이 아니라 '신라'의 표준 발음이 [실라]라는 점을 반영하여 'Silla'로 적어야 한다. 이처럼 음운 변화가 일어날 때에는 변화의 결과에 따라 적는다.

조건
- '백마'를 발음할 때 나타나는 음운 변동 현상을 언급할 것.
- 50자 내외로 서술할 것

9 창의 융합
다음 자료를 참고하여 한글 맞춤법이 '표준어를 소리대로 적되, 어법에 맞도록 함'을 원칙으로 한 이유를 〈조건〉에 따라 서술하시오.

소리대로 적은 단어	어법에 맞게 적은 단어
꼬치, 꼳또, 꼰만	꽃이, 꽃도, 꽃만

조건
- '가독성'이라는 단어를 포함할 것.
- 30자 내외로 서술할 것.

10 코딩
다음 신문의 매체 언어에 나타난 문제점을 아래와 같이 탐구했다고 할 때, 빈칸에 들어갈 내용을 〈조건〉에 따라 서술하시오.

○○고 신문
제251호(20○○. 12. 5.)

[교내 동아리 활동 보고: 풍물반]
혼소리, 교내 축제의 불꽃을 피우다
2-7 이미소

교내 축제 때마다 항상 시작을 알리는 건 우리 혼소리 풍물패의 힘찬 공연!!)(꺄악ㅋㅋㅋ 올해도 어김없이 우리의 공연은 시작됐다. 올해는 특별히 □□고의 비담으로 알려진 난타반과 합동으로 진행하여 훨씬 더 뜨거운 반응이 나왔던 것 같다. 이 순간을 위해 지난 여름 방학부터 연습실에서 열심히 연습했는데 반응이 좋아서 어찌나 힘이 나던지ㅎㅎㅎ 엄청난 박수와 환호 속에서 공연을 한다는 건 정말 말로 표현할 수 없는 기쁨이다. ^_^V 힘든 시간도 있었지만 포기하지 않도록 우리를 이끌어 주신 최애 형탁 샘, 여러 악조건 속에서도 연습할 수 있도록 도와주신 세젤멋 교감 샘께도 감사의 말씀을 드리고 싶다. 사랑해요, 샘~~ ♡.♡ 한편으로는 올해가 혼소리 단원으로서의 마지막 공연이라 넘넘 아쉽기도 했다. ㅠㅠ

	맥락	목적	대상
탐구 질문	공적인 맥락인가, 사적인 맥락인가?	의사소통의 목적에 맞는 내용인가?	의사소통 수용자를 고려하고 있는가?
탐구 결과	교내 신문에 기고한 글이므로 공적인 맥락이다.	동아리 활동 감상문에 가까우므로, 활동 보고의 목적에 맞지 않다.	

조건
- 제시된 매체의 의사소통 수용자가 누구인지 쓸 것.
- 40자 내외로 서술할 것.

7일 중간고사 기본 테스트 1회

1 〈보기〉와 밀접한 관련이 있는 언어의 특성으로 가장 적절한 것은?

보기

영어의 'rice'라는 한 단어가 국어에서는 '쌀, 밥, 벼' 등으로 다양하게 나타난다.

이누이트 언어에서는 하늘에서 내려오고 있는 눈, 땅에 내려앉아 쌓여 있는 눈, 바람에 이리저리 휘날리는 눈, 바람에 휘날려 무더기로 쌓여 있는 눈 등 눈을 가리키는 단어가 다양하게 발달해 있다. 이는 이누이트인들이 사는 곳에 눈이 많이 오기 때문이다.

① 언어는 인간만이 지닌 고유한 특성이다.
② 언어와 사고는 긴밀한 관련을 맺고 있다.
③ 인간은 언어를 통하여 하나의 공동체를 형성한다.
④ 언어는 세계를 분절적으로 인식하게 하는 경향이 있다.
⑤ 언어에는 그 언어를 사용하는 사회의 문화가 반영되어 있다.

2 다음 대화를 통해 알 수 있는 국어의 담화적 특성으로 가장 적절한 것은?

이번에 교내 백일장 대회에서 상 받았다며? 축하해. 역시 너는 글을 참 잘 써.

아니야. 부족한 점이 많은데 선생님들께서 좋게 봐 주신 것 같아.

① 자신의 장점을 진솔하게 표현한다.
② 과시보다는 겸양의 태도를 드러낸다.
③ 요구 사항을 중심으로 간단하게 말한다.
④ 친한 사람에게만 자신의 감정을 표현한다.
⑤ 친소 관계를 따지지 않고 항상 높임 표현을 사용한다.

3 다음 자료를 근거로 한국어의 위기를 설명한 내용으로 가장 적절한 것은?

〈시대별 신조어와 유행어〉

시기	신조어와 유행어
1945~1955	해방둥이, 소식통, 가맹국, 중립국, 6·25 세대(사변둥이), 포로, 동란, 불화, 피체
1956~1964	미터, 톤, 기성회비, 합승, 외화, 방첩, 라디오 방송
1965~1974	우골탑, 미팅, 수출, 공산품, 원유, 정부미, 개발 도상국
1975~1984	장발족, 지하상가, 레코드, 학력고사, 외채, 유전
1985~1994	오존층, 안보리, 핵 처리장, 팩시밀리, 금융 실명제
1995~2002	사이트, 홈페이지, 메일, 복제, 카드사, 컨설팅
2003~현재	인공 지능, 사물 인터넷, 모바일, 스마트폰, 데이터, 스펙

– 민현식, 〈한국어의 변화에 대한 사회·문화적인 접근〉에서

① 남북 분단과 대립으로 언어 이질화가 심화된다.
② 통신어의 무분별한 사용으로 국어 파괴 현상이 심화된다.
③ 언어의 세속화, 비속화로 인한 국어 파괴와 혼란이 심각하다.
④ 세대 차이의 심화로 세대 간 의사소통에 문제가 발생한다.
⑤ 저출산 초고령 사회로 변하면서 언어 전승의 위기가 발생한다.

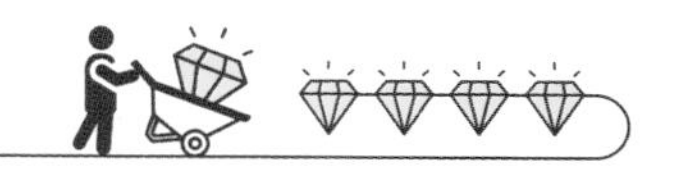

정답과 해설 17쪽

4 〈보기〉에 제시된 매체의 특징으로 적절하지 않은 것은?

① ㉠에는 다양한 정보들이 있지만 신뢰하기 어려운 정보도 존재한다.
② ㉡은 ㉣에 비해 쌍방향 의사소통이 활발한 편이다.
③ ㉢은 ㉣, ㉤과 달리 의사소통이 일대일로 이루어진다.
④ ㉣은 ㉡, ㉢에 비해 구어적인 성격이 강하다.
⑤ ㉣과 ㉤은 최근에 ㉠과 연계하여 기존의 한계에서 벗어나고 있다.

5 다음 밑줄 친 부분의 특성으로 적절하지 않은 것은?

최근 전자 기술의 발전에 따라 여러 가지 의사소통 수단이 새롭게 등장하였는데 이것들을 보통 뉴 미디어라고 한다. 대표적인 예로 인터넷을 들 수 있는데 온라인 신문, 블로그, 누리 소통망 등의 웹 사이트 등도 뉴 미디어로 부른다.

① 사람들 사이의 물리적·사회적 거리를 멀어지게 한다.
② 정보의 전달 및 교환이 상호 능동적으로 이루어진다.
③ 독립적으로 존재했던 기존의 매체들을 서로 연결한다.
④ 정보가 디지털화되어 정보의 교환과 축적 속도를 빨라지게 한다.
⑤ 여러 가지 매체의 속성이 하나로 통합된 멀티미디어적 성격을 지닌다.

6 〈보기〉를 읽고, ㉠과 같은 현상이 일어난 원인을 〈조건〉에 따라 서술하시오.

보기

컴퓨터 기반 온라인 매체의 등장은 새로운 글쓰기의 시대를 열었다고 해도 과언이 아니다. ㉠손수 제작물(UCC) 등 다양한 시각 매체의 등장으로 진부한 글쓰기는 쇠퇴할 것이라는 예측도 있었으나 21세기 초기 글쓰기는 하나의 유행이 되었다. [중략] 온라인 매체가 우리에게 글을 쓰도록 유혹하는 것은 기존의 아날로그 방식과 달리 양방향성을 특징으로 하기 때문이다. 글쓴이 입장에서 독자의 즉각적인 반응은 글쓰기를 부채질한다. 글쓴이는 블로그 글에 달린 댓글이나 누리 소통망(SNS)의 '좋아요' 반응에 주목하며 더 많은 팔로어를 끌어들이기 위해 매력적인 글쓰기를 한다.

– 박동근, 〈매체 변화에 따른 언어 사용 방식의 변화〉에서

조건

• '온라인 매체는 ~을 지니고 있어 ~을 확인할 수 있기 때문이다.'의 형식으로 쓸 것.
• 50자 내외로 서술할 것.

7일

7 다음 설명을 참고할 때, ㉠의 예로 적절하지 않은 것은?

> 국어의 일반적인 통사적 구성 방법과 다른 방식으로 형성된 합성어를 ㉠비통사적 합성어라고 한다. 예를 들어 '찾아보다'와 달리 '뛰놀다'는 어미의 개입 없이 용언의 어간과 어간이 직접 결합하였고, '찬밥'과 달리 '덮밥'은 어미의 개입 없이 용언의 어간과 명사가 직접 결합하였기 때문에 비통사적 합성어로 분류된다.

① 접칼 ② 날뛰다
③ 높푸르다 ④ 굶주리다
⑤ 갈아입다

8 선생님의 설명에 해당하는 단어로 적절한 것은?

> 이 단어는 주로 문장의 주어를 서술하는 기능을 합니다. 문장에서 쓰일 때 결합하는 어미에 따라 형태가 바뀔 수 있어요. 그리고 이 단어는 사람이나 사물의 동작이나 작용을 나타내요.

① 야구 ② 여러분
③ 오르다 ④ 그러나
⑤ 아름답다

9 다음 중 ⓐ의 예로 적절한 것은?

> 용언의 활용은 규칙 활용과 불규칙 활용으로 구분된다. ⓐ규칙 활용은 '뽑다'의 활용형인 '뽑아, 뽑아서'와 같이 활용할 때 어간과 어미의 형태가 규칙적으로 나타난다. 불규칙 활용은 '돕다'의 활용형 '도와'나 '이르다'의 활용형 '이르러'와 같이 활용할 때 어간이나 어미의 기본 형태가 유지되지 않고 이를 일정한 규칙으로 설명할 수 없다.

① ⓐ의 예로 '줍다 → 주워'를 들 수 있어.

② ⓐ의 예로 '믿다 → 믿어'를 들 수 있어.

③ ⓐ의 예로 '긋다 → 그어'를 들 수 있어.

④ ⓐ의 예로 '하다 → 하여'를 들 수 있어.

⑤ ⓐ의 예로 '흐르다 → 흘러'를 들 수 있어.

10 〈보기〉를 참고하여, ㉠을 바르게 고쳐 쓰시오.

보기

동사와 형용사를 구분할 때는 명령형 어미 '-아라/어라'와 청유형 어미 '-자'와 결합할 수 있는지를 따져 보면 알 수 있다. 동사는 이들 어미와 결합할 수 있으나 형용사는 그렇지 않다.

11 〈보기〉와 같은 의미 관계를 이루는 단어 쌍으로 적절한 것은?

보기

생물 : 동물

① 꽃 : 개나리
② 높다 : 낮다
③ 변소 : 화장실
④ 옥수수 : 강냉이
⑤ 뜨겁다 : 차갑다

12 (가)와 (나)에 대한 설명으로 적절하지 않은 것은?

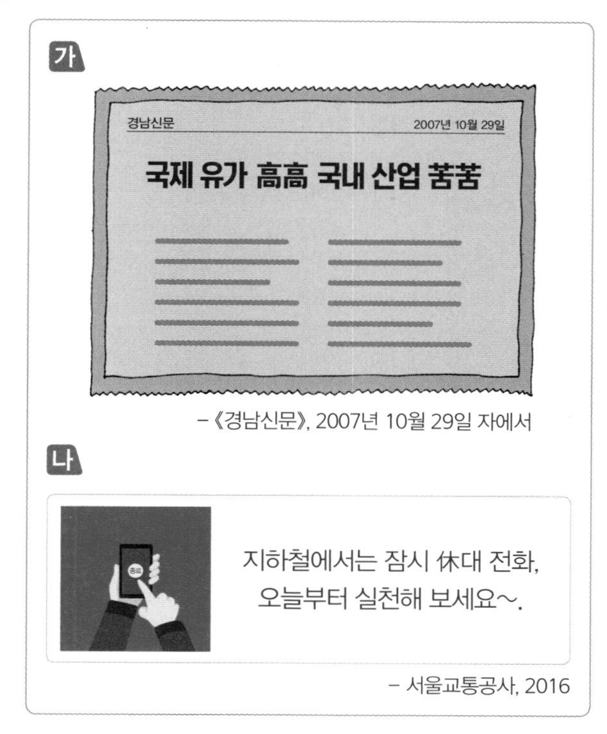

-《경남신문》, 2007년 10월 29일 자에서

- 서울교통공사, 2016

① (가)는 정보 전달을, (나)는 설득을 목적으로 한다.
② (가)의 매체는 책에 비해 시의성 있는 정보를 다룬다.
③ (나)는 언어와 그림을 함께 사용하여 주제를 나타냈다.
④ (나)는 (가)와 달리 구독하는 특정인들만 내용을 볼 수 있다.
⑤ (가)와 (나) 모두 동음이의어를 활용하여 창의적으로 표현하였다.

7일

13 다음 중 선생님의 질문에 해당하는 단어를 찾아 쓰시오.

폐에서 나오는 공기를 막았다가 터뜨리면서 내는 소리 중에서 조음 위치가 잇몸이고 거센소리에 해당하는 자음과, 입술을 둥글게 오므려 발음하는 모음이 모두 사용된 단어는 무엇일까요?

추위 

토끼 바다

14 〈보기〉를 참고할 때, 밑줄 친 단어 중 음운의 변동이 일어나지 <u>않는</u> 것은?

보기

어떤 형태소의 음운이 일정한 환경에 따라 변하는 현상을 음운의 변동이라고 한다. 음운의 변동에는 어떤 음운이 다른 음운으로 바뀌는 '교체', 두 음운 중에서 하나가 없어지는 '탈락', 형태소가 결합할 때 그 사이에 음운이 덧붙는 '첨가', 두 음운이 하나의 음운으로 줄어드는 '축약'의 네 가지 유형으로 나눌 수 있다.

① 누나는 <u>집안일</u>에 무관심한 편이다.
② 오늘은 운동회를 하기에 <u>좋은</u> 날이다.
③ 이 <u>식물</u>은 집에서 키우기가 무척 어렵다.
④ 할아버지는 <u>논밭을</u> 팔아 자식을 교육하였다.
⑤ 사촌 형은 <u>독학</u>으로 공무원 시험에 합격하였다.

15 다음 중 ㉠의 예로 가장 적절한 것은?

한글 맞춤법은 ㉠<u>표준어를 소리대로 적되</u>, 어법에 맞도록 함을 원칙으로 한다. 표준어를 소리대로 적는다는 것은 표준어의 발음대로 적는다는 뜻이다.

① 늙고
② 순두부
③ 꽃놀이
④ 꽃다발
⑤ 비빔밥

16 다음 대화에서 학생의 질문에 대한 답을 〈조건〉에 따라 서술하시오.

표준어는 교양 있는 사람들이 두루 쓰는 현대 서울말로 정함을 원칙으로 한대.

많은 지역 방언 중에서 서울말을 표준어로 삼은 이유가 무엇일까?

조건

• '서울이 ~ 때문이야.'의 형식으로 쓸 것.
• 40자 내외로 서술할 것.

17 〈보기〉를 참고할 때, 밑줄 친 부분의 띄어쓰기가 적절하지 않은 것은?

보기

〈한글 맞춤법〉

제2항 문장의 각 단어는 띄어 씀을 원칙으로 한다.
제41항 조사는 그 앞말에 붙여 쓴다.
제42항 의존 명사는 띄어 쓴다.
제43항 단위를 나타내는 명사는 띄어 쓴다.

① 그가 떠난 지가 오래다.
② 발 없는 말이 천 리 간다.
③ 말 한마디에 천냥빚도 갚는다.
④ 이번 결정은 어디까지나 네게 달렸다.
⑤ 낮말은 새가 듣고, 밤말은 쥐가 듣는다.

18 다음 자료를 바탕으로 국어의 로마자 표기에 대해 이해한 내용으로 적절하지 않은 것은?

	표준 발음	로마자 표기
㉠ 고구려	[고구려]	Goguryeo
㉡ 백제	[백쩨]	Baekje
㉢ 신라	[실라]	Silla

① ㉠의 '고'와 '구'를 보니, 모음 앞에서는 'ㄱ'을 'g'로 적는구나.
② ㉡의 '백'을 보니, 자음 앞에서는 'ㄱ'을 'k'로 적는구나.
③ ㉢을 보니, 'ㄹㄹ'은 'll'로 적는구나.
④ ㉡과 ㉢을 보니, 국어의 음운 변동은 모두 로마자 표기에 반영되는구나.
⑤ ㉠, ㉡, ㉢을 보니 고유 명사를 적을 때에는 첫 글자를 대문자로 적는구나.

19 ㉠~㉢의 외래어 표기로 적절한 것을 바르게 짝지은 것은?

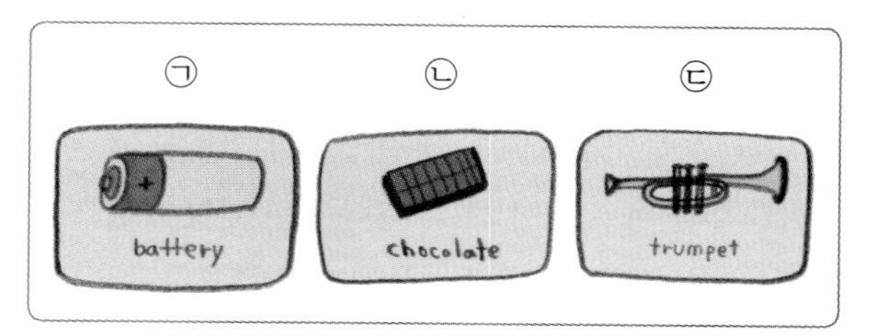

	㉠	㉡	㉢
①	밧데리	초콜릿	트럼펱
②	밧데리	초콜렛	트럼펫
③	배터리	초콜릿	트럼펫
④	배터리	초콜렛	트럼펱
⑤	배터리	초콜릿	트럼페트

20 다음 밑줄 친 부분의 사례로 가장 적절한 것은?

매체 및 매체 언어 환경의 변화는 인간관계를 넘어 우리의 사회생활에도 큰 영향을 미치고 있다. 교육 기회의 평등화에 기여할 뿐만 아니라, 민주적 소통 문화를 형성하는 데에도 기여하고 있다. 또한 업무 처리의 효율성과 신속성을 높일 수 있게 되었다.

① 온라인 화상 회의를 통해 해외 협력사와 소통을 한다.
② 소외 지역 학생들을 위해 무료 온라인 교육을 확대한다.
③ 생활 속 불편한 문제를 사이버 민원 건의를 통해 해결한다.
④ 재택 업무 시스템을 활용하여 집에서도 회사의 업무를 처리한다.
⑤ 사이버 여론 조사를 통해 특정 정책에 대한 국민들의 의견을 알아본다.

7일 중간고사 기본 테스트 2회

[1 ~ 2] 다음 글을 읽고, 물음에 답하시오.

사임은 허기진 듯이 빵을 물어뜯어 한입 가득 두 번을 삼켰다. 그러고 나서 현학적인 열기를 뿜으며 말을 계속했다.

(현학적: 학식이 있음을 자랑하는. 또는 그런 것.)

"말을 없애 버린다는 건 멋진 일이야. [중략] '좋은(good)'이란 말을 예로 들어 보세. '좋은'이란 낱말이 있으면 '나쁜(bad)'이란 낱말이 무엇 때문에 따로 필요하단 말인가? 그건 '안 좋은(ungood)'이란 말로 충분하다네. 또 '좋은'이란 말을 더 강하게 쓰고 싶을 때 '뛰어난(excellent)'이나 '훌륭한(splendid)' 등 다른 희미하고 쓸모없는 낱말이 있다손 치더라도 그게 무슨 의미가 있단 말인가? '더 좋은(plusgood)'이란 말이면 넉넉히 의미가 전달되고, 더욱 강조하고 싶으면 '배로 더 좋은(doubleplusgood)'이라 하면 되는 거야. 물론 우리는 이미 그런 형태의 말을 쓰고 있지만 ㉠《신어사전》 결정판에는 그 밖의 딴 낱말은 실리지 못할 걸세. 결국 좋고 나쁜 것에 대한 모든 개념은 단 여섯 개의 낱말로 충분히 표현될 거야. 사실은 단 한 개의 낱말로 된 것이지만. [중략] 신어만이 세계에서 해마다 어휘가 계속 줄어 가는 유일한 언어라는 걸 자네는 알고 있나?"

(결정판: 더 이상 고치거나 보탤 것이 없도록 완벽하게 다듬어 내는 출판. 또는 그 출판물.)

[중략]

"신어의 완전한 목적이 사고의 폭을 좁히려는 데 있다는 걸 자넨 모르겠나? [중략] 해가 갈수록 낱말은 자꾸 그 수가 줄고 그러면서 의식의 범위도 계속 좁아지는 거지."

– 조지 오웰, 〈1984〉에서

1 윗글과 밀접한 관련이 있는 언어의 특성을 〈조건〉에 따라 서술하시오.

조건
- '언어'와 '사고'라는 단어를 모두 포함하여 쓸 것.
- 25자 내외로 서술할 것.

2 사임이 ㉠을 편찬하려는 목적으로 가장 적절한 것은?

① 새롭게 나타난 어휘를 정리하기 위해서
② 어휘의 수가 줄어드는 것을 막기 위해서
③ 어휘의 의미를 명확하게 정의하기 위해서
④ 어휘의 수를 줄여서 사고의 폭을 좁히기 위해서
⑤ 새로운 어휘를 만들어 창의적 사고를 돕기 위해서

3 국어의 특성에 대해 대화한 내용으로 적절하지 않은 것은?

① 영어와 달리 조사와 어미가 문장에서 여러 가지 기능을 해.

② 중국어와 달리 문장의 어순을 바꾸면 기본적인 의미가 변해.

③ 예사소리, 된소리, 거센소리의 음운 대립이 있어.

④ 고유어, 한자어, 외래어의 삼중 체계를 이루고 있어.

⑤ 친소 관계나 상하 관계에 따라 달리 사용하는 높임 표현이 발달했어.

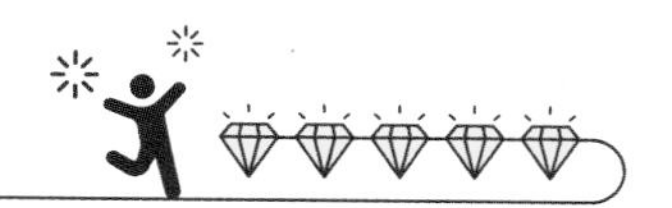

정답과 해설 18쪽

4 다음 설명과 밀접한 관련이 있는 매체로 가장 적절한 것은?

> 동일 공간에 있어야만 의사소통이 가능한 음성의 한계를 극복하기 위해 개발된 매체이다. 최근에는 음성뿐만 아니라 문자 메시지를 이용한 쌍방향 의사소통이 가능해졌을 뿐만 아니라 화상 통화와 인터넷 등을 이용하여 그 매체적 속성을 확장하고 있다.

① 신문　② 잡지　③ 라디오　④ 텔레비전　⑤ 휴대 전화

5 (가)와 (나)에 대한 설명으로 적절하지 않은 것은?

가

나

① (가)는 일대다, (나)는 일대일로 의사소통이 이루어진다.
② (가)는 (나)와 달리 외부인이 검색을 통해 찾아올 수 없다.
③ (나)는 (가)와 달리 자신의 경험을 체계적으로 기록하는 데 유용하다.
④ (가)와 (나) 모두 문자, 사진, 소리 등을 활용할 수 있다.
⑤ (가)와 (나) 모두 글에 대한 반응을 즉각적으로 올릴 수 있다.

6 다음 매체 자료에 대한 설명으로 적절하지 않은 것은?

> ○○○학교 동아리는 '하는 말이 고와야 오는 말이 좋다' 캠페인을 벌였다. 이 캠페인은 청소년들이 휴대 전화 대화창, 누리 소통망(SNS) 등 가상 공간에서의 사이버 폭력을 호소하자 언어문화 개선 활동의 일환으로 추진됐다.
> 400명의 전교생을 대상으로 말로 상처를 주었거나 받았던 적이 있는 경험을 묻고, '상처받았던 말'과 '듣고 싶은 말'을 적은 종이를 비행기 모양으로 접어 운동장을 향해 날리는 활동을 했다. [하략]
> －《경기일보》, 2017년 5월 19일 자에서

① 시의성 있는 주제를 다루고 있다.
② 올바른 언어생활을 주제로 다루고 있다.
③ 독자들의 반응을 즉각적으로 확인할 수 있다.
④ 사진을 통해 구체적인 캠페인의 모습을 보여 주고 있다.
⑤ 문자와 사진이 결합하여 의미를 구성한다는 점에서 복합 양식성이 있다.

7 다음 문장을 구성하는 단어들에 대한 설명으로 적절하지 않은 것은?

> 나는 어제 영화를 보았다.

① '나'는 말하는 사람 자신을 가리키는 인칭 대명사이다.
② '는'은 앞말에 특별한 뜻을 더해 주는 보조사이다.
③ '어제'는 뒤에 오는 명사를 꾸며 주는 관형사이다.
④ '를'은 앞의 체언이 목적어임을 나타내는 격 조사이다.
⑤ '보았다'는 사람의 동작을 나타내는 동사이다.

8 〈보기〉의 ㉠과 ㉡의 예로 가장 적절한 것은?

보기

복합어는 합성어와 파생어로 나뉜다. 합성어는 둘 이상의 어근으로 이루어지고, 파생어는 어근과 파생 접사로 이루어진다.

새말을 만드는 데에도 기존과 마찬가지로 ㉠둘 이상의 어근을 결합하는 방식과 ㉡어근과 파생 접사를 결합하는 방식이 모두 사용된다.

	㉠	㉡
①	혼밥	심쿵
②	강추	그림말
③	쫄볶이	네티켓
④	꽃미남	엄지족
⑤	취준생	차계부

9 빈칸에 들어갈 적절한 말을 고르고, 그 이유를 〈보기〉를 참고하여 서술하시오.

다행히 행사가 시작한 지 5분 정도가 지났을 때 바람이 잦아들어 걷기에 (알맞은 / 알맞는) 정도여서 큰 문제없이 행사가 진행되었다.

보기

동사는 현재 시제 선어말 어미 '-는/ㄴ-', 관형사형 어미 '-는'과 결합할 수 있으나 형용사는 그렇지 않다.

10 용언이 활용하는 과정에서 어간과 어미가 모두 변하는 것은?

① 짓-+-어 → 지어
② 듣-+-어 → 들어
③ 빨갛-+-아 → 빨개
④ 이르-+-어 → 이르러
⑤ 착하-+-아 → 착하여

11 다음 국어사전의 내용을 이해한 것으로 적절하지 않은 것은?

손01 「명사」
「1」 사람의 팔목 끝에 달린 부분. 손등, 손바닥, 손목으로 나뉘며 그 끝에 다섯 개의 손가락이 있어, 무엇을 만지거나 잡거나 한다.
¶ **손으로** 가리키다.
「2」 손끝의 다섯 개로 갈라진 부분. 또는 그것 하나하나. =손가락. ¶ **손에** 반지를 끼다.
「3」 일을 하는 사람. = ㉠ 「3」.
¶ **손이** 부족하다.

손02 「명사」
「1」 다른 곳에서 찾아온 사람. ¶ **손을** 맞다.
「2」 여관이나 음식점 따위의 영업하는 장소에 찾아온 사람. ¶ 그 가게는 **손이** 많다.
「3」 지나가다가 잠시 들른 사람. ¶ ㉡

① '손01'은 '손02'와 유의 관계에 있다.
② '손01'과 '손02'는 모두 다의어에 해당한다.
③ '손01'에서 「1」이 중심적 의미에 해당한다.
④ ㉠에 들어가기에 적절한 단어는 '일손'이다.
⑤ ㉡에는 '그는 지나가는 손마저도 극진히 대접했다.'를 넣을 수 있다.

[12 ~ 13] 다음 글을 읽고, 물음에 답하시오.

가 누리 소통망(SNS)

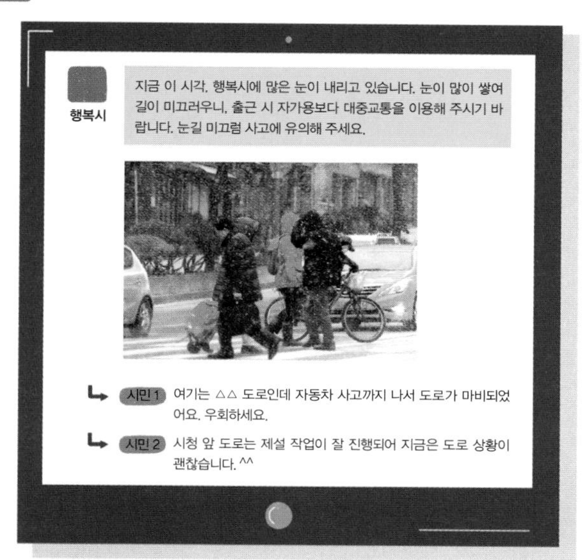

나 텔레비전

뉴스 진행자: 오늘 오후부터 내린 눈으로 퇴근길 혼잡이 우려되는데요. △△△ 광장 연결하여 자세한 소식 알아보겠습니다. ○○○ 기자, 현재 상황 어떻습니까?

기자: 오늘 오후부터 기습적으로 내리기 시작한 눈이 여전히 그칠 줄 모르고 쏟아지고 있습니다. 시내 도로 곳곳이 이미 빙판이 되어 사고 위험도 높아진 상태입니다.

12 (가)와 (나)에 대한 설명으로 적절하지 않은 것은?

① (가)와 (나) 모두 폭설에 따른 도로 상황을 정보로 다루고 있다.

② (가)와 (나) 모두 신문이나 잡지에 비해 정보 제공의 속도가 높은 편이다.

③ (가)는 (나)와 달리 사용자들이 자신이 목격한 내용을 실시간으로 주고받을 수 있다.

④ (나)는 (가)와 달리 음성 언어와 영상을 사용하여 정보를 생생하게 전달하고 있다.

⑤ (나)는 (가)에 비해 정보의 생산과 수용이 쌍방향으로 활발하게 이루어지는 편이다.

13 정보 제공의 개방성 정도 측면에서 (나)를 책이나 신문과 비교하여 〈조건〉에 따라 서술하시오.

조건
- '(나)는 ~ 점에서 책이나 신문보다 정보 제공의 개방성이 (높은 / 낮은) 편이다.'의 형식으로 쓸 것.
- 60자 내외로 서술할 것.

14 다음은 현대 국어의 단모음 체계이다. ㉠~㉢에 들어갈 모음으로 적절한 것은?

혀의 높이 \ 혀의 앞뒤 위치 / 입술 모양	전설 모음		후설 모음	
	평순	원순	평순	원순
고모음	ㅣ	ㅟ	ㅡ	㉠
중모음	㉡	ㅚ	ㅓ	ㅗ
저모음	ㅐ		㉢	

	㉠	㉡	㉢
①	ㅏ	ㅔ	ㅜ
②	ㅏ	ㅜ	ㅔ
③	ㅜ	ㅔ	ㅏ
④	ㅜ	ㅏ	ㅔ
⑤	ㅔ	ㅜ	ㅏ

15 〈보기〉를 참고하여 단어의 음운 변동 현상을 이해한 내용으로 적절하지 않은 것은?

보기

어떤 형태소의 음운이 일정한 환경에 따라 변하는 현상을 음운의 변동이라고 한다. 음운의 변동에는 어떤 음운이 다른 음운으로 바뀌는 '교체', 두 음운 중에서 하나가 없어지는 '탈락', 형태소가 결합할 때 그 사이에 음운이 덧붙는 '첨가', 두 음운이 하나의 음운으로 줄어드는 '축약'의 네 가지 유형으로 나눌 수 있다.

① 값[갑]: 'ㅄ'이 [ㅂ]으로 바뀌었으므로 교체에 해당한다.
② 낳아[나아]: 'ㅎ'이 없어졌으므로 탈락에 해당한다.
③ 논일[논닐]: 'ㄴ'이 새로 생겼으므로 첨가에 해당한다.
④ 낮을[나즐]: 변하는 음운이 없으므로 음운의 변동에 해당하지 않는다.
⑤ 박하[바카]: 'ㄱ'과 'ㅎ'이 결합하여 [ㅋ]으로 바뀌었으므로 축약에 해당한다.

16 밑줄 친 부분의 발음이 적절하지 않은 것은?

① 꽃잎이 바람에 하나둘 떨어진다. [꼰니피]
② 시간이 부족해서 책을 다 읽지 못했다. [일찌]
③ 우리는 드디어 제주 땅을 밟게 되었다. [밥ː께]
④ 이 물은 끓여 먹는 것이 안전할 것 같아. [끄려]
⑤ 두 도시의 교류 협력 방안을 모색하기로 했다. [혐녁]

17 다음 한글 맞춤법 규정을 참고할 때, 단어의 표기가 적절하지 않은 것은?

제20항 명사 뒤에 '-이'가 붙어서 된 말은 그 명사의 원형을 밝히어 적는다.
1. 부사로 된 것 예 곳곳이, 샅샅이
2. 명사로 된 것 예 바둑이, 얌전이
[붙임] '-이' 이외의 모음으로 시작된 접미사가 붙어서 된 말은 그 명사의 원형을 밝히어 적지 아니한다.
예 끄트머리, 싸라기

① 집+-웅 → 지붕
② 잎+-아리 → 잎아리
③ 낱낱+-이 → 낱낱이
④ 박+-아지 → 바가지
⑤ 삼+발+-이 → 삼발이

18 다음 대화를 바탕으로 표준어가 되기 위한 요건을 〈조건〉에 따라 서술하시오.

표준어는 서울말로 정한다고 했는데, 과거 표준어였던 '빈자떡' 대신 방언인 '빈대떡'이 표준어라고 해.

'빈대떡'은 많이 들어 봤어도 '빈자떡'은 생소하네. 더 널리 쓰이는 말이 표준어가 된 건가?

'귓머리', '코보'도 방언인 '귀밑머리'와 '코주부'에 표준어 자리를 뺏겼대.

우리가 자주 쓰는 '멍게'와 '물방개'도 방언인데 표준어가 된 단어라고 들었어.

근래에는 일상생활에서 자주 쓰이는 '복숭아뼈', '개발새발', '딴지' 등이 표준어에 추가되었어.

조건

- '~ 표준어로 삼는다.'의 형식으로 쓸 것.
- 30자 내외의 한 문장으로 서술할 것.

19 다음 단어의 외래어 표기로 적절한 것은?

① cake[keɪk] – 케잌
② flash[flæʃ] – 후레쉬
③ badge[bædʒ] – 뺏지
④ message[mesɪdʒ] – 메세지
⑤ placard[plækɑːd] – 플래카드

20 다음 글에 나타난 문제점으로 가장 적절한 것은?

○○고 신문

제251호(20○○. 12. 5.)

[교내 동아리 활동 보고: 풍물반]

혼소리, 교내 축제의 불꽃을 피우다

2–7 이미소

교내 축제 때마다 항상 시작을 알리는 건 우리 혼소리 풍물패의 힘찬 공연!! ＞＜ 꺄악ㅋㅋㅋ 올해도 어김없이 우리의 공연은 시작됐다. 올해는 특별히 □□고의 비담으로 알려진 난타반과 합동으로 진행하여 훨씬 더 뜨거운 반응이 나왔던 것 같다. 이 순간을 위해 지난 여름 방학부터 연습실에서 열심히 연습했는데 반응이 좋아서 어찌나 힘이 나던지ㅎㅎㅎ 엄청난 박수와 환호 속에서 공연을 한다는 건 정말 말로 표현할 수 없는 기쁨이다. ^_^V 힘든 시간도 있었지만 포기하지 않도록 우리를 이끌어 주신 최애 형탁 샘, 여러 악조건 속에서도 연습할 수 있도록 도와주신 세젤멋 교감 샘께도 감사의 말씀을 드리고 싶다. 사랑해요, 샘~~ ♡.♡ 한편으로는 올해가 혼소리 단원으로서의 마지막 공연이라 넘넘 아쉽기도 했다. ㅠㅠ

① 사실을 지나치게 과장하여 전달하고 있다.
② 매체에 어울리지 않는 주제를 다루고 있다.
③ 글쓴이가 누구인지 명확하게 밝히지 않고 있다.
④ 다수가 읽는 매체인데 높임 표현을 사용하지 않고 있다.
⑤ 공적인 맥락에 어울리지 않는 비규범적 언어를 사용하고 있다.

Memo

핵심 정리 01 언어와 국어

[관련 단원] Ⅰ－1. 언어와 국어

언어와 사고, 언어와 사회·문화의 관계

사고 ——— 언어 ——— 사회·문화

- 언어와 사고는 긴밀한 관계를 맺고 있으며, 서로에게 ❶ㅇㅎ 을 줌.
- 언어에는 그 사회의 ❷ㅁㅎ 가 반영되어 있음.

국어의 특성

음운	• 음운의 대립 • 모음 조화 현상
어휘	• 고유어·한자어·외래어의 삼중 체계 • 색채어·의성어·의태어의 발달
문법	• 조사와 어미의 발달 • 다양한 ❸ㄴㅇ ㅍㅎ 의 사용
담화	요청·거절·칭찬 화행은 의사소통 문화의 영향을 받음.

답 ❶ 영향 ❷ 문화 ❸ 높임 표현

핵심 정리 02 매체와 뉴 미디어

[관련 단원] Ⅰ－2. 매체와 매체 언어

매체와 매체 언어

매체란 의사소통과 정보 전달의 다양한 수단으로, 이러한 다양한 매체를 통해 실현되는 언어를 ❶ㅁㅊ ㅇㅇ 라고 해!

뉴 미디어와 복합 양식성

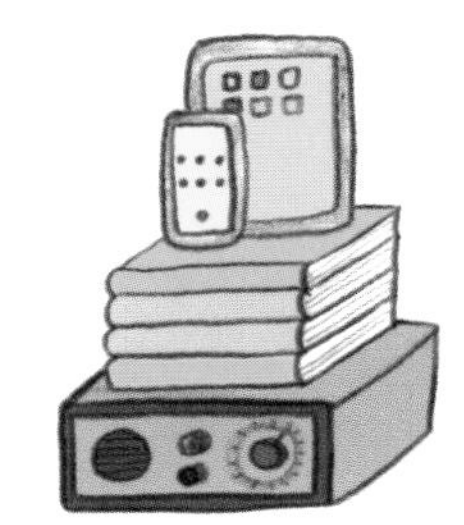

- 뉴 미디어는 기존 매체를 새로운 기술과 결합하고 서로 연결함.
  → ❷ㅅㅅㄱ 으로 상호 작용이 가능하며, 멀티미디어적 성격을 지님.
- 뉴 미디어 시대의 다양한 매체들은 언어, 청각, 공간, 몸짓, 시각 요소 등이 복합적으로 사용되어 의미를 구성하는 ❸ㅂㅎ ㅇㅅㅅ 을 지님.

답 ❶ 매체 언어 ❷ 실시간 ❸ 복합 양식성

핵심 정리 03 단어의 짜임과 새말

[관련 단원] Ⅱ－1－(1) 단어의 짜임과 새말

단어의 짜임

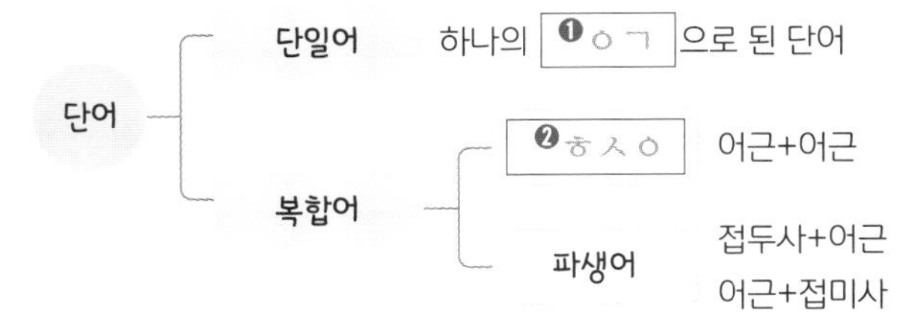

새말의 형성 과정

- 새로운 사물이 들어오거나 새로운 개념이 생기는 경우
- 국어 ❸ㅅㅎ 의 결과로 새말이 만들어지는 경우

답 ❶ 어근 ❷ 합성어 ❸ 순화

핵심 정리 04 품사 – 체언, 관계언

[관련 단원] Ⅱ－1－(2) 품사와 국어 생활

체언: 명사, 대명사, 수사

문장에서 주로 ❶ㅈㅇ 가 되는 자리에 오고 목적어, 보어, 서술어 등의 자리에도 올 수 있어.

명사	사람이나 사물 등의 ❷ㅇㄹ 을 나타내는 단어
대명사	대상의 이름을 대신하여 가리키는 단어
수사	사물의 수량이나 순서를 가리키는 단어

관계언: 조사

자립성이 있는 말에 붙어 그 말과 다른 말의 ❸ㅁㅂㅈ ㄱㄱ 를 나타내거나 의미를 더해 주는 단어야.

답 ❶ 주어 ❷ 이름 ❸ 문법적 관계

자르는 선

01 [관련 단원] I - 1. 언어와 국어

이것만은 꼭! 언어와 사고, 언어와 사회·문화의 관계 사례

- 실제 무지개의 색과 상관없이 색을 ❶ㅇㄱ 가지로 구분함.
- 영어의 'rice'
  → 국어의 '쌀, 밥, 벼' 등

이것만은 꼭! 국어의 특성 관련 예시

음운	• 예사소리, 된소리, 거센소리의 대립 예 /ㄱ, ㄲ, ㅋ/ 예사소리, 된소리의 대립 예 /ㅅ, ㅆ/ • 모음 조화 현상 예 동동, 둥둥 / 퐁당퐁당, 풍덩풍덩
어휘	색채어의 발달 예 영어의 'yellow' → 국어의 '노랗다, 노릇하다' 등
문법	다양한 높임 표현 예 '-(으)시-', '-습니다', '진지', '댁' 등
담화	• ❷ㅇㅊ : 자신의 구체적 사정을 밝힘. • 거절: 거절 의사를 직접 드러내지 않음. • 칭찬: 겸양의 태도를 보임.

답 ❶ 일곱 ❷ 요청

02 [관련 단원] I - 2. 매체와 매체 언어

이것만은 꼭! 매체의 유형과 특성

신문, 잡지	❶ㅇㅅ ㄱㅅ의 발전에 따라 글자 크기나 모양, 색 등이 다양해지고 사진, 그림 등의 사용도 활발함.
라디오, 텔레비전	최근 인터넷을 활용한 즉각적 피드백을 통해 ❷ㅇㄷㄷ 의사소통 방식의 한계를 벗어남.
휴대 전화	음성뿐만 아니라 문자 메시지를 이용한 ❸ㅆㅂㅎ 의사소통이 가능함.
인터넷	글을 읽거나 자신의 의견을 게시할 수 있으며, 다양한 주제로 소통할 수 있음.

답 ❶ 인쇄 기술 ❷ 일대다 ❸ 쌍방향

03 [관련 단원] II - 1 - (1) 단어의 짜임과 새말

이것만은 꼭! 통사적 합성어와 비통사적 합성어

형태소 분석	구성 방식	구분
찬밥 → 차-+-ㄴ+밥	용언의 어간+관형사형 어미+명사	통사적 합성어
덮밥 → 덮-+밥	용언의 어간+명사	❶ㅂㅌㅅㅈ 합성어

이것만은 꼭! 새말의 짜임

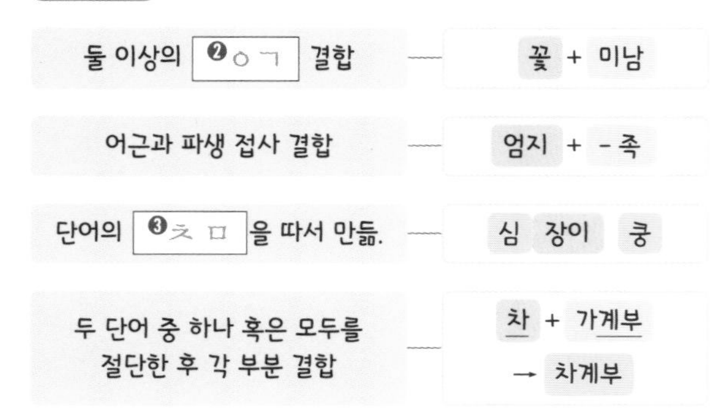

둘 이상의 ❷ㅇㄱ 결합	꽃 + 미남
어근과 파생 접사 결합	엄지 + -족
단어의 ❸ㅊ ㅁ을 따서 만듦.	심 장이 쿵
두 단어 중 하나 혹은 모두를 절단한 후 각 부분 결합	차 + 가계부 → 차계부

답 ❶ 비통사적 ❷ 어근 ❸ 첫 말

04 [관련 단원] II - 1 - (2) 품사와 국어 생활

이것만은 꼭! 명사의 종류

- 사용 범위에 따라

고유 명사	특정한 하나의 개체를 다른 것과 구별하기 위해 붙인 이름 예 주시경, 낙동강
보통 명사	어떤 속성을 지닌 대상에 두루 쓰이는 이름 예 배, 책상

- 자립성 유무에 따라

자립 명사	❶ㄷㄷ으로 쓰일 수 있는 명사 예 주시경, 책상
의존 명사	❷ㄱㅎㅇ의 수식을 받아야만 쓰일 수 있는 명사 예 것, 마리

이것만은 꼭! 다양한 조사의 쓰임

나와 민수가 같이 가야 하는데 너만 가게 해서 미안해.
- 와: 접속 조사
- 가: 격 조사(주격 조사)
- 만: 보조사 — 앞말에 특별한 ❸ㄸ을 더해 줌.

답 ❶ 단독 ❷ 관형어 ❸ 뜻

자르는 선

핵심 정리 05 품사 - 용언

[관련 단원] II - 1 - (2) 품사와 국어 생활

○ 용언: 동사, 형용사

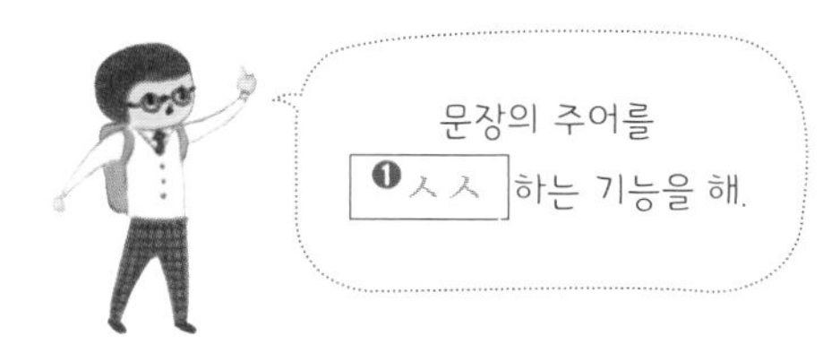

동사	사람이나 사물의 동작이나 작용을 나타내는 단어
형용사	사람이나 사물의 ❷ㅅㅈ 이나 상태를 나타내는 단어

○ 용언의 ❸ㅎㅇ : 용언의 어간에 여러 어미가 번갈아 결합하는 현상

나는 어제 영화를 보았다.

어간 / 선어말 어미 / 어말 어미

답 ❶ 서술 ❷ 성질 ❸ 활용

핵심 정리 06 품사 – 수식언, 독립언

[관련 단원] II - 1 - (2) 품사와 국어 생활

○ 수식언: 관형사, 부사

문장에서 뒤에 오는 다른 말을 꾸며 주는 기능을 해.

관형사	❶ㅊㅇ 앞에 놓여서 체언을 꾸며 주는 단어
부사	❷ㅇㅇ 이나 문장을 수식하는 기능을 하는 단어

○ 독립언: 감탄사

문장 내 다른 성분들에 얽매이지 않고 ❸ㄷㄹㅅ 을 지니고 있지.

답 ❶ 체언 ❷ 용언 ❸ 독립성

핵심 정리 07 단어의 의미 관계

[관련 단원] II - 1 - (3) 단어의 의미 관계

○ 다의어와 동음이의어

다의어	의미적 ❶ㄱㄹㅅ 이 있는 여러 의미를 지닌 단어
동음이의어	소리는 같지만 뜻이 다른 단어

○ 단어의 의미 관계

- 유의 관계: 비슷한 의미를 가진 둘 이상의 단어가 맺는 의미 관계

  부추 —— 정구지　　이 —— 치아

- 반의 관계: 둘 이상의 단어가 서로 짝을 이루어 ❷ㄷㄹ 하는 의미 관계

  여자 ⟷ 남자　　높다 ⟷ 낮다

- 상하 관계: 한 단어가 의미상 다른 단어를 포함하거나 다른 단어에 포함되는 관계

  생물 — 동물 — 척추동물 / 무척추동물

답 ❶ 관련성 ❷ 대립

핵심 정리 08 매체의 정보 구성과 유통

[관련 단원] II - 2 - (1) 매체의 정보 구성과 유통

○ 매체에 따른 정보 구성 방식 – 정보의 양과 질 측면

책	분량의 제약이 적어 전문적인 내용을 깊이 다룰 수 있음.
신문	시의성 있는 주제를 다루며, 현상 그 자체뿐 아니라 해당 현상이 야기한 사회적 문제를 함께 다룸.
텔레비전	생생한 정보를 실시간으로 전달할 수 있어 시의성 있는 정보를 다룸.
인터넷	다양한 정보를 확인할 수 있지만 ❶ㅅㄹㅅ 을 반드시 확인해야 함.

○ 매체에 따른 정보 유통 방식

- 정보 제공의 속도

  라디오, 텔레비전, 인터넷 > 신문 > 책

- 정보 제공의 ❷ㄱㅂㅅ 정도

  라디오, 텔레비전, 인터넷 > 종이 신문, 책

답 ❶ 신뢰성 ❷ 개방성

자르는 선

06 [관련 단원] II - 1 - (2) 품사와 국어 생활

이것만은 꼭! 관형사의 종류

지시 관형사	어떤 대상을 가리키는 관형사 예 이, 그, 저, 이런, 그런, 저런
성상 관형사	사물의 성질이나 상태를 꾸며 주는 관형사 예 새, 헌, 옛
수 관형사	수량이나 순서 등 ❶ㅅ 개념을 나타내는 관형사 예 한, 두, 여러, 모든

이것만은 꼭! 부사의 수식 대상

- 부사는 보통 용언이나 문장을 수식하지만 ❷ㅊㅇ 을 수식하는 경우도 있음.

내가 좋아하는 사람은 오직 너!

- 문장에서 부사가 여러 개 함께 쓰일 수도 있음.

저리 잘 안 먹는 사람은 처음 봐.

답 ❶ 수 ❷ 체언

05 [관련 단원] II - 1 - (2) 품사와 국어 생활

이것만은 꼭! 동사와 형용사의 구분

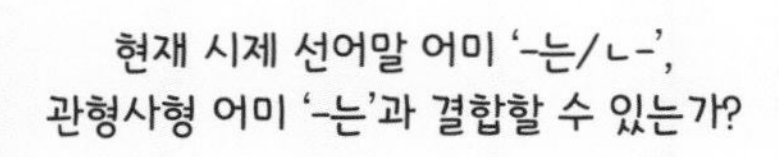

현재 시제 선어말 어미 '-는/ㄴ-',
관형사형 어미 '-는'과 결합할 수 있는가?

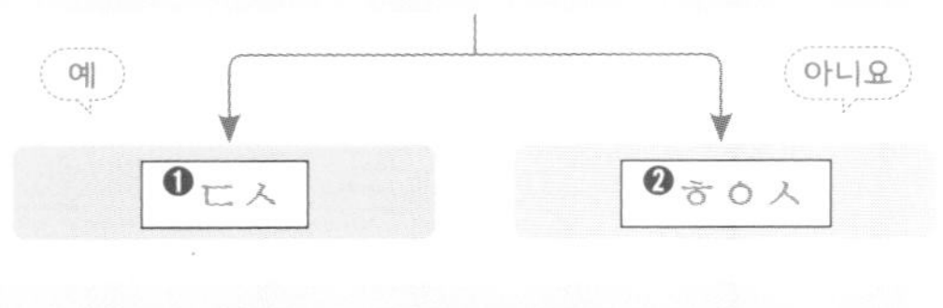

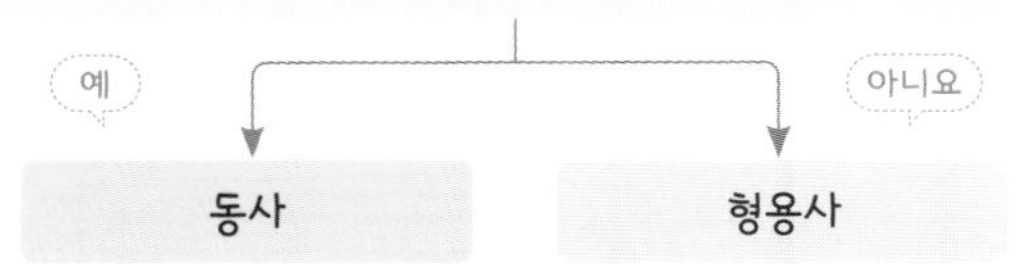

예 → 동사

아니요 → 형용사

답 ❶ 동사 ❷ 형용사

08 [관련 단원] II - 2 - (1) 매체의 정보 구성과 유통

이것만은 꼭! 각 매체별 정보 구성 사례

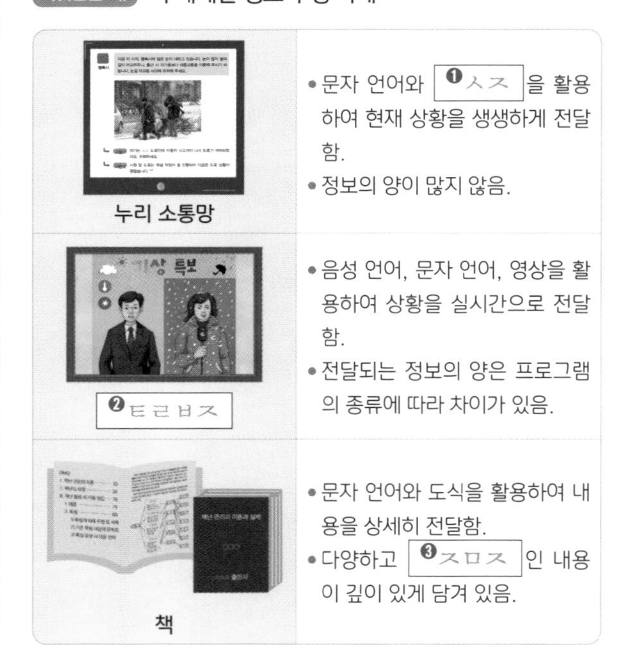

매체	정보 구성
누리 소통망	• 문자 언어와 ❶ㅅㅈ 을 활용하여 현재 상황을 생생하게 전달함. • 정보의 양이 많지 않음.
❷ㅌㄹㅂㅈ	• 음성 언어, 문자 언어, 영상을 활용하여 상황을 실시간으로 전달함. • 전달되는 정보의 양은 프로그램의 종류에 따라 차이가 있음.
책	• 문자 언어와 도식을 활용하여 내용을 상세히 전달함. • 다양하고 ❸ㅈㅁㅈ 인 내용이 깊이 있게 담겨 있음.

답 ❶ 사진 ❷ 텔레비전 ❸ 전문적

07 [관련 단원] II - 1 - (3) 단어의 의미 관계

이것만은 꼭! 다의어와 동음이의어의 구별

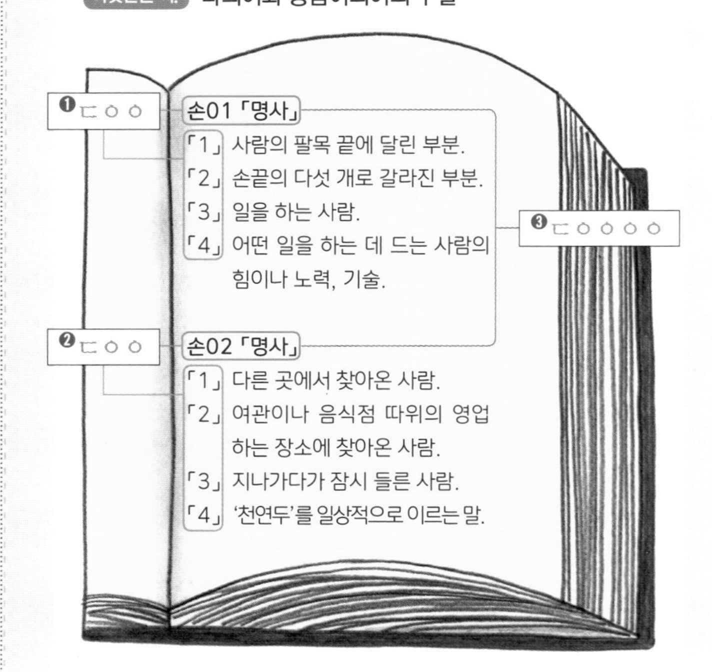

❶ㄷㅇㅇ
손01 「명사」
「1」 사람의 팔목 끝에 달린 부분.
「2」 손끝의 다섯 개로 갈라진 부분.
「3」 일을 하는 사람.
「4」 어떤 일을 하는 데 드는 사람의 힘이나 노력, 기술.
❸ㄷㅇㅇㅇㅇ
❷ㄷㅇㅇ
손02 「명사」
「1」 다른 곳에서 찾아온 사람.
「2」 여관이나 음식점 따위의 영업하는 장소에 찾아온 사람.
「3」 지나가다가 잠시 들른 사람.
「4」 '천연두'를 일상적으로 이르는 말.

답 ❶ 다의어 ❷ 다의어 ❸ 동음이의어

자르는 선

부록 핵심 정리 총집합

핵심 정리 09 매체 언어의 창의성

[관련 단원] II - 2 - (2) 매체 언어의 창의성

매체 언어의 창의적 표현

언어 표현을 통한 창의적 표현	❶ㄷㅇㅇㅇㅇ, 발음의 유사성, 대구와 비유 등 다양한 방법을 활용함.
복합 양식성을 통한 창의적 표현	언어와 그림, 음향 등의 ❷ㅅㅎ 작용을 통해 창의적 의미를 구성함.

매체 언어의 ❸ㅅㅁㅈ 가치

- 매체 언어에서 언어적 표현과 그림, 사진 등이 조화를 이루는 방식은 매우 다양함.
- 창의적 표현은 주제를 효과적으로 전달해 주며, 주제와 잘 어우러질 때 보는 이로 하여금 아름다움을 느끼고 감동을 받게 함.

답 ❶ 동음이의어 ❷ 상호 ❸ 심미적

핵심 정리 10 음운과 음운 체계

[관련 단원] III - 1 - (1) 음운과 음운 체계

음운 체계

- 음운
  - ❶ㅂㅈ ㅇㅇ
    - 모음
    - 자음
  - 비분절 음운

분절 음운

모음	• 단모음: 발음 도중 입술이나 혀가 고정되어 움직이지 않는 모음 • ❷ㅇㅈ ㅁㅇ: 발음할 때 입술 모양이나 혀의 위치가 달라지는 모음
자음	• 조음 위치에 따라: 입술소리, 잇몸소리, 센입천장소리, 여린입천장소리, 목청소리 • 조음 방법에 따라: 파열음, 파찰음, 마찰음, 비음, 유음

비분절 음운: 소리의 길이, 높이, 세기를 가리키는 말로, 현대 국어의 표준어에서는 소리의 ❸ㄱㅇ만이 단어의 뜻을 구별하는 음운의 역할을 함.

답 ❶ 분절 음운 ❷ 이중 모음 ❸ 길이

핵심 정리 11 음운의 변동 - 교체

[관련 단원] III - 1 - (2) 음운의 변동과 표준 발음법

교체: 어떤 음운이 다른 음운으로 바뀌는 현상

음절의 끝소리 규칙	음절의 끝에서 'ㄱ, ㄴ, ㄷ, ㄹ, ㅁ, ㅂ, ㅇ'의 일곱 자음만 발음됨.
된소리되기	예사소리가 된소리로 발음되는 현상
비음화	'ㄱ, ㄷ, ㅂ'이 비음 앞에서 ❶ㅂㅇ으로 발음되는 현상
유음화	끝소리가 'ㄹ'인 음절 뒤에 첫소리가 'ㄴ'인 음절이 연결되거나 첫소리가 'ㄹ'인 음절 앞에 끝소리가 'ㄴ'인 음절이 연결될 때, 'ㄴ'이 [❷ㄹ]로 발음되는 현상
구개음화	끝소리가 'ㄷ, ㅌ'인 형태소가 모음 'ㅣ'나 반모음 'ǐ'로 시작되는 형식 형태소와 만나면 각각 ❸ㄱㄱㅇ인 [ㅈ], [ㅊ]으로 발음되는 현상

답 ❶ 비음 ❷ ㄹ ❸ 구개음

핵심 정리 12 음운의 변동 - 탈락

[관련 단원] III - 1 - (2) 음운의 변동과 표준 발음법

탈락: 두 음운 중에서 하나가 없어지는 현상

자음군 단순화	자음이 두 개 연결된 자음군이 음절의 끝소리에 놓이게 되면 둘 중 하나만 남고 나머지 하나는 ❶ㅌㄹ하는 현상
'ㄹ' 탈락	'ㄹ'이 끝소리인 용언 어간이 어미의 첫소리 'ㄴ, ㅅ'과 결합하는 경우 'ㄹ'이 탈락함.
'ㅎ' 탈락	'ㅎ'이 끝소리인 어간이 모음으로 시작하는 어미나 접미사와 결합할 때 'ㅎ'이 탈락함.
'ㅏ, ㅓ' 탈락	모음 'ㅏ, ㅓ'로 끝나는 용언 어간이 'ㅏ, ㅓ'로 시작하는 ❷ㅇㅁ와 결합할 때 'ㅏ, ㅓ'가 탈락하는 현상
'ㅡ' 탈락	모음 'ㅡ'로 끝나는 용언 어간이 모음 'ㅏ, ㅓ'로 시작하는 어미와 결합할 때 'ㅡ'가 탈락하는 현상

답 ❶ 탈락 ❷ 어미

자르는 선

이것만은 꼭! 모음 사각도

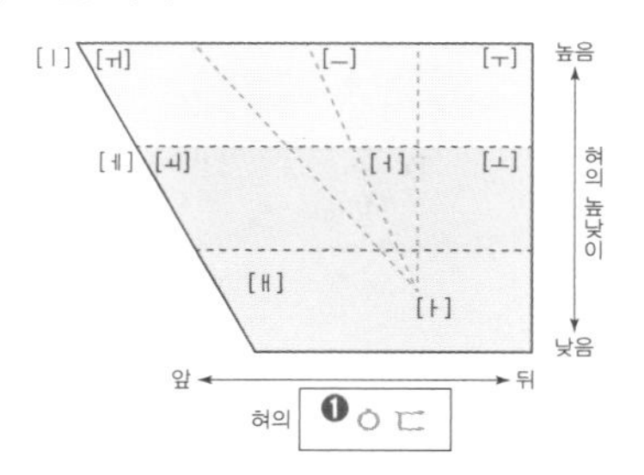

이것만은 꼭! 자음의 소리 나는 위치

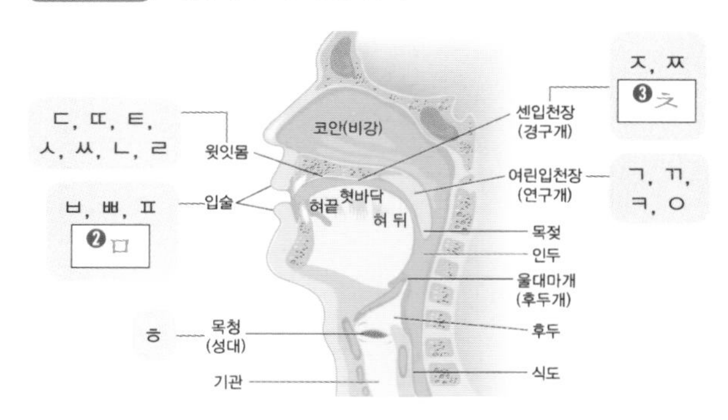

답 ❶ 앞뒤 ❷ ㅁ ❸ ㅊ

이것만은 꼭! 매체 언어의 창의적 표현 사례

- ❶ㄷㅇㅇㅇㅇ 를 활용한 창의적 표현

경남신문 2007년 10월 29일

국제 유가 高高 국내 산업 苦苦

높다는 뜻의 '고고(高高)'와 괴롭다는 뜻의 '고고(苦苦)'가 발음은 같지만 뜻이 다르다는 점을 활용하고 있어.

- ❷ㅂㅎ ㅇㅅㅅ 을 통한 창의적 표현

두 명화를 위층과 아래층처럼 보이게 배치하고, 이를 문구와 결합하여 복합 양식성을 드러내고 있어.

답 ❶ 동음이의어 ❷ 복합 양식성

이것만은 꼭! 탈락 현상의 대표 예시

구분	예시
자음군 단순화	넋[넉], 값[갑], 넓다[널따], 밟다[밥:따]
❶ㄹ ㅌㄹ	• 살-+는 → [사:는] • 알-+-(으)시-+-ㄴ다 → (알신다) → [아:신다]
'ㅎ' 탈락	좋은[조:은], 끓여[끄려]
'ㅏ, ㅓ' 탈락	• 가-+-아서 → [❷ㄱㅅ] • 서-+-어도 → [서도]
'ㅡ' 탈락	• 담그-+-아서 → [담가서] • 쓰-+-어라 → [써라]

답 ❶ 'ㄹ' 탈락 ❷ 가서

이것만은 꼭! 교체 현상의 대표 예시

구분	예시
음절의 끝소리 규칙	앞[압], 옷[❶ㅇ], 밖[박]
❷ㄷㅅㄹ ㄷㄱ	먹다[먹따], 신고[신:꼬], 할 것을[할꺼슬], 갈증[갈쯩], 아랫집[아래찝/아랟찝]
비음화	국내[궁내], 받는[반는], 밥물[밤물], 담력[담:녁], 막론[막논 → 망논]
❸ㅇㅇㅎ	물난리[물랄리], 권력[궐력]
구개음화	굳이[구지], 같이[가치]

답 ❶ 옫 ❷ 된소리되기 ❸ 유음화

자르는 선

핵심 정리 13 음운의 변동 - 첨가, 축약

[관련 단원] III - 1 - (2) 음운의 변동과 표준 발음법

- **첨가**: 형태소가 결합할 때 그 사이에 음운이 덧붙는 현상

❶ㄴ ㅊㄱ	합성어 및 파생어에서 자음으로 끝나는 형태소 뒤에 단모음 'ㅣ'나 반모음 'ǐ'로 시작하는 형태소가 올 때 'ㄴ'이 첨가되는 현상
사잇소리 현상으로서의 'ㄴ' 첨가	합성어를 이루는 뒷말의 첫소리 'ㄴ, ㅁ' 앞에서 'ㄴ' 소리가 덧나거나, 뒷말의 첫소리 모음 앞에서 'ㄴㄴ' 소리가 덧나는 현상

- **축약**: 두 음운이 하나의 음운으로 줄어드는 현상

거센소리되기	'ㅎ'과 'ㄱ, ㄷ, ㅂ, ㅈ'이 만나 각각 [ㅋ, ㅌ, ㅍ, ㅊ]와 같은 ❷ㄱㅅㅅㄹ 로 발음되는 현상

- **표준 발음법**: 표준어의 올바른 ❸ㅂㅇ 을 규정해 놓은 어문 규범

답 ❶'ㄴ' 첨가 ❷거센소리 ❸발음

핵심 정리 14 한글 맞춤법과 표준어 규정

[관련 단원] III - 2 - (1) 한글 맞춤법과 표준어 규정

- **한글 맞춤법의 원칙**: 한글 맞춤법은 표준어를 ❶ㅅㄹ 대로 적되, 어법에 맞도록 함을 원칙으로 한다(제1장 총칙, 제1항).

소리대로	표준어의 발음대로 적음.
어법에 맞도록	❷ㄸ 을 파악하기 쉽도록 각 형태소의 본 모양을 밝혀 적음.

- **표준어 규정의 원칙**: 표준어는 ❸ㄱㅇ 있는 사람들이 두루 쓰는 현대 서울말로 정함을 원칙으로 한다(제1장 총칙, 제1항).

답 ❶소리 ❷뜻 ❸교양

핵심 정리 15 외래어 표기법과 로마자 표기법

[관련 단원] III - 2 - (2) 외래어 표기법과 국어의 로마자 표기법

- **외래어 표기법**: 외국에서 들어온 말을 ❶ㅎㄱ 로 표기하는 방법

> - **제1항** 외래어는 국어의 현용 24 자모로만 적는다.
> - **제2항** 외래어의 1 음운은 원칙적으로 1 기호로 적는다.
> - **제3항** 받침에는 'ㄱ, ㄴ, ㄹ, ㅁ, ㅂ, ㅅ, ㅇ'만을 쓴다.
> - **제4항** 파열음 표기에는 된소리를 쓰지 않는 것을 원칙으로 한다.
> - **제5항** 이미 굳어진 외래어는 관용을 존중하되, 그 범위와 용례는 따로 정한다.

- **국어의 로마자 표기법**: 우리말을 ❷ㄹㅁㅈ 로 표기하는 방법

> - **제1항** 국어의 로마자 표기는 국어의 표준 발음법에 따라 적는 것을 원칙으로 한다.
> - **제2항** 로마자 이외의 부호는 되도록 사용하지 않는다.

답 ❶한글 ❷로마자

핵심 정리 16 매체 언어의 영향과 성찰

[관련 단원] III - 3. 매체 언어의 영향과 성찰

- 매체 언어의 영향

	긍정적 영향	부정적 영향
❶ㅇㄱㄱㄱ	• 친밀한 관계 형성 • 시청각적 요소를 활용한 감정 표현 → 좋은 관계 유지	• 사생활 침해 • 친분 형성의 기회↓
사회생활	• 교육 기회 평등화 • 민주적 소통 문화 형성 • 업무 처리의 효율성과 신속성↑	• 사회적 갈등 심화 • 은어나 비속어의 사용으로 계층 간 소통 어렵게 함. • 언어폭력 문제 발생

- 매체 언어의 성찰

• 창의적·긍정적 매체 언어 생산 태도를 기르고, 폭력적·차별적 인식이 드러나는 매체 언어 표현을 삼가야 함.
• 자신의 매체 ❷ㅇㅇㅅㅎ 을 돌아보며 남에게 상처를 주는 표현이 없는지 점검해야 함.

답 ❶인간관계 ❷언어생활

자르는 선

14

[관련 단원] Ⅲ - 2 - (1) 한글 맞춤법과 표준어 규정

이것만은 꼭! 〈한글 맞춤법〉의 탐구

아무런 희망 없이 무기력하기만 했던 제 삶은 항공 정비사라는 직업을 알게 되면서부터 눈에 띄게 달라졌습니다. …… 그리고 비행기 내부를 둘러보면서 얼마나 많은 분들이 땀 흘려 일하고 계신지가 고스란히 들어나 한시도 눈을 뗄 수가 없었습니다. 매일 새벽 같이 일어나 기체를 점검하고 항공기의 성능을 향상하기 위해 많은 노력을 하고 있는 항공 정비사와 기술사들을 보면서 저는 제 미래의 구체적인 모습을 그리게 되 날아갈듯이 기뻤습니다.

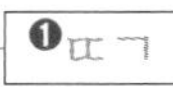

❶ㄸㄱ
❷ㄷㄹㄴ
❸ㄷ

답 ❶ 띄게 ❷ 드러나 ❸ 돼

13

[관련 단원] Ⅲ - 1 - (2) 음운의 변동과 표준 발음법

이것만은 꼭! 첨가 현상의 대표 예시

'ㄴ' 첨가	• 솜+이불 → 솜이불[솜:니불] • 맨-+입 → 맨입[맨닙] • 한-+여름 → 한여름[한녀름]
사잇소리 현상으로서의 'ㄴ' 첨가	• 후(後)+날 → 훗날[훈:날] • 이+몸 → 잇몸[❶ㅇㅁ] • 뒤+일 → 뒷일[뒨:닐]

이것만은 꼭! 축약 현상의 대표 예시

❷ㄱㅅㅅㄹㄷㄱ	놓고[노코], 낳다[나:타], 업히다[어피다], 앉히다[안치다]

답 ❶ 인몸 ❷ 거센소리되기

16

[관련 단원] Ⅲ - 3. 매체 언어의 영향과 성찰

이것만은 꼭! 매체 언어 사용 시 고려 사항

맥락	• 공적 맥락	• 사적 맥락
목적	• 정보 전달 • 개인적 정서 표현	• ❶ㅅㄷ • 사회적 상호 작용
대상	• 소통 상대의 연령과 성별 • 인원 수(다수/소수) • 의사소통 참여자와의 관계	

'❷ㅁㄹ', '목적', '대상'을 고려하여 그에 적합한 매체 언어를 사용해야 해!

답 ❶ 설득 ❷ 맥락

15

[관련 단원] Ⅲ - 2 - (2) 외래어 표기법과 국어의 로마자 표기법

이것만은 꼭! 헷갈리기 쉬운 외래어 표기법 예시

rocket	로켓	badge	배지
coffee shop	❶ㅋㅍㅅ	cake	케이크
bus	버스	target	타깃
dollar	달러	message	❷ㅁㅅㅈ
gas	가스	flash	플래시
camera	카메라	placard	플래카드
radio	라디오	chocolate	초콜릿

이것만은 꼭! 헷갈리기 쉬운 국어의 로마자 표기법 예시

백마	Baengma	좋고	❸joko
알약	allyak	묵호	Mukho
같이	gachi	압구정	Apgujeong

답 ❶ 커피숍 ❷ 메시지 ❸ joko

자르는 선

7일 끝

기말고사

7일 끝으로 끝내자!

고등 언어와 매체

민현식 교과서

BOOK 2

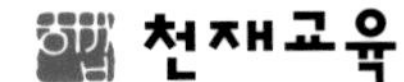

언제나 만점이고 싶은 친구들

Welcome!

숨 돌릴 틈 없이 찾아오는 시험과 평가,
성적과 입시 그리고 미래에 대한 걱정.
중·고등학교에서 보내는 6년이란 시간은
때때로 힘들고, 버겁게 느껴지곤 해요.

그런데 여러분, 그거 아세요?
지금 이 시기가 노력의 대가를
가장 잘 확인할 수 있는 시간이라는 걸요.

안 돼, 못하겠어, 해도 안 될 텐데-
어렵게 생각하지 말아요. 천재교육이 있잖아요.
첫 시작의 두려움을 첫 마무리의 뿌듯함으로 바꿔 줄게요.

펜을 쥐고 이 책을 펼친 순간
여러분 앞에 무한한 가능성의 길이 열렸어요.

우리와 함께 꽃길을 향해 걸어가 볼까요?

#시험대비
#핵심정복

7일 끝
중간고사
기말고사

Chunjae
Makes
Chunjae

[7일 끝] 고등 언어와 매체

개발총괄 김덕유
편집개발 이은주, 김한나, 송자영, 오혜연, 전은혜, 황준택
조판 풀굿(황민경)
제작 황성진, 조규영

발행일 2021년 6월 15일 초판 2021년 6월 15일 1쇄
발행인 (주)천재교육
주소 서울시 금천구 가산로9길 54
신고번호 제2001-000018호
고객센터 1577-0902
교재 내용문의 (02)3282-8525

※ 정답 분실 시에는 천재교육 홈페이지에서 내려받으세요.

7일 끝으로 끝내자!

고등 언어와 매체

BOOK 2

기 말 고 사 대 비

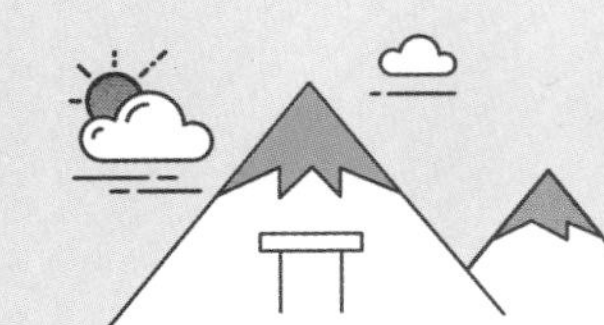

이 책의 차례

우리 학교 시험 범위 확인

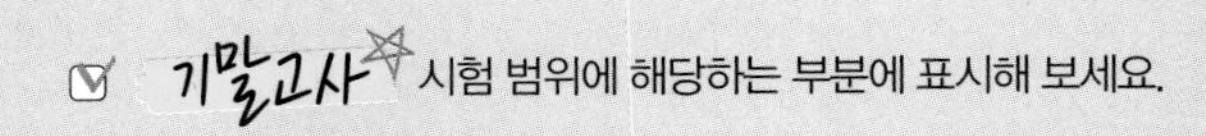

교과서 단원			교재
I. 언어와 매체 언어	1. 언어와 국어	(1) 언어와 사고, 사회·문화 (2) 국어의 특성과 위상	☐ 중간 대비 편 1일차
	2. 매체와 매체 언어	(1) 매체의 유형과 특성 (2) 뉴 미디어 시대의 복합 양식성	☐ 중간 대비 편 1일차
II. 단어의 특성과 매체 언어의 표현	1. 단어와 국어 생활	(1) 단어의 짜임과 새말 (2) 품사와 국어 생활 (3) 단어의 의미 관계	☐ 중간 대비 편 2일차
	2. 매체의 정보 구성과 창의적 표현	(1) 매체의 정보 구성과 유통 (2) 매체 언어의 창의성	☐ 중간 대비 편 3일차
III. 국어의 규범과 매체 언어의 성찰	1. 국어의 음운과 표준 발음	(1) 음운과 음운 체계 (2) 음운의 변동과 표준 발음법	☐ 중간 대비 편 4일차
	2. 국어 규범과 국어 생활	(1) 한글 맞춤법과 표준어 규정 (2) 외래어 표기법과 국어의 로마자 표기법	☐ 중간 대비 편 5일차
	3. 매체 언어의 영향과 성찰	(1) 매체 언어의 영향 (2) 매체 언어의 성찰	☐ 중간 대비 편 5일차
IV. 문장과 담화, 매체 문화의 향유	1. 문장의 짜임과 문법 요소	(1) 문장의 짜임 (2) 문법 요소	☐ 기말 대비 편 1일차
	2. 담화의 다양한 갈래	(1) 담화의 개념과 특성 (2) 국어 자료의 다양한 갈래	☐ 기말 대비 편 2일차
	3. 매체의 수용과 향유	(1) 매체 자료의 비판적 수용 (2) 매체 문화의 향유	☐ 기말 대비 편 3일차
V. 국어의 변화와 매체 문화의 발전	1. 국어의 역사와 다양성	(1) 국어의 역사 (2) 국어와 사회	☐ 기말 대비 편 4일차
	2. 언어와 매체의 생산과 발전	(1) 매체 자료의 생산 (2) 언어문화와 매체 문화의 발전	☐ 기말 대비 편 5일차

1 일

대단원 IV. 문장과 담화, 매체 문화의 향유

1. 문장의 짜임과 문법 요소

생각 열기

우리는 무엇까지 높여서 표현할 수 있을까?

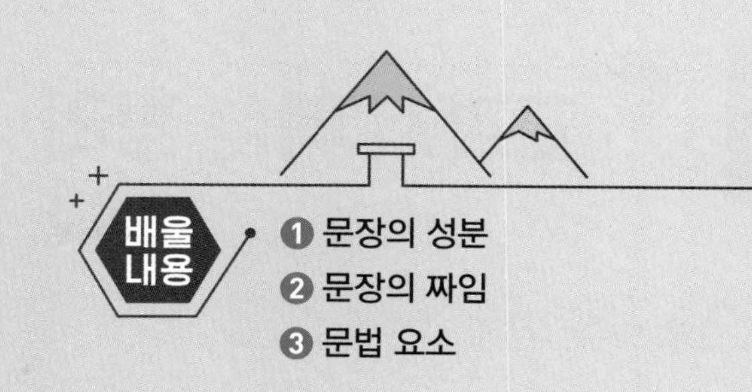
배울 내용
1 문장의 성분
2 문장의 짜임
3 문법 요소

옷 가게
이번에 나온 신상이세요. 입어 보실래요?
우선 둘러볼게요!
네, 저기 저 옷도 30% 세일이시니 한번 보세요.
카드로 결제해도 할인되나요?
SALE 30%
네, 카드도 되세요.
주스 나오셨어요.
사물을 높여 표현하면 안 된다멍!
화장실은 왼쪽이세요.
신상이세요.
카드도 되세요.
좀~ 그만 좀 해!
나도 사물 존칭을 사용하지 않도록 주의해야겠어.
올바른 높임 표현을 잘 익혀야겠어.
좋은 태도야. 바른 언어생활은 언제나 옳은 것♥

1 일 교과서 핵심 정리

교과서 154~161쪽

핵심 1 문장 성분

● **문장 성분**: 문장을 구성하는 요소.

주성분	문장 구성에 필수적으로 필요한 성분. • 주어: 문장에서 동작 또는 상태나 성질의 ❶ [　　] 가 되는 문장 성분. • 서술어: 주어의 동작, 상태, 성질 따위를 풀이하는 기능을 하는 문장 성분. • 목적어: 서술어의 동작 대상이 되는 문장 성분. • 보어: 서술어 ❷ [　　] 가 필요로 하는 문장 성분 중에서 주어를 제외한 것으로, 체언에 '이/가'가 붙은 형태로 나타남.
부속 성분	문장 구성에 부속적인 성분으로, 주로 주성분의 내용을 꾸며 줌. • 관형어: ❸ [　　] 을 수식하는 문장 성분. • 부사어: 주로 ❹ [　　] 을 수식하거나 문장 전체를 수식하는 문장 성분.
독립 성분	주성분이나 부속 성분과 직접적인 관련을 맺지 않고 독립적으로 떨어져 있는 성분. • 독립어: 문장의 어느 성분과도 직접적인 관련이 없는 문장 성분.

❶ 주체

❷ '되다', '아니다'

❸ 체언

❹ 용언

핵심 2 문장의 짜임

1 홑문장과 겹문장: 주어와 서술어의 관계가 한 번만 나타나면 홑문장, 두 번 이상 나타나면 겹문장이 됨. 겹문장은 크게 이어진문장과 안은문장으로 구분됨.

2 이어진문장과 안은문장

(1) 이어진문장

대등하게 연결된 이어진문장	이어지는 문장들이 '나열, 대조' 등으로 대등한 의미 관계를 맺음.
종속적으로 연결된 이어진문장	앞 절과 뒤 절이 '원인, 조건, 의도, 배경, 양보' 등으로 ❺ [　　] 인 의미 관계를 맺음.

(2) 안은문장: 다른 문장에 들어가 하나의 성분처럼 쓰이는 문장을 안긴문장이라고 하고, 이 문장을 포함한 문장을 안은문장이라고 함. 이때 안긴문장을 절이라고 함.

명사절	명사형 어미 '-(으)ㅁ, -기'가 붙어서 만들어짐. 예 집에 가기에 늦은 시간이다.
관형절	관형사형 어미 '-(으)ㄴ', '-는', '-(으)ㄹ', '-던'이 붙어서 만들어짐. 예 이 음반은 내가 {들은/듣는/들을/듣던} 음반이다.
부사절	'-이', '-게', '-도록', '-(아)서' 등이 붙어서 만들어짐. 예 비가 소리 없이 내린다.
서술절	절 전체가 ❻ [　　] 의 기능을 함. 예 코끼리는 코가 길다.
인용절	직접 인용절에는 조사 '라고'가 붙고, 간접 인용절에는 조사 '고'가 붙음. 예 친구가 "떡볶이 먹으러 가자."라고 말했다. / 친구가 떡볶이 먹으러 가자고 말했다.

❺ 종속적

❻ 서술어

개념 Catch

• **관형사형 어미의 특징**
과거, 현재, 미래, 회상의 시간을 표현하는 데 사용됨.
예 이 음반은 내가 {들은/듣는/들을/듣던} 음반이다.

• **서술절을 가진 안은문장의 특징**
• 한 문장에 주어가 두 개 있는 것처럼 보이지만, 앞에 나오는 주어를 제외한 나머지 부분이 서술절임.
• 서술절은 절 표지가 따로 없다는 점에서 다른 안긴문장과 차이를 보임.

기초 확인 문제

정답과 해설 28쪽

1 다음 중 문장에서 필수적으로 필요한 성분이 <u>아닌</u> 것은?

① 주어 ② 보어 ③ 관형어
④ 목적어 ⑤ 서술어

2 ⓐ~ⓓ에 들어갈 알맞은 문장 성분을 쓰시오.

나의 동생은 고등학생이 아니다.
(ⓐ) (ⓑ) (ⓒ) (ⓓ)

ⓐ: ( ) ⓑ: ( )
ⓒ: ( ) ⓓ: ( )

3 다음 설명이 맞으면 O표, 틀리면 X표 하시오.

(1) 부사어는 용언이나 문장 전체를 수식하는 문장 성분이다. O X
(2) 종속적으로 연결된 이어진문장은 앞 절과 뒤 절이 '나열, 대조'의 의미 관계를 보여 준다. O X
(3) 서술절은 절 전체가 서술어의 기능을 한다. O X

4 다음 중 홑문장에 해당하는 것은?

① 친구는 마음씨가 곱다.
② 가을 하늘이 매우 푸르다.
③ 해가 져서 바깥이 어두워졌다.
④ 강아지가 소리 없이 조용히 움직인다.
⑤ 낮말은 새가 듣고, 밤말은 쥐가 듣는다.

5 다음에서 설명하는 특징을 가진 안긴문장(절)을 쓰시오.

- 어미 '-(으)ㄴ', '-는', '-(으)ㄹ', '-던'이 붙어서 만들어짐.
- 과거, 현재, 미래, 회상의 시간을 표현하는 데 사용됨.

6 <보기>의 이어진문장에서 앞 절과 뒤 절의 의미 관계로 적절한 것은?

보기

우리는 등산을 하려고, 아침 일찍 일어났다.

① 원인 ② 의도 ③ 조건
④ 배경 ⑤ 양보

교과서 162~171쪽

핵심 3 문법 요소 ❶ – 높임 표현

상대 높임법	• 말하는이가 듣는이에게 높이거나 낮추어 말하는 방법. • ❶ ______ 표현으로 실현되며, 크게 격식체와 비격식체로 나뉨. 예 선생님, 조심히 들어가십시오. (격식체 – 하십시오체) / 들어가세요. (비격식체 – 해요체)
주체 높임법	• 서술의 주체를 높이는 방법. • 선어말 어미 '–(으)시–', 주격 조사 '❷ ______', 특수 어휘 '계시다, 주무시다, 잡수시다, 편찮으시다, 드시다' 등을 사용함. 예 어머니께서 설거지를 하신다. / 할아버지께서 주무신다.
객체 높임법	• 서술의 객체인 ❸ ______ 나 부사어가 지시하는 대상을 높이는 방법. • 부사격 조사 '께', 특수 어휘 '드리다, 모시다, 여쭈다, 뵈다' 등이 주로 사용됨. 예 명절에 할머니를 뵙고 할머니께 선물을 드렸다. / 너는 할머니를 모시고 오렴.

❶ 종결
❷ 께서
❸ 목적어

핵심 4 문법 요소 ❷ – 시간 표현

1 시제: 발화시와 사건시의 관계에 따라 과거, 현재, 미래로 나뉨.

❹ ______ 시제	시간의 흐름 사건시 발화시	과거 시제 선어말 어미 '–았/었–', '–았었/었었–', 회상을 나타내는 선어말 어미 '–더–', 관형사형 어미 '–(으)ㄴ', 시간 부사 '어제', '아까' 등을 통해 실현됨. 예 영희가 어제 서점에 있더라. / 아까 네가 딸기를 먹었니?
현재 시제	발화시 = 사건시	• 동사에서는 현재 시제 선어말 어미 '–는/ㄴ–', 관형사형 어미 '–는'이 쓰임. • 형용사와 서술격 조사에서는 관형사형 어미 '–(으)ㄴ'이 쓰이거나 선어말 어미 없이 현재 의미를 나타냄. • ❺ ______ '지금', '오늘' 등을 통해 실현됨. 예 나는 숙제를 한다. / 우리는 지금 게임을 한다.
미래 시제	발화시 사건시	미래 시제 선어말 어미 '❻ ______', 관형사형 어미 '–(으)ㄹ', 시간 부사 '내일', '장차' 등을 통해 실현됨. 예 내일 영화를 보겠다. / 그녀는 내일 올 거야.

❹ 과거
❺ 시간 부사
❻ –겠–
❼ 동작

2 동작상: 발화시를 기준으로 동작이 일어나는 모습을 표현하는 것.

진행상	완료상
• 시간의 흐름 속에서 그 동작이 계속 이어지는 것. • 주로 '–고 있다'로 실현됨. 예 지금 버스가 출발하고 있다.	• ❼ ______ 이 이미 끝난 것. • 주로 '–아/어 버리다', '–아/어 있다'로 실현됨. 예 음식을 다 먹어 버렸다. / 의자에 앉아 있다.

개념 Catch

• **간접 높임**
높여야 할 주체가 주어와 밀접한 관계(신체 부분, 생각 등)를 맺고 있을 때, 선어말 어미 '–(으)시–'를 사용하여 주체를 간접적으로 높임.
예 할머니께서 귀가 밝으시다.
할아버지는 손이 크시다.

정답과 해설 28쪽

7 다음 빈칸에 들어갈 알맞은 말을 쓰시오.

말하는이가 듣는이에게 높이거나 낮추어 말하는 (   )은 종결 표현으로 실현되며, '반갑습니다/반가워요'와 같이 크게 격식체와 비격식체로 구분해요.

8 다음 설명이 맞으면 O표, 틀리면 X표 하시오.

(1) 주체 높임법은 조사 '께', 선어말 어미 '-(으)시-'를 통해서 실현된다. [O] [X]

(2) 특수한 어휘를 사용하여 문장의 목적어나 부사어가 지시하는 대상을 높이는 방법은 객체 높임법이다. [O] [X]

(3) 동사는 형용사와 달리 선어말 어미 없이 현재 시제를 나타낼 수 있다. [O] [X]

(4) 과거 시제는 사건시가 발화시보다 앞선 시제로, 선어말 어미 '-았/었-'을 활용하여 실현될 수 있다. [O] [X]

9 다음 문장의 밑줄 친 부분을 바꾸었을 때, 적절한 높임 표현을 사용하여 빈칸에 들어갈 문장을 완성하시오.

형이 집에서 책을 읽는다.
→ 어머니 [   ]

10 다음 중 객체 높임법이 실현된 문장이 아닌 것은?

① 나는 삼촌께 과일을 드렸다.
② 선생님께 언제 질문을 하면 될지 여쭈었다.
③ 지난 주말에 할머니를 뵈러 시골에 다녀왔다.
④ 아버지께서는 영화 보는 것을 좋아하십니다.
⑤ 옷을 사 드리려고 부모님을 백화점에 모시고 갔다.

11 <보기>를 참고하여 ㉠, ㉡에 쓰인 동작상의 종류를 쓰시오.

보기

동작상은 발화시를 기준으로 동작이 일어나는 모습을 표현하는 것을 의미한다. 시간의 흐름 속에서 그 동작이 진행되고 있는지, 완료된 것인지 등 동작의 양상을 표현한다.

㉠ 어젯밤에 출출해서 음식을 다 먹어 버렸다.
㉡ 오늘은 눈이 많이 내리고 있다.

핵심 5 문법 요소 ❸ – 인용 표현

직접 인용	• 다른 사람의 말이나 글을 바꾸지 않고 그대로 가져오는 것. • 인용한 부분을 인용 부호(큰따옴표)로 표시하고 직접 인용의 격 조사 '❶ ____'를 붙여 씀. 예 외국인이 나에게 "근처에 버스 정류장이 어디 있습니까?"라고 물어봤다.
간접 인용	• 다른 사람의 말이나 글을 자신의 관점에 따라 바꾸어 표현하는 것. • 인용 부호를 사용하지 않지만, 인용의 범위가 명확하게 드러나도록 간접 인용의 격 조사 '❷ ____'를 붙여 씀. 예 외국인이 나에게 근처에 버스 정류장이 어디 있느냐고 물어봤다.

❶ 라고

❷ 고

핵심 6 문법 요소 ❹ – 피동 표현과 사동 표현

피동 표현	• 주어가 다른 주체에 의해서 어떤 동작을 당하게 되는 것으로, 주어가 동작을 제힘으로 하는 능동 표현에 대응됨. 예 토끼가 사냥꾼에게 잡혔다.(피동) / 사냥꾼이 토끼를 잡았다.(능동) • 동사의 어근에 피동 접미사 '-이-, -히-, -리-, -기-'가 결합하거나, 체언에 피동 접미사 '-되다'가 결합함. 또는 '-게 되다, ❸ ____' 구성이 있음. 예 하늘이 곧 갤 것처럼 보인다. / 드디어 꿈이 이루어졌다.
사동 표현	• 주어가 남에게 동작을 하게 시키는 것으로, 주어가 동작을 직접 하는 주동 표현에 대응됨. 예 엄마가 동생에게 밥을 먹인다.(사동) / 동생이 밥을 먹는다.(주동) • 주동사의 어근에 사동 ❹ ____ '-이-, -히-, -리-, -기-, -우-, -구-, -추-'가 결합하거나, 체언에 사동 접미사 '-시키다'가 결합함. 또는 '-게 하다' 구성이 있음. 예 버스를 정지시켰다. / 버스를 정지하게 했다.

❸ -어지다

❹ 접미사

핵심 7 문법 요소 ❺ – 부정 표현

'안' 부정문	• 주체의 의지에 의해 어떠한 행동을 하지 않는 의지 부정이나 단순 부정의 의미를 가짐. (단순 부정: 주체의 의지가 작용되지 않고, 사건이나 사실만을 부정하는 것.) 예 지민이가 책을 안 읽는다.(의지 부정) / 날씨가 안 춥다.(단순 부정) • 부정 부사 '❺ ____'을 사용하여 짧은 부정문을, 부정 용언 '아니하다'를 사용하여 긴 부정문을 만듦. 예 윤하가 책을 안 읽는다.(짧은 부정문) / 윤하가 책을 읽지 않는다.(긴 부정문)
'못' 부정문	• 주체의 능력이 부족하거나 다른 원인에 의해 어떠한 행동을 하지 못하는 것. 예 지민이가 책을 못 읽는다.(능력 부정) • 부정 부사 '못'을 사용하여 짧은 부정문을, 부정 용언 '❻ ____'를 사용하여 긴 부정문을 만듦. 예 윤하가 책을 못 읽는다.(짧은 부정문) / 윤하가 책을 읽지 못한다.(긴 부정문)

❺ 안

❻ 못하다

개념 Catch

• 이중 피동

피동문은 피동 접미사가 붙거나 '-어지다'가 붙어 실현됨. 이 두 가지가 동시에 사용되는 것을 이중 피동이라고 하는데, 지나친 이중 피동의 사용은 유의해야 함.

예 문이 잘 열려지지 않는다. (X)
→ 열-+-리-+-어지-+-지
(피동 표현이 두 번 쓰임.)
→ 열리지 (O)

정답과 해설 28쪽

12 다음 문장을 간접 인용 표현으로 바꾸어 쓰시오.

주형이는 나에게 "배가 고파서 간식을 사러 가야겠어."라고 말했다.

13 〈보기〉를 참고하여 능동문을 피동문으로 바꾸어 쓰시오.

보기

능동문	: 경찰이	도둑을	잡았다.
	주어	목적어	능동사
피동문	: 도둑이	경찰에게	잡혔다.
	주어	부사어	피동사

㉠	사냥꾼이 토끼를 쫓는다. →
㉡	안개가 산등성이를 덮었다. →
㉢	태풍이 마을을 휩쓸었다. →

14 〈보기〉의 문장을 참고하여 ⓐ~ⓒ에 들어갈 알맞은 말을 쓰시오.

보기

- 주동문: 아이가 옷을 입었다.
- 사동문: 엄마가 아이에게 옷을 입혔다.

주어가 어떤 동작을 직접 하는 것을 '주동', 남에게 어떤 동작을 하도록 시키는 것을 '사동'이라고 합니다. 주동문이 사동문으로 바뀌는 과정에서 새로운 (ⓐ)가 추가되며, 주동문의 주어는 사동문의 (ⓑ)로 바뀌고, (ⓒ)는 그대로 유지되며, 서술어는 사동사로 바뀜을 알 수 있습니다.

15 다음 중 사동 표현이 사용된 문장이 아닌 것은?

① 아이들이 얼음을 녹인다.
② 동생에게 공을 차게 했다.
③ 누나가 동생에게 밥을 먹인다.
④ 건물 사이로 멀리 하늘이 보인다.
⑤ 선생님께서 상은이에게 책을 읽혔다.

16 다음 빈칸에 '안'과 '못' 중 적절한 것을 쓰시오.

(1) 배가 고프지 않아서 아침을 (　　　) 먹었다.
(2) 시간이 없어서 아침을 (　　　) 먹었다.

1 교과서 기출 베스트

1 다음 문장을 분석하였을 때, 주성분만으로 이루어진 문장은?

① 친구들은 축구만 좋아한다.
② 유나가 유명한 배우가 되었다.
③ 와, 드디어 기다리던 날이 왔다.
④ 고양이가 놀이터에서 뛰어논다.
⑤ 아이의 눈동자가 초롱초롱 빛난다.

도움말
- **격 조사의 생략**
  격 조사는 문맥에 따라 생략이 가능하다. 보조사와 격 조사가 결합하여 쓰일 수도 있으며, 격 조사 자리에 보조사만 쓰일 수도 있다. 격 조사가 생략되어도 의미가 살아 있어 문장 속에서 역할은 달라지지 않는다.
  ㊞ 이 빵만 맛있다. → 주격 조사 '이'가 생략됨.
  이 빵만 먹는다. → 목적격 조사 '을'이 생략됨.

2 다음 중 문장의 짜임이 나머지와 다른 하나는?

① 엄마와 나는 닮았다.
② 민희는 마음이 예쁘다.
③ 새 핸드폰이 매우 깨끗하다.
④ 나는 실수로 접시를 깨뜨렸다.
⑤ 동연이는 길에서 우연히 친구를 만났다.

3 서술 유형 다음 대화를 보고 ㉠이 어떠한 문장 유형에 해당되는지 〈조건〉에 따라 서술하시오.

이어진문장이란 두 개 이상의 홑문장이 연결 어미에 의해 이어진 문장을 말해.
어간에 붙어 다음 말에 연결하는 구실을 하는 어미.

이어진문장은 앞 절이 뒤 절과 '나열, 대조' 등의 의미 관계를 갖는 대등하게 연결된 이어진문장과 '원인, 조건, 의도, 배경' 등의 의미 관계를 갖는 종속적으로 연결된 이어진문장으로 구분될 수 있어.

㉠ 소민이가 숙제를 끝내면, 우리는 영화관에 갈 것이다.

조건
- 이어진문장 중 어떤 유형에 속하는지 밝힐 것.
- 앞 절과 뒤 절의 의미 관계를 밝힐 것.(㊞ 나열, 대조, 원인, 조건, 의도 등)
- '㉠은 ~으로, 앞 절과 뒤 절이 ~의 의미 관계를 나타낸다.'의 형식으로 50자 내외로 쓸 것.

도움말
- **대등하게 연결된 이어진문장과 종속적으로 연결된 이어진문장의 차이**
  대등하게 연결된 이어진문장은 앞 절과 뒤 절의 위치를 바꾸어도 의미 차이가 거의 없지만, 종속적으로 연결된 이어진문장은 앞 절과 뒤 절의 위치를 바꾸면 의미가 변하거나 비문이 된다.
  ㊞ 하늘은 파랗고, 구름은 하얗다. – 구름은 하얗고, 하늘은 파랗다.
  비가 와서, 길이 질척하다. – 길이 질척해서, 비가 온다.(X)

4 〈보기〉의 ㉠~㉤에 대한 이해로 적절하지 않은 것은?

빈출 유형

보기

㉠ 이 책은 내가 즐겨 읽던 책이다.
㉡ 우리는 날씨가 맑기에 산책을 했다.
㉢ 나는 손에 땀이 나도록 긴장했다.
㉣ 민희는 키가 매우 크다.
㉤ 엄마는 놀란 목소리로 "무슨 일이니?"라고 물으셨다.

① ㉠은 관형절을 가진 안은문장으로, 안긴문장에서 과거 시제가 나타나 있어.

② ㉡은 명사절을 가진 안은문장으로, 안긴문장이 문장의 주성분 역할을 해.

③ ㉢은 부사절을 가진 안은문장으로, 안긴문장이 서술어를 수식하고 있어.

④ ㉣은 서술절을 가진 안은문장으로, 안긴문장 전체가 서술어의 역할을 하고 있어.

⑤ ㉤은 직접 인용절을 가진 안은문장으로, 간접 인용절과 다른 종결 어미가 사용되었어.

5 〈보기〉의 밑줄 친 부분에 해당하는 예로 적절한 것은?

보기

객체 높임법은 서술의 객체인 목적어나 부사어가 지시하는 대상을 높이는 방법이다. 주로 특수 어휘가 사용되며, 조사 '에게' 대신 '께'를 사용하기도 한다.

① 그분은 살림이 넉넉한 편이시다.
② 아직 과제를 끝내지 못했습니다.
③ 할머니께서는 여전히 눈이 밝으시다.
④ 어머니께서는 피곤하셔서 일찍 주무신다.
⑤ 영희는 선생님께 감사의 편지를 드리려고 한다.

6 다음 노랫말에 쓰인 상대 높임법과 같은 종류의 높임법이 실현된 문장은?

여기까지가 끝인가 보오 이제 나는 돌아서겠소
억지 노력으로 인연을 거슬러 괴롭히지는 않겠소
하고 싶은 말 하려 했던 말 이대로 다 남겨 두고서
혹시나 기대도 포기하려 하오 그대 부디 잘 지내시오

기나긴 그대 침묵을 이별로 받아 두겠소
행여 이 맘 다칠까 근심은 접어 두오

– 김광진의 〈편지〉 노랫말에서

① 이번 주에 같이 영화 보러 가자.
② 자네가 먼저 목적지로 출발하게.
③ 당신은 기차를 타고 어디까지 가시오?
④ 할아버지께서 지금 저녁 식사를 하십니다.
⑤ 지금 선생님께 질문을 드려도 괜찮을까요?

7 〈보기〉의 문장에서 높임 표현이 잘못 사용된 부분을 찾아 바르게 고쳐 쓰시오.

보기

㉠ 교장 선생님의 말씀이 계시겠습니다.
㉡ 주문하신 커피가 나오셨습니다.

	잘못된 표현	고친 표현
㉠		
㉡		

8 ㉠~㉣에 대한 설명으로 적절한 것은?

> ㉠ 어제 지은이가 책을 열심히 읽더라.
> ㉡ 미세 먼지가 없는 하늘의 풍경이 아름답다.
> ㉢ 아홉 시에 떠날 기차이다.
> ㉣ 이 책은 내일 다 읽겠다.

① ㉠~㉣ 모두 시간 부사를 사용하고 있다.
② ㉠과 ㉡은 과거에 있었던 일을 회상하는 표현이 사용되었다.
③ ㉡은 선어말 어미 없이 현재 시제를 나타내고 있다.
④ ㉢과 ㉣은 관형사형 어미 '-(으)ㄹ'을 사용하여 미래 시제를 나타내고 있다.
⑤ ㉣은 ㉢과 달리 선어말 어미 '-겠-'을 통해 과거의 추측을 나타내고 있다.

> 도움말
> • 선어말 어미 '-겠-'
> 선어말 어미 '-겠-'은 미래 시제를 나타내면서 맥락에 따라 의지, 추측, 가능성 등을 나타내기도 한다.
> 예 그 정도는 나도 풀겠다. - 가능성
> 내일 낮쯤이면 답변이 오겠다. - 추측

9 〈보기〉의 ⓐ, ⓑ에 들어갈 알맞은 말을 쓰시오.

> 보기
> ㄱ. 지금 셔틀버스가 출발하고 있어.
> ㄴ. 지금 셔틀버스가 출발해 버렸어.
>
> ㄱ과 ㄴ은 시간 부사인 '지금'을 활용하여 (ⓐ) 시제를 나타내고 있지만, ㄴ은 ㄱ과 달리 '-아/어 버리다'를 활용하여 이미 사건이 끝났음을 보여 주는 (ⓑ)의 동작상을 나타내고 있다.

10 다음 선생님의 설명에서 ⓐ에 해당되는 사례로 적절한 것은?

> '우진이가 옷을 입었다.'처럼 주어가 동작이나 행위를 직접 하는 것은 주동문, '엄마가 우진이에게 옷을 입혔다.'처럼 주어가 다른 사람에게 동작이나 행동을 하도록 하는 것을 사동문이라고 합니다. 그런데 ⓐ사동문에 대응하는 주동문이 없는 경우도 있답니다.
> └어떤 두 대상이 주어진 어떤 관계에 의하여 서로 짝이 되다.

① 누나가 동생에게 밥을 먹였다.
② 엄마가 철수를 집에 가게 했다.
③ 가족들이 이삿짐을 방으로 옮겼다.
④ 선생님께서 학생들이 공을 차게 한다.
⑤ 수업 시간에 학생들에게 책을 읽게 한다.

11 다음 중 부정문의 의미가 나머지와 다른 하나는?

① 올봄에 핀 벚꽃이 안 예쁘다.
② 나는 어두운 색의 옷을 입지 않는다.
③ 이번 명절에는 고향에 안 갈 것이다.
④ 건강 검진이 있어서 아침을 안 먹었다.
⑤ 나는 유제품을 싫어해서 우유를 먹지 않는다.

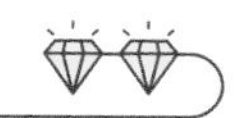

12 서술 유형 다음 기사문의 ㉠, ㉡에 쓰인 피동 표현을 실현하는 요소를 찾고, 피동 표현을 사용한 효과를 〈조건〉에 따라 서술하시오.

'제3의 오랑우탄' 발견……유인원 7종 됐다

㉠'제3의 오랑우탄'이 확인됐다.

스위스 ○○○대학교 교수 등이 참여한 국제 연구팀은 이제까지 밝혀진 오랑우탄과 완전히 다른 종인 '타파눌리오랑우탄'을 수마트라섬에서 발견했다고 밝혔다. 제3의 오랑우탄 '타파눌리오랑우탄'은 인도네시아 수마트라섬의 북쪽 고지대 밀림 '바탕 토루'에서만 서식한다. [중략]

유전자 연구 결과, ㉡타파눌리오랑우탄은 가장 오래된 오랑우탄으로 밝혀졌다. 학계에서 타파눌리오랑우탄을 정식 종으로 인정할 경우, 인간을 제외한 유인원은 7종으로 늘어난다.

– 《한겨레신문》, 2017년 11월 4일 자에서

전자 우편 | 공유 | 35 | 24

조건

- ㉠과 ㉡에서 피동 표현을 실현하는 요소를 각각 찾아 쓸 것.
- ㉠과 ㉡에서 능동이 아닌 피동 표현을 쓰는 이유를 70자 내외로 서술할 것.

13 다음 기사문의 ㉠~㉢에 쓰인 표현에 대한 설명으로 적절한 것은?

청소년들, 온라인 뉴스 기사보다 '베댓' 믿는다

청소년들이 온라인 기사에 달린 댓글을 뉴스의 신뢰도와 가치 판단의 주요 기준으로 삼는다는 연구 보고서가 나왔다. 4일 ○○○교육연구원은 이 같은 내용을 담은 연구 보고서를 공개했다. ㉠보고서에 따르면 중고생들은 누리 소통망(SNS)으로 뉴스를 주로 접한다고 응답했다. ㉡또 기사 본문을 읽기 전 다른 사용자들이 남긴 댓글을 먼저 확인한다고 했다.

㉢한 학생은 보고서에서 "나한테 도움 된다든가 흥미가 있는 내용의 기사만 보고, 기사를 클릭하기 전에 댓글을 먼저 본다. 댓글로 기사 내용을 요약해서 써 놓거나 자기 생각을 썼으니 이걸 먼저 보고 '아, 볼만하구나.' 생각이 들면 기사를 보는 것 같다"고 말했다.

– 《경인일보》, 2017년 6월 5일 자에서

① ㉠~㉢은 모두 현재 시제를 나타내고 있다.
② ㉠, ㉡은 ㉢과 달리 인용 부호와 인용격 조사를 모두 사용하였다.
③ ㉡의 인용절의 주어는 이 글에서 확인하기 어렵다.
④ ㉢은 큰따옴표를 활용하여 인용절의 내용 중 학생이 생각한 말을 구분하여 나타냈다.
⑤ ㉢은 ㉠, ㉡과 달리 직접 인용의 표현이므로 인용격 조사를 '고' 대신에 '라고'로 수정해야 한다.

2일

대단원 Ⅳ. 문장과 담화, 매체 문화의 향유

2. 담화의 다양한 갈래

생각 열기 대화할 때 고려해야 할 요소는 무엇일까?

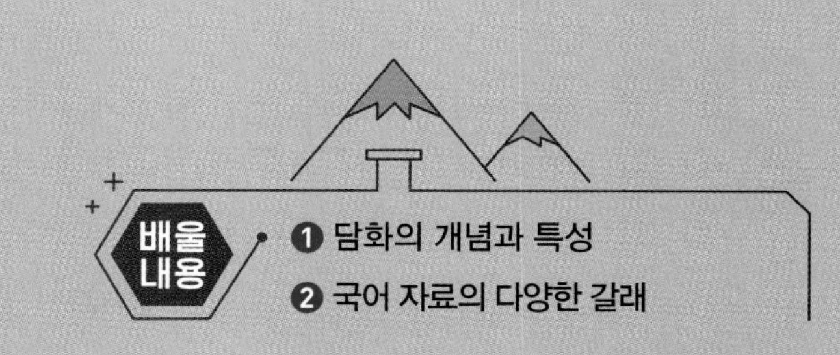

차린 건 없지만 많이 먹으렴.
What?

음식이 저렇게 푸짐한데 왜 차린 게 없다고 해?
음~ 그건 말이지...

자신이나 자신과 관련된 것을 낮춰 표현하는 한국의 문화 때문이야.
다른 예시도 보여 줄게.
담화는 언어 공동체의 관습과 규범의 영향을 받아.

“별거 아닙니다.”
→ 한국에서는 귀한 선물을 할 때도 “별거 아닙니다.”와 같은 표현을 사용함.

겸손의 민족

아하, 오케이!

맛있게 먹겠습니다!

이제 본격적으로 담화에 대해 배우러 가 보자멍!

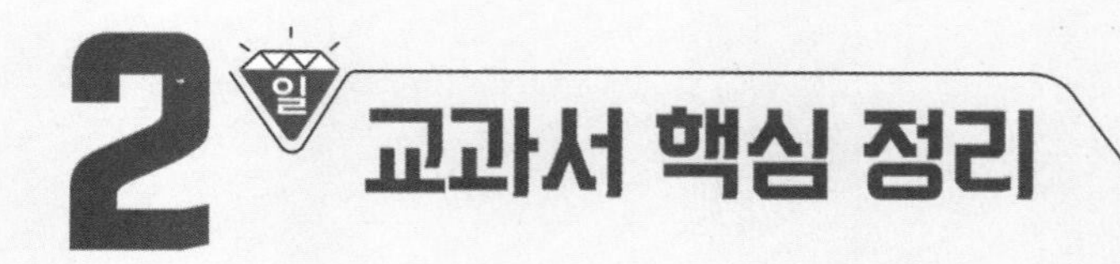

핵심 1 담화의 개념과 구성 요소

1 담화의 개념: 하나 이상의 ❶ [ ] 나 문장이 연속되어 이루어지는 말의 단위.
→ 말로 나타나는 문장, 일정한 상황 속에서 문장 단위로 실현된 말.

2 담화의 구성 요소

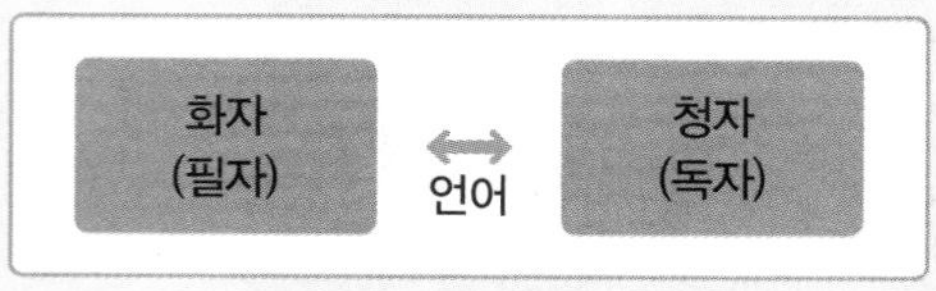

맥락

화자(필자)	말하는 이나 글 쓰는 이. 발신자.
청자(독자)	듣는 이나 읽는 이. 수신자.
언어	화자(필자)와 청자(독자)가 주고받는 말이나 글.
맥락	담화가 이루어지는 의사소통의 ❷ [ ].

핵심 2 담화의 의미와 맥락

1 담화의 의미

화자(필자), 청자(독자), 언어, 맥락의 네 요소가 종합적으로 작용하여 결정됨.

2 담화의 맥락

언어적 맥락		앞이나 뒤에 놓인 ❸ [ ] 의 한 부분을 통해 파악할 수 있는 맥락. 예 영수: 우리 내일 거기서 볼까? 흥민: 아, 내일 운동장에서 모이기로 했지. → '거기'가 '운동장'을 의미함을 언어적 맥락을 통해 알 수 있음.
비언어적 맥락	상황 맥락	• 화자, ❹ [ ], 시간, 공간 등을 가리킴. • 화자와 청자가 누구인지, 시간적 배경이나 공간적 배경이 어떻게 되는지에 따라 동일한 담화 내용이 다르게 표현되거나 이해될 수 있음. 예 선생님: (창문을 바라보며) 교실이 좀 춥지 않니? → 학생에게 창문을 닫아 달라고 간접적으로 요청하는 의미를 지님.
	사회·문화적 맥락	제도, 계층, 역사적 · 사회적 맥락, 이념 등을 가리킴. 예 영수: 우리 내일 볼까? 흥민: 집에 제사가 있어서 ……. → '제사가 있다.'라는 말을 한국 사람들은 거절의 의미로 받아들일 수 있지만, 다른 ❺ [ ] 맥락에 속하는 사람들은 다르게 받아들일 수 있음.

❶ 발화

❷ 상황

❸ 언어

❹ 청자

❺ 사회 · 문화적

개념 Catch

• 기능에 따른 담화의 종류

정보 제공	뉴스, 보도, 강의, 신문, 보고서, 안내문 등
호소(설득)	광고문, 논평, 연설 등
약속	맹세, 선서, 계약서 등
친교(사교)	잡담, 인사, 초대글 등
선언	개회 선언, 유언, 판결문 등

기초 확인 문제

정답과 해설 31쪽

1 다음 중 담화의 구성 요소가 <u>아닌</u> 것은?

① 청자
② 화자
③ 언어
④ 맥락
⑤ 이미지

2 다음은 담화에 대한 설명이다. 설명이 맞으면 O표, 틀리면 X표 하시오.

(1) 담화는 하나 이상의 발화나 문장이 연속되어 이루어지는 말의 단위를 가리킨다. O X
(2) 담화의 의미는 화자, 청자, 장면, 상황 맥락을 통해서 결정된다. O X
(3) 담화에서는 화자와 청자, 시간적 배경, 공간적 배경의 파악이 매우 중요하며, 이러한 맥락을 파악하는 것을 '사회·문화적 맥락'이라고 한다. O X
(4) 뉴스, 보도, 강의 및 신문은 정보 제공을 위한 담화의 유형에 속한다. O X

3 다음 발화에서 ㉠에 담긴 화자의 의도로 적절한 것은?

> 아빠: (아들을 보며) ㉠<u>아, 목마르네.</u>
> 아들: 제가 물 한 잔 갖다 드릴게요.

① 약속
② 요청
③ 선언
④ 친교 형성
⑤ 정보 제공

4 다음 대화를 보고, 빈칸에 들어갈 알맞은 말을 쓰시오.

우리 내일 거기서 볼까?
지환
아, 내일 운동장에서 모이기로 했지.
영수

> '거기'가 '운동장'을 의미한다는 것은 (   ) 맥락을 통하여 파악할 수 있다.

2일 교과서 핵심 정리

핵심 3 목적에 따른 국어 자료

- 정보 전달 · 설득
- 사회적 상호 작용 · 심미적 정서 표현

→

- 국어 자료는 ❶ [   ]에 따라 생산함.
- 하나의 국어 자료에 여러 목적이 복합적으로 들어 있는 경우도 있음. 예 광고: 설득+정보 전달

핵심 4 구체적 갈래에 따른 국어 자료

1 기사문

① 표제: 내용 전체를 간결하게 나타내는 ❷ [   ].
② 부제: 내용을 구체적으로 알리는 작은 제목.
③ 전문: 기사 내용을 ❸ [   ]에 따라 요약한 부분.
④ 본문: 기사의 구체적인 내용을 서술한 부분.
⑤ 해설: 기사의 참고 사항이나 설명을 덧붙이는 부분.
- 언어적 특성: 인용 표현과 피동 표현이 많이 사용되는 경향이 있음.

2 보도문

도입부		중반부		후반부
첫머리에 주제나 목적 제시	→	세부적인 사항 언급	→	전망, 제언, 촉구 등을 제시

- 언어적 특성: 신문 기사문보다 ❹ [   ] 시제를 많이 활용함. → 방송의 속보성 때문임.

3 공고문

내용	• 공적(公的)인 목적이나 종류, 게시 장소에 따라 다양한 내용으로 작성함. • 제목, 일시, 공고 내용 등 구체적인 사항을 포함해야 함.
종류	채용 공고문, 투표 공고문, 전달 공고문, 행사 공고문, 업무 공고문 등

- 언어적 특성: 명사형 종결 표현이 많이 사용됨.
  → 보는 이가 ❺ [   ] 이해할 수 있도록 내용을 간결하게 작성하기 때문임.

4 광고문

종류	목적에 따라	상업 광고, 공익 광고, 기업 광고 등
	매체에 따라	인쇄 광고, 방송 광고, 라디오 광고 등

- 언어적 특성: ❻ [   ]적이고 재미있는 발상이 드러나는 표현이 빈번하게 사용됨.
  → 사람들의 기억에 남을 수 있도록 하기 위함.

❶ 목적
❷ 제목
❸ 육하원칙
❹ 현재
❺ 빠르게
❻ 축약

개념 Catch

- 피동 표현과 기사문
  - 피동 표현은 동작의 주체가 누구인지 모를 때, 동작의 주체를 분명하게 밝히지 않고자 할 때, 객관성을 높여 표현하고자 할 때 주로 사용됨.
  - 기사문은 일어난 사건이나 피해 상황을 있는 그대로 기록해야 하므로 피동 표현이 많이 사용됨.

정답과 해설 31쪽

5 다음 설명이 맞으면 O표, 틀리면 X표 하시오.

(1) 국어 자료는 정보 전달, 설득, 사회적 상호 작용, 심미적 정서 표현 등의 목적에 따라 생산된다. [O | X]

(2) 기사문은 인용 표현과 능동 표현이 많이 사용되는 경향이 있다. [O | X]

(3) 보도문의 도입부는 표제와 부제로 구성된다. [O | X]

(4) 공고문은 보는 이가 빠르게 이해할 수 있도록 명사형 종결 표현이 많이 사용되는 경향이 있다. [O | X]

6 다음에서 설명하는 기사문의 구성 요소로 적절한 것은?

> 기사 내용을 육하원칙에 따라 요약하여 전달하는 부분으로 표제의 압축된 내용을 구체화한 것이다.

① 표제 ② 부제 ③ 전문
④ 본문 ⑤ 해설

7 다음 중 '안전띠 착용의 중요성'을 알리기 위한 목적으로 광고를 만들 때 가장 적합한 광고는?

ⓐ 상업 광고 ⓑ 공익 광고 ⓒ 기업 광고

8 다음 중 보도문의 특성으로 적절한 것은?

① 설득을 목적으로 내용을 전달한다.
② 주제나 목적은 후반부에 제시된다.
③ 속보성을 중시하는 방송 매체에 활용된다.
④ 신문 기사문보다 과거 시제를 많이 활용한다.
⑤ 전망, 제언 등의 주관적인 의견은 제시할 수 없다.

9 ㉠에 들어갈 알맞은 말을 쓰시오.

> 공고문은 제목, 일시, 공고 내용 등 구체적인 사항을 포함하고 있어야 합니다. 또한 보는 이가 빠르게 이해할 수 있도록 내용을 간결하게 작성해야 하므로 (㉠) 종결 표현이 많이 사용되지요.

교과서 기출 베스트

[1 ~ 2] 다음 글을 읽고, 물음에 답하시오.

담화는 하나 이상의 발화나 문장이 연속되어 이루어지는 말의 단위를 가리킨다. 의사소통은 화자(필자), 청자(독자), 언어, 맥락으로 이루어진다. 이 네 가지 요소를 담화의 구성 요소라고 한다.

(발화: 일정한 상황 속에서 문장 단위로 실현된 말. / 맥락: 사물 따위가 서로 이어져 있는 관계나 연관.)

담화의 의미는 화자(필자), 청자(독자), 언어, 맥락의 네 요소가 종합적으로 작용하여 결정된다. 맥락은 흔히 언어적 맥락과 비언어적 맥락으로 구분된다. 그리고 비언어적 맥락은 다시 상황 맥락과 사회·문화적 맥락으로 나뉜다.

언어적 맥락은 앞이나 뒤에 놓인 언어의 한 부분을 통해 파악할 수 있는 맥락을 말한다. 다음 대화에서 '그때쯤'이 '내일 8시'를 의미한다는 것을 언어적 맥락을 통하여 알 수 있다.

[A]
지환: 우리 그때쯤에 볼까?
영수: 아, 내일 8시에 모이기로 했지. 그런데 집에 제사가 있어서…….

비언어적 맥락 가운데 상황 맥락은 화자, 청자, 시간, 공간 등을 가리킨다. 화자와 청자가 누구인지, 시간적 배경이나 공간적 배경이 어떻게 되는지에 따라 동일한 담화 내용이 다르게 표현되거나 이해될 수 있다.

비언어적 맥락 가운데 사회·문화적 맥락은 제도, 계층, 역사적·사회적 맥락, 이념 등을 가리킨다. 이 대화에서 '제사가 있어서…….'라는 대답을 한국 사람들은 불참 의사로 받아들일 수 있지만, 다른 사회·문화적 맥락에 속하는 사람들은 그렇게 받아들이지 않을 수 있다.

1 윗글을 바탕으로 할 때 담화에 대한 설명으로 적절한 것은?

① 상황 맥락과 사회·문화적 맥락은 언어적 맥락으로 분류된다.
② 화자, 청자, 언어, 맥락은 서로 독립적으로 작용하여 담화를 구성한다.
③ 담화는 하나의 문장으로만 이루어졌을 때 의미가 구성될 수 있는 단위이다.
④ 담화 내용이 동일하더라도 화자, 청자, 시간, 공간에 의해 의미 구성이 달라질 수 있다.
⑤ 제도, 계층, 이념 등과 같은 맥락에 대한 이해가 없어도 청자는 화자와 원활하게 의사소통할 수 있다.

2 서술 유형
[A]를 참고하여 〈보기〉의 대화에서 밑줄 친 부분의 의미를 파악하려면 어떠한 맥락을 고려해야 하는지 〈조건〉에 따라 서술하시오.

보기
지성: 우리 내일 거기서 만날까?
승민: 아! 내일 체육관에서 만나기로 했지. <u>그런데 내일 삼일절인데 문을 열까?</u>

조건
- 밑줄 친 부분과 관련 있는 맥락의 종류를 언급할 것.
- 발화의 의미와 연관 지어 50자 내외로 서술할 것.

3 빈출 유형 (가)와 (나)의 담화 상황을 이해한 내용으로 적절하지 <u>않은</u> 것은?

가

아이고, 싱크대에 설거지할 그릇들이 쌓여 있네.
저 이제 공부 다 끝났어요.

나

아이고, 싱크대에 설거지할 그릇들이 쌓여 있네.
오늘 아빠 순서 아니에요?

① (가)와 (나)의 화자와 청자의 관계는 동일하다.
② (가)는 (나)와 달리 아빠가 집안일을 하는 도중에 발화가 이루어지고 있다.
③ (가)에서 아빠는 아들에게 집안일을 도와줄 수 있는지 직접적으로 물어보고 있다.
④ (가)에서 아들은 집안일을 돕겠다는 의사를 간접적으로 드러내고 있다.
⑤ (나)에서 아들은 아빠의 역할을 상기시키며 설거지를 하지 않겠다는 의도를 간접적으로 드러내고 있다.

도움말
• **직접 발화와 간접 발화**
화자는 자신의 의도를 직접적으로 표현하기도 하고, 간접적으로 표현하기도 한다. 간접 발화의 경우 문장 유형과 발화 의도가 불일치하며, 상황 맥락을 고려하여 의도를 이해해야 한다.
예 • 창문을 닫아라. → 명령문을 사용하여 명령의 의도를 드러냄.
• (열린 창문을 보며) 날씨가 춥지 않니? → 의문문을 사용하지만, 창문을 닫아 달라는 요청이나 명령의 의도가 있음.

4 〈보기〉의 발화에 공통으로 나타나는 우리나라 화자들의 담화 특성으로 적절한 것은?

보기
• 화자 1: (손님을 대접하며) 차린 건 별로 없지만, 맛있게 드세요.
• 화자 2: (상을 받으며) 제가 한 역할은 많지 않습니다. 다 주위 사람들 덕분입니다.

① 다양한 유의어가 발달했다.
② 방언이 발달하여 지역별로 사용하는 어휘가 다르다.
③ 나이, 친소 관계 등에 따라 높임법을 사용하는 문화가 있다.
④ 자신의 의도를 우회적으로 표현하는 간접 발화가 발달하였다.
⑤ 자신이나 자신과 관련된 것을 낮춰 표현하는 겸양적 표현이 나타난다.

5 〈보기〉를 참고할 때, 담화의 기능이 나머지와 <u>다른</u> 하나는?

보기
담화는 화자의 의도에 따라 정보 제공 담화, 호소 담화, 약속 담화, 사교 담화, 선언 담화 등의 유형으로 분류할 수 있다. 정보 제공 담화는 정보 전달의 기능이, 호소 담화는 상대를 설득하는 기능이, 약속 담화는 발화에 담긴 내용을 수행하겠다는 다짐의 기능이, 사교 담화는 사회적 상호 작용의 기능이 나타난다. 선언 담화는 자신의 의견이나 주장을 외부에 정식으로 표명하여 새로운 상황을 불러일으키는 기능이 나타난다.

① 강의 ② 연설 ③ 뉴스
④ 보고서 ⑤ 안내문

2일 교과서 기출 베스트

[6~7] 다음 글을 읽고, 물음에 답하시오.

국내 발견 미라 10여 구 …… 보존이 관건

뉴스 진행자: '미라'라고 하면 이집트를 떠올리는 분들이 많겠지만, 우리나라에서도 10구가 넘는 미라가 발견됐습니다. 미라는 수백 년 전 선조들의 생활상을 알게 해 주는 소중한 연구 자료입니다만, 보존 시설이나 체계적인 연구 시스템이 없어 방치되고 있는 형편입니다.

○○○ 과학 전문 기자가 취재했습니다.

기자: 세계에서 유일하게 임신한 상태로 발견된 미라. 문정 왕후의 후손인 이 미라는 발굴 당시 화려한 부장품과 함께 특별 전시회에서 전시될 정도였습니다. 하지만 15년이 지난 지금 대학 병원 해부 실습실에 임시로 보관돼 있습니다. 기증 시신이 넘쳐 날 경우 자리를 비워 줘야 하는 신세입니다.

부장품: 장사 지낼 때, 시체와 함께 묻는 물건을 통틀어 이르는 말.

인터뷰: 엄○○(의과대학 해부학 교실 주임 교수): 옷은 싹 벗겨서 '이것은 유물이니까 아주 귀중하게 취급해서 잘 싸서 모셔 간다.' 이제 사람(미라)만 남아 있는 거죠.

기자: 수백 년 전 선조들의 인체와 복식, 질병, 식습관 등을 알 수 있는 귀중한 자산이지만 미라의 체계적인 연구가 미흡한 실정입니다. 이집트나 유럽에서는 박물관이나 미라 전시실이 별도로 마련돼 전문 인력이 관리와 연구를 하고 있습니다.

– 《케이비에스(KBS) 뉴스》, 2017년 8월 21일 자에서

6 위 보도문과 관련된 특성으로 적절하지 않은 것은?

① 속보성을 중시하는 현재성 매체이다.
② 독자를 높이는 상대 높임 표현이 사용된다.
③ 객관적인 정보를 전달하기 위한 목적의 담화이다.
④ 통계 자료를 인용하여 내용의 신뢰성을 뒷받침하고 있다.
⑤ 예상 독자는 문화재 관련 분야 종사자부터 일반 대중까지 다양하다.

7 뉴스 진행자의 발화에 대한 설명으로 적절한 것은?

① 보도 내용을 육하원칙에 따라 언급하고 있다.
② 보도 대상과 문제 상황의 실태를 제시하고 있다.
③ 논란이 되는 사안에 대해 양측의 입장을 소개하고 있다.
④ 문제 해결을 위해 전문가들에게 대책 수립을 촉구하고 있다.
⑤ 비유적인 표현을 활용하여 보도 대상이 지니는 의의를 언급하고 있다.

8 기사문의 특성과 관련하여 ⓐ, ⓑ에 들어갈 알맞은 말을 쓰시오.

보기

기사문의 구성 요소 중의 하나인 (ⓐ)는 내용 전체를 간결하게 나타내는 제목으로 독자의 관심을 유도하는 역할을 한다. 또한 기사문은 주로 벌어진 사건이나 피해 상황을 강조하는 표현이 많이 쓰이기 때문에 언어적 특성으로 (ⓑ) 표현이 많이 사용되는 경향이 있다.

ⓐ: (   )　　ⓑ: (   )

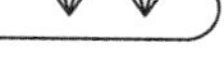

9 서술 유형 광고문의 특성을 고려할 때, 다음 광고문을 수용하는 바른 태도를 〈조건〉에 따라 서술하시오.

> **건강한 장을 위해서는 ○○ 유산균 음료!**
>
> 유산균은 우리 몸을 건강하게 만들어 주는 작은 미생물입니다. 소화를 돕고, 변비를 예방하는 역할을 합니다. 특히 '○○ 유산균 음료'는 장내 유익균을 늘려 장 환경을 개선하고, 체지방 감소에 도움을 주는 식품으로, 장 건강과 다이어트를 한 번에 해결합니다.
>
> ○○ 유산균 음료를 매일 챙겨 먹읍시다!

조건

- 광고의 내용과 목적을 고려하여 광고문의 종류를 밝힐 것.
- 광고문의 올바른 수용 태도를 40자 내외로 서술할 것.

도움말

- **광고문의 수용 태도**
  광고문을 수용할 때는 우선 광고의 목적과 의도를 파악하고, 허위 사실이나 과장된 표현이 없는지 판단해야 한다. 또한 사실의 정확성과 주장의 타당성을 판단하고, 통계 자료나 전문 지식의 신뢰성을 확인해야 한다.

10 목적에 따라 국어 자료를 분류한 것으로 적절하지 않은 것은?

정보 전달	㉠설명문, 기사문, ㉡안내문 등
설득	논설문, 광고문, ㉢신문 사설 등
사회적 상호 작용	편지, ㉣건의문 등
심미적 정서 표현	시, ㉤일기, 시나리오, 감상문 등

① ㉠ ② ㉡ ③ ㉢ ④ ㉣ ⑤ ㉤

11 빈출 유형 다음 공고문을 작성할 때 고려한 사항으로 적절하지 않은 것은?

> **제22회 독서 토론 대회 시행 공고**
>
> 1. **일시:** 20○○년 11월 4일(금) 14:00 ~ 15:50
> 2. **장소:** 시청각실
> 3. **토론 도서:** 리처드 도킨스, 《이기적 유전자》, 맷 리들리, 《이타적 유전자》
> 4. **토론 주제:** 인간은 이기적 존재인가, 이타적 존재인가?
>
> 〈토론자 선정 절차〉
>
> 1. 1차 예선 심사: 토론 원고 심사
>   가. 원고 제출 마감: 20○○. 10. 17. 16시
>   나. 원고 내용: 토론 주제와 관련된 자신의 주장과 토론 도서의 서평이 모두 들어가 있어야 함.
>   다. 2차 예선 대상자는 10월 18일에 개별 통보함.
>
> ⋮
>
> 3. 최종 참가자 선정: 1차, 2차 예선 심사 점수를 합산하여 다득점순으로 총 7명 선발함(사회자 포함).

① 지정된 토론 도서를 공지하자.

② 중요한 내용은 항목화해 제시하자.

③ 예선 심사의 평가 기준표를 제시하자.

④ 독서 토론 대회가 열리는 시간과 장소를 공지하자.

⑤ 명사형 어미를 활용하여 간결한 문장 종결 형태를 사용하자.

대단원 IV. 문장과 담화, 매체 문화의 향유

3. 매체의 수용과 향유

생각 열기 우리는 대중문화를 어떻게 받아들이고 누려야 할까?

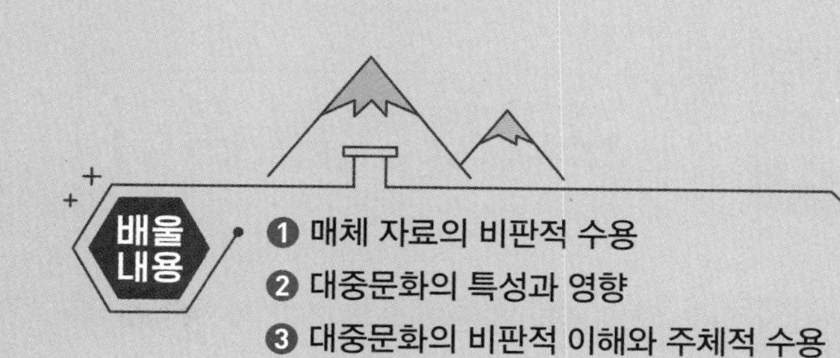
배울 내용
1 매체 자료의 비판적 수용
2 대중문화의 특성과 영향
3 대중문화의 비판적 이해와 주체적 수용

앗, 유기견들이
이렇게 고통받고 있다니!
이런 건 당장 공유!

천재 뉴스
공유

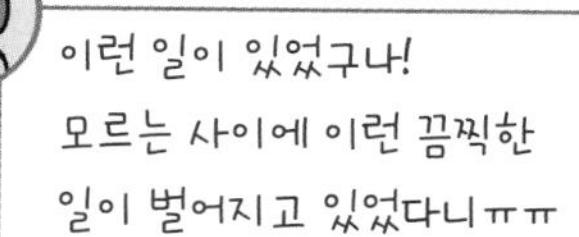
이런 일이 있었구나!
모르는 사이에 이런 끔찍한
일이 벌어지고 있었다니ㅠㅠ

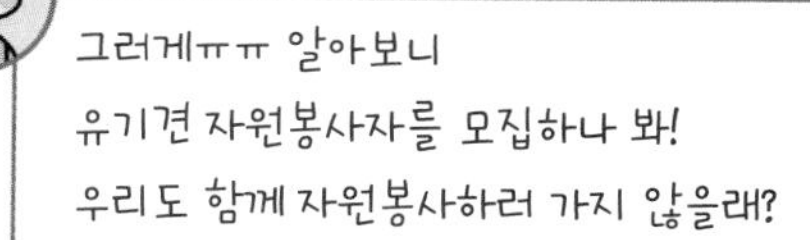
그러게ㅠㅠ 알아보니
유기견 자원봉사자를 모집하나 봐!
우리도 함께 자원봉사하러 가지 않을래?

우와, 나도 갈래!!

완전 감동했지 뭐야♥♥
우리 친구들도 누리 소통망의
이러한 순기능을 잘 활용하자!

뿌듯!

교과서 184~191쪽

핵심 1 매체 자료에 반영된 특정한 관점과 가치

- 매체는 ❶ [ ] 를 전달하는 수단이나 매개체로 정보 전달 주체의 관점이나 가치가 반영된 경우가 많음.

구분	내용
텔레비전, 신문	• 모든 사건을 다루는 것은 아님. ➡ 매체 자료를 생산하는 주체의 관점과 가치에 따라 전달할 정보를 ❷ [ ] 하여 보도함. • 객관적이고 중립적인 사실만 포함되는 것은 아님. ➡ 사건과 관련된 다양한 정보 중 특정한 정보를 부각하거나 누락하기도 함.
인터넷 기반의 매체	• 개인의 매체 자료 생산이 용이함. ➡ 개인의 다양한 관점과 가치가 나타날 수 있음. • 생산자와 수용자 간의 상호 작용이 활발히 이루어짐. ➡ 생산자와 수용자의 관점과 가치의 차이가 드러나는 경우가 많음.

➡ 매체 자료에는 특정한 ❸ [ ] 과 가치가 반영됨.

- 매체 자료의 목적, 의도, 관점, ❹ [ ] 의 근거, 사실성과 타당성, 이해관계 반영 정도 등을 자세히 살펴보아야 함.

핵심 2 매체의 영향력과 비판적 수용

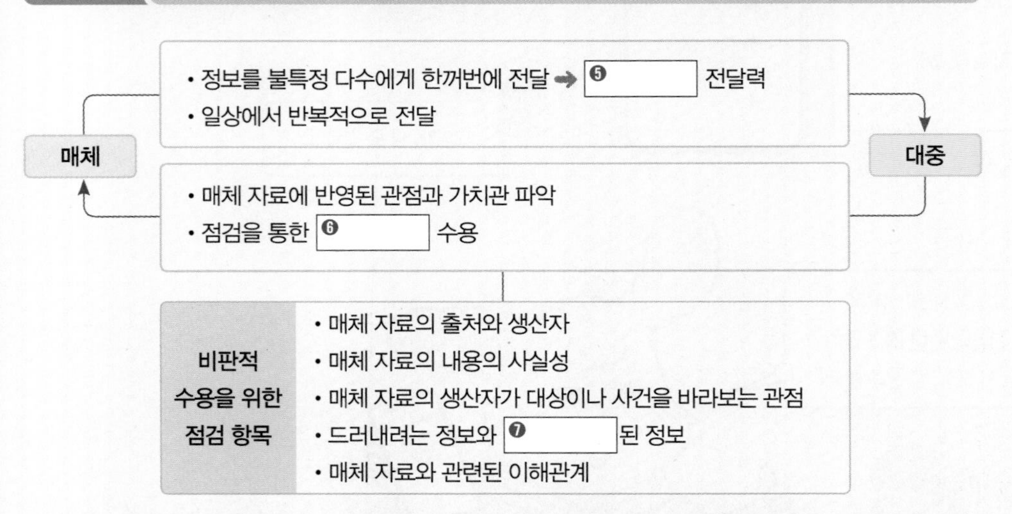

• 정보를 불특정 다수에게 한꺼번에 전달 ➡ ❺ 전달력
• 일상에서 반복적으로 전달
매체
대중
• 매체 자료에 반영된 관점과 가치관 파악
• 점검을 통한 ❻ 수용
비판적 수용을 위한 점검 항목
• 매체 자료의 출처와 생산자
• 매체 자료의 내용의 사실성
• 매체 자료의 생산자가 대상이나 사건을 바라보는 관점
• 드러내려는 정보와 ❼ 된 정보
• 매체 자료와 관련된 이해관계

- 매체 자료 내의 정보나 언어 표현 등이 사람들에게 큰 영향력을 발휘할 수 있다는 것을 인식함.
- 매체 언어가 현실을 바라보는 특정한 관점을 갖게 할 수 있음을 생각하며 매체 자료의 숨은 의도와 가치를 읽어 내도록 함.

❶ 정보
❷ 선별
❸ 관점
❹ 주장
❺ 대량
❻ 비판적
❼ 누락

개념 Catch

- **언론의 역할과 책임**
언론은 사실을 전달하고 사회적 쟁점에 대한 답과 비판을 제공하는 역할을 해야 함. 그런데 언론이 권력이나 특정 세력의 입장에만 따르면 민주주의를 저해할 수도 있으므로 언론에는 공정성, 객관성, 정확성, 공익성 등의 책임이 따름.

기초 확인 문제

정답과 해설 33쪽

1 다음의 매체 특성과 관련한 설명에서 ⓐ, ⓑ에 들어갈 알맞은 말을 각각 쓰시오.

정보 전달 매체는 정보를 전달하는 수단이나 (ⓐ)로 정보 전달 주체의 (ⓑ)이나 가치가 반영된 경우가 많으므로 이를 무턱대고 수용해서는 안 됩니다.

ⓐ: (　　　　　　)　ⓑ: (　　　　　　)

2 다음은 여러 매체에 대한 설명이다. 설명이 맞으면 O표, 틀리면 X표 하시오.

(1) 텔레비전은 신문과 달리 일방적으로 정보를 전달한다. O X

(2) 인터넷 기반 매체들은 신문과 달리 실시간으로 정보를 전달할 수 있다. O X

(3) 신문 기사나 텔레비전 뉴스의 사건 보도라도 사건의 모든 내용을 다루지는 않는다. O X

(4) 인터넷은 누구나 쉽게 이용할 수 있으므로 인터넷 기반 매체에는 특정한 관점이 반영되기 어렵다. O X

3 다음을 참고하여 매체와 매체 자료의 수용 태도에 대해 이해한 내용으로 적절하지 않은 것은?

이 그림은 흰색에 주목해서 감상하면 유리잔처럼 보이지만, 검은색에 주목하면 마주하고 있는 두 사람의 얼굴처럼 보인다. 보는 관점에 따라 전혀 다른 그림이 되는 것이다.

① 매체의 관점에 따라 정보 내용이 달라질 수 있다.
② 매체에 반영된 가치가 무엇인지 살필 줄 알아야 한다.
③ 매체가 전달하는 정보를 비판적으로 수용해야 한다.
④ 매체 자료가 전달하는 정보가 모두 객관적인 것은 아니다.
⑤ 매체가 전달하는 정보를 믿지 말고 스스로 정보를 찾아야 한다.

4 다음 중 '매체 자료의 비판적 수용을 위한 점검 항목'으로 활용하기에 적절하지 않은 것을 고르시오.

㉠ 매체 자료 내용의 사실성 판단
㉡ 매체 자료 생산자의 관점이나 가치관
㉢ 매체 자료나 정보가 지닌 경제적 가치
㉣ 매체를 통해 드러내려는 정보와 누락된 정보
㉤ 매체 자료 내용과 관련된 이해관계가 있는 대상

핵심 3 대중문화의 특성과 영향

1 대중문화: 대중이 즐기는 문화. 주로 대중 매체를 통해 형성되고 전달됨.

긍정적 영향	• 청소년들의 여가와 ❶ [ ] 문화에서 큰 비중을 차지함. → 친구들 간의 대화나 사회적 관계에 큰 영향을 줌. • 수용자의 욕망 및 심리 구조, 독서 습관, 문화 수용 태도 등의 형성에 영향을 끼침. • 대중에게 즐거움을 주는 ❷ [ ] 기능이 있고, 대중의 의식 전반에 영향을 줌.
부정적 영향	• ❸ [ ] 가치와 이윤 추구를 목적으로 함. → 상업성을 위해 통속적, 선정적, 자극적인 내용으로 일관하기도 함. • 수용자가 선호하는 문화만을 강조하여 문화의 획일성이 심화됨. • 사회의 지배적 가치나 ❹ [ ]이 반영됨.

❶ 또래
❷ 오락적
❸ 경제적
❹ 이념

2 대중 매체의 대량 전달력: 대중 매체는 많은 사람들에게 대량의 정보를 전달할 수 있음.
→ 대중문화 형성에 큰 영향을 끼침.

예 비슷한 시기에 동일한 영화나 드라마 감상하기, 인기 있는 대중가요 따라 부르기 등

핵심 4 대중문화의 비판적 이해와 주체적 수용

1 대중문화의 양면성

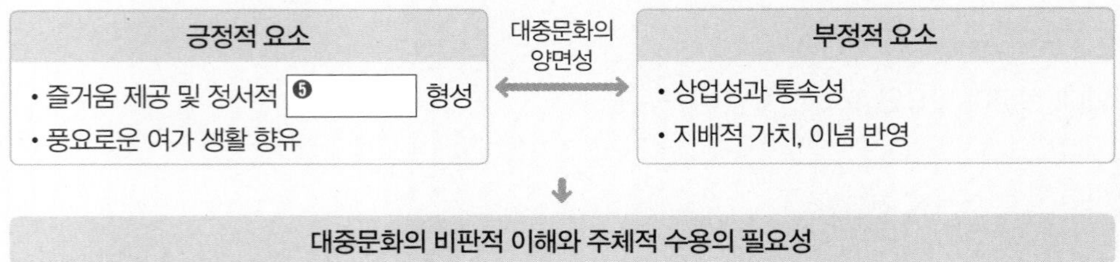

긍정적 요소
• 즐거움 제공 및 정서적 ❺ [ ] 형성
• 풍요로운 여가 생활 향유
대중문화의 양면성
부정적 요소
• 상업성과 통속성
• 지배적 가치, 이념 반영
대중문화의 비판적 이해와 주체적 수용의 필요성

2 대중문화의 비판적 이해

• 대중문화에 특정한 ❻ [ ] 등이 숨어 있는지 살펴보기.
예 대중가요의 가사, 영화나 드라마의 줄거리 및 인물 형상 등을 비판적으로 살피기.
• 대중문화에 담긴 이데올로기나 생각 등이 수용자에게 미칠 영향을 생각해 보기.

3 대중문화의 주체적 수용: 대중문화의 장점과 단점을 분명하게 인식하고, ❼ [ ] 가치를 적극적으로 찾고 누리며 스스로의 가치 판단에 따라 주체적으로 향유하는 태도를 길러야 함.

❺ 유대감
❻ 이데올로기
❼ 긍정적

개념 Catch

• **대중 매체**
많은 사람에게 대량의 정보와 생각, 의견 등을 전달하는 대중 의사소통 매체를 의미함.

• **대중 매체의 종류**
대중 매체에는 신문, 책, 잡지와 같은 인쇄 매체, 라디오, 텔레비전 등의 방송 매체, 휴대 전화와 인터넷 같은 통신 매체 등이 있음.

5 대중문화에 대한 설명으로 적절하지 않은 것은?

① 대중이 즐기는 문화를 말한다.
② 대중 매체와 별개로 형성되는 문화이다.
③ 긍정적 요소와 부정적 요소가 모두 있다.
④ 즐거움을 주는 오락적인 기능이 있기도 하다.
⑤ 경제적 가치와 이윤 추구를 목적으로 내용을 꾸미기도 한다.

6 〈보기〉의 대화를 통해 알 수 있는 대중문화의 특성으로 가장 적절한 것은?

보기

어제 〈★퀴즈〉 봤어? 너무 재밌더라.

그래? 지난 회도 재미있었는데, 어제는 못 봤네. 누가 나왔어? 어떤 주제였는데? 빨리 얘기 좀 해 봐.

① 상업성 추구를 위해 통속적인 내용을 다룬다.
② 사회의 지배적인 가치나 이념이 반영되어 있다.
③ 청소년 여가와 또래 문화에 큰 비중을 차지한다.
④ 수용자의 독서 습관이나 욕망 형성에 영향을 준다.
⑤ 대중이 선호하는 문화만을 다루게 되어 문화의 획일성을 심화한다.

7 다음은 인터넷 자료를 읽고 학생이 떠올린 생각이다. 빈칸에 들어갈 알맞은 말을 쓰시오.

대조영, 태조 왕건, 이순신 등 역사적 인물을 다룬 영화나 드라마는 대중에게 큰 인기를 얻으며 역사에 관한 관심을 높이기도 하였다. 최근에는 영화나 드라마뿐만 아니라 역사를 주제로 한 예능 프로그램까지 많이 만들어지면서 남녀노소 누구에게나 역사는 친숙한 소재가 되었다. 하지만 역사 소재 드라마나 영화는 물론 역사 예능에서까지도 역사 왜곡 논쟁이 끊이지 않고 있는 것도 사실이다.

대중문화에서 역사를 다루는 것이 긍정적인 측면만 있는 것은 아니구나. 대중문화가 (   )을 지닌 만큼 주의할 필요가 있겠어.

8 다음은 대중문화를 즐기는 태도와 자세를 설명한 것이다. 설명이 맞으면 O표, 틀리면 X표 하시오.

(1) 대중문화의 오락적 성격보다는 실질적으로 도움이 되는 요소를 찾아 즐겨야 한다. [O] [X]
(2) 대중문화는 많은 사람들로부터 검증된 것으로 모든 문화를 수용해야 한다. [O] [X]
(3) 스스로의 가치 판단에 따라 대중문화를 주체적으로 향유할 수 있도록 한다. [O] [X]

3일 교과서 기출 베스트

[1~3] 다음 글을 읽고, 물음에 답하시오.

게임 산업 현장의 목소리와 업계 전문가들이 참여해 정부에 직접 정책을 제안하는 대한민국 게임 포럼 정책 제안 발표회가 금일 국회 의원 회관에서 개최됐다.

□□디지털문화연구소의 이○○ 소장은 게임은 이야기, 음악, 미술, 디자인이 어우러지는 종합 예술이자 최신 기술력을 요구하는 첨단 기술의 총아라고 전했다. 최근 아이들은 스마트폰 게임을 즐기면서 타자를 치며 알아서 한글을 떼고, 누가 알려 주지 않아도 첨단 기기들을 사용하며 스스로 기기의 사용법을 깨우친다며, ㉠ 게임은 진정한 자기 주도 학습을 유도하는 콘텐츠라고 강조했다. [중략]

(총아: 특별한 사랑을 받는 사람.)

게임 산업의 부정적인 인식에 대해 이 소장은 "배가 발명된 것은 조난도 함께 발명된 것이며, 조난 때문에 배를 만들지 않는다는 것은 본말이 전도된 것입니다. 모든 일에는 명과 암이 있듯이 게임의 어두운 면만을 강조하는 지금의 상황은 게임이 가진 변화와 혁신을 완전히 무시하는 결과로 이어질 것입니다."라고 말했다.

(본말이 전도된: 중요한 것과 중요하지 않은 것이 구별되지 않거나 일의 순서가 잘못 바뀐 상태가 되다.)

아울러 '게임 중독'이 하나의 질환으로 인정되려면 다른 질환과 차별화된 고유 패턴이 있어야 하는데, 게임 중독은 다른 질환으로 모두 설명이 되기 때문에 병으로 구분할 수 없다고 설명했다. 소수의 과몰입 집단은 치료가 필요하지만 나머지 90% 이상의 건전하게 게임을 즐기는 이들을 위한 증진 정책은 전혀 없는 것이 지금 정책의 한계라고 밝혔다.

(증진: 기운이나 세력 따위가 점점 더 늘어 가고 나아감.)

이어 이 소장은 '게임 중독' 혹은 '과몰입' 같은 부정적인 용어 때문에 게임 산업 전체가 피해를 보고 있으므로, '게임 편용'과 같은 용어로 바꿔야 한다고 강조했다.

(게임 편용: 불균형을 지칭하는 '편(偏)'과 활용을 뜻하는 '용(用)'을 결합한 신조어.)

– 《게임동아》, 2017년 9월 22일 자에서

1 윗글의 게임 편용에 대해 이해한 내용으로 적절하지 않은 것은?

① 게임 업계의 전문가들 중에서 제안된 용어이다.
② '게임 중독'보다 어감이나 인식이 가치 중립적인 용어이다.
③ 게임에 대한 부정적 인식을 완화해 줄 수 있는 용어이다.
④ 게임을 과하게 즐기는 일부 사람들의 태도와 관련이 있는 용어이다.
⑤ 게임을 학습의 대상으로 보고 활용하는 것과 관련이 있는 용어이다.

2 ㉠에 대한 비판으로 가장 적절한 것은?

① 게임을 통해 자기 주도 학습을 한다면 오히려 학업 부담을 높이는 것은 아닌가?

② 게임을 하기 위해 첨단 기기 사용법을 익히는 것을 자기 주도 학습이라 할 수 있을까?

③ 게임을 잘한다고 해서 음악과 미술, 디자인 등의 예술 활동도 잘할 수 있는 것인가?

④ 스마트폰 게임이 아닌 다른 게임을 통해서는 자기 주도 학습 태도를 기를 수 없을까?

⑤ 게임을 통한 자기 주도 학습을 강요하는 것도 게임의 부정적인 면이라고 할 수 있지 않을까?

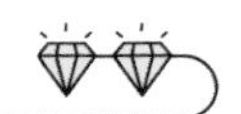

3 서술유형 **윗글에 나타난 관점을 〈조건〉에 따라 서술하시오.**

조건
- '게임 중독'과 '게임 산업'에 대한 관점을 나누어 쓸 것.
- '게임 중독을 ~고 보며, 게임 산업에 대해 ~ 관점을 드러낸다.'의 형식으로 쓸 것.
- 50자 내외로 서술할 것.

[4~5] 다음 글을 읽고, 물음에 답하시오.

지난 26일 '2017 행위 중독 치유 해법 포럼'이 열렸다. 이번 포럼에서 기조 발표에 나선 이○○ □□대 정신건강의학과 교수는 "행위 중독은 특정 행위에 따른 만족 경험과 강력한 기억, 다시 그 보상을 경험하기 위한 반복적 행동이 부정적 결과를 초래하는데도 그만두지 못하고 강박적으로 지속되는 것"이라고 정의하며, "우리나라가 인터넷 강국이라는 긍정적 측면 뒤에 도사린 인터넷 중독 등 다양한 행위 중독에 대한 폭넓은 관심과 적절한 관리 노력이 절실하다."라고 지적했다.

이어진 주제 발표에서 국립정신건강센터 정신건강의학과 전문의 ㉠조○○ 과장은 행위 중독 관리를 위한 국가 정책의 필요성을 역설했다(자기의 뜻을 힘주어 말하다.). 조 과장은 행위 중독 문제를 제기하는 어떠한 연구자나 임상가도 인터넷 게임 등 관련 산업의 위축을 바라지 않으며 그 자체에 다양한 선용(善用)(알맞게 쓰거나 좋은 일에 씀.)의 가능성이 있다고 믿지만, 다만 함께 존재할 수밖에 없는 폐해에 대해서는 외면하지 말아야 한다고 했다.

조 과장은 최근 청소년의 중독 문제를 분석한 국내 한 연구에 따르면 청소년기의 중독적인 인터넷 사용이 초기 성인기의 과음 및 흡연과 밀접하게 연관되는 것으로 분석됐다고 밝혔다. 또한 인터넷 게임 중독은 피시(PC)방 접근성, 게임 광고 등 사회적 요소와 연관성이 높은 만큼 행위 중독 문제는 정책적 측면에서 사회 환경과 제도를 개선함으로써 효율적 대안을 찾을 수 있다고 주장했다.

조 과장은 행위 중독 만연과 관련 산업 육성을 적대적 관계로 규정하기보다 조화롭게 고려함으로써 국민 행복을 달성할 수 있는 공동 과업으로 설정해야 한다고 덧붙였다.

– 《주간동아》, 2017년 10월 3일 자에서

4 빈출유형 **윗글에 나타난 ㉠의 견해로 적절하지 않은 것은?**

① 행위 중독을 국가 정책으로 관리해야 한다.
② 게임도 바르게 활용할 수 있는 가능성이 있다.
③ 게임 중독은 여러 사회적 요소와 연관되어 있다.
④ 청소년기의 중독은 초기 성인기에도 영향을 미친다.
⑤ 행위 중독을 일으키는 산업은 육성보다 제한이 필요하다.

5 **다음은 〈보기〉를 참고하여 윗글을 읽은 후 정리한 내용이다. ⓐ, ⓑ에 들어갈 말을 각각 쓰시오.**

보기

매체를 비판적으로 수용할 때는 일반적으로 '자료의 출처와 생산자, 생산자의 관점, 강조한 정보와 누락한 정보, 이해관계자' 등을 고려해야 한다.

이 글은 행위 중독 문제를 해결할 수 있는 대안을 국가 (ⓐ) 측면과 사회 제도적 측면에서 살피고 있어. 또한 게임 산업에 대해서 비교적 (ⓑ)인 입장을 보여 주고 있어.

도움말
- **비판적인 태도**
  비판적인 태도는 무턱대고 반대하는 것만을 의미하는 것이 아니다. 상대의 말이 적절한지, 빠트리고 있는 것은 없는지, 잘못 전달하는 것은 없는지 등을 지적하거나 반박하는 것을 의미한다.

교과서 기출 베스트

[6~7] 다음 글을 읽고, 물음에 답하시오.

가 대중문화 상품의 생산자들은 위험 부담을 최소화하고 이윤을 극대화하기 위해 이미 시장에서 상품성을 인정받은 요소를 되풀이하여 사용한다. 여기서 대중문화의 상투성과 통속성이 발생한다. 예를 들어 대중음악의 노랫말이 대부분 사랑과 이별에 대한 내용에 머물러 있다든지, 텔레비전 드라마나 영화에서 삼각관계, 출생의 비밀, 기억 상실 같은 요소가 빈번하게 등장하는 것은 이런 통속적인 내용들이 일정한 이윤을 보장한다는 경험적 믿음이 있기 때문이다.

(이윤: 장사 따위를 하여 남은 돈.)

나 현대인들이 흔히 당연하게 받아들이는 사회적 가치들은 광고, 신문, 라디오 등 다양한 매체를 통해 사람들에게 유포된다. 그러나 그것은 당연한 것이 아니라 사회의 지배적 이데올로기를 반영한 것이다. 대중문화는 생산자의 의도와 이데올로기를 담고 있으며, 대중문화의 수용자들은 그러한 이데올로기적 조작에 쉽게 영향을 받을 수 있다. 예를 들어 많은 드라마와 광고들은 자본주의적 가치관을 드러내고, 이런 문화 상품을 반복적으로 접하면서 대중의 의식과 정서는 그런 기성의 가치관에 젖어 든다는 것이다.

다 여기서 문제가 되는 것은 어떤 것이 좋은 문화라는 자신의 판단이 정말로 내 스스로 주체적인 입장에서 이루어진 것인가 하는 점이다. 정말로 그것이 나의 삶의 조건과 욕구에 합당한 것이며 진정 나의 삶을 풍요롭고 주체적인 것으로 만들어 줄 문화인가 하는 의문이다. 어쩌면 내가 좋은 문화라고 생각하는 그 판단 기준이 단지 문화 산업의 광고 전략에 따라 만들어진 것은 아닌지, 혹은 다른 사람들의 문화 행태에 자신도 모르게 영향을 받아서 생긴 것은 아닌지 하는 자기반성이 필요하다는 것이다. 사실 우리가 가지고 있는 문화를 판단하는 기준은 많은 경우 외부적인 영향에 의해, 특히 대중 매체와 문화 산업의 영향에 의해 형성된 경우가 많다.

– 김창남, 《대중문화의 이해》에서

6 (가)~(다)에 대한 설명으로 적절하지 않은 것은?

① (가)와 (나)는 구체적인 예를 들어 대중문화의 특성을 제시하고 있다.
② (가)와 (나)는 대중문화의 서로 다른 측면에 초점을 맞춰 설명하고 있다.
③ (나)는 (다)와 달리 대중문화를 생산자의 측면에서만 살피고 있다.
④ (다)는 대중 매체나 문화 산업이 사람들의 의식에 영향을 준다고 보고 있다.
⑤ (다)는 문화에 대한 자신의 판단을 돌아보는 자기반성적 태도가 필요하다고 보고 있다.

7 (가)와 (나)를 바탕으로 다음 대화를 이해할 때, 적절하지 않은 것은?

① '수지'는 드라마의 내용이 재미있기만 하면 된다고 생각하고 있어.
② '수지'의 말을 통해 드라마 속 상품 광고의 효과가 크다는 것을 알 수 있어.
③ '수지'와 같은 시청자들이 있어서 통속적인 내용의 드라마가 계속 제작되는 것이군.
④ '승하'는 드라마에 필요하지 않은 장면이 있다고 생각하는군.
⑤ '승하'는 이데올로기적 조작에 쉽게 흔들린 대중문화 수용자라 할 수 있겠군.

[8~9] 다음 글을 읽고, 물음에 답하시오.

오늘날 청소년은 가장 크고 중요한 문화 소비층이 되어 있고, 따라서 대중 매체나 문화 산업의 입장에서 보면 청소년은 가장 중요한 판매 시장이다. 미디어와 문화 산업은 어떤 식으로든 청소년을 공략하기 위해 혈안이 되어 온갖 광고와 판매 전략을 동원해 청소년을 현혹하고 있다. 이런 상황에서 자칫 마음을 놓으면 문화 산업의 광고 전략에 넘어가 한낱 소비자로 전락하기 십상이다. 그렇게 한낱 소비자일 뿐이면서 마치 자기 스스로 문화를 판단하고 선택한 것처럼 착각하기 쉽다는 것이다. 이럴 경우 그는 단지 문화의 객체일 뿐 결코 주체라 할 수 없다. 요즘 청소년들을 보면 거의 비슷한 외모와 비슷한 스타일로 꾸미면서, 거기에 비슷한 상품을 들고 다닌다. 그러면서 그들은 당당히 '개성'을 내세운다. 세상에 모두 똑같이 하고 다니는 것이 어떻게 개성일 수 있는가. 결국 대부분 문화 산업의 목소리를 자신의 목소리로 착각하고 있다고 할 수밖에 없다. 이런 식으로는 결코 좋은 문화를 가질 수 없다. 그것은 단지 돈을 버는 문화 산업에만 이익이 되는 문화일 뿐이다.

(혈안이 되어: 어떠한 일에 광분하다. / 한낱: 기껏해야 대단한 것 없이 다만. / 전락하기: 나쁜 상태나 타락한 상태에 빠지다.)

– 김창남, 《대중문화의 이해》에서

8 **윗글을 바탕으로 〈보기〉를 이해한 내용으로 적절하지 <u>않은</u> 것은?**

보기

지난겨울 한 외국 브랜드의 패딩 점퍼가 중고등학생들에게 선풍적인 인기를 끌었다. 교실에 그 브랜드의 점퍼를 입지 않는 학생이 한 명도 없을 정도였다. 이 패딩 점퍼는 한 벌에 40~50만 원 정도로 학생들이 소비하기에 다소 비싼 가격대를 형성했는데, 한 벌에 100만 원이 넘는 프리미엄 상품이 유행하며 학생들과 학부모의 부담을 가중시켰다.

① 청소년들이 유행에 민감함을 보여 준다.
② 해당 제품의 주요 공략 대상은 청소년임을 알 수 있다.
③ 패딩 점퍼 업체들은 단지 돈을 버는 산업으로만 생각할 것이다.
④ 프리미엄 패딩 점퍼는 남들과는 다른 개성을 보장해 줄 수 있을 것이다.
⑤ 학생들은 패딩 점퍼를 입는 문화를 자신들이 선택했다고 생각할 수 있다.

9 서술 유형 **윗글의 글쓴이가 말하는 '개성'이란 무엇인지 〈조건〉에 따라 서술하시오.**

조건

• 윗글에 나타난 비유적 표현을 찾아 활용할 것.
• '~가 아닌 자신의 ~를 내는 것이다.'라는 형식에 따라 30자 내외로 쓸 것.

대단원 V. 국어의 변화와 매체 문화의 발전

1. 국어의 역사와 다양성

생각 열기

우리말은 어떻게 변화하고 있을까?

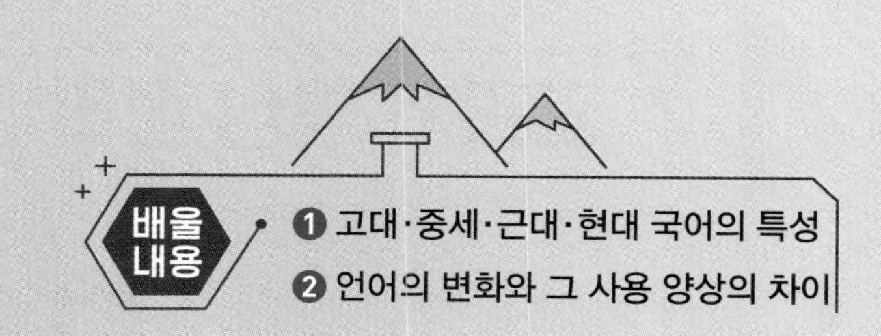
배울 내용
❶ 고대·중세·근대·현대 국어의 특성
❷ 언어의 변화와 그 사용 양상의 차이

말투를 보아 하니 고것 참 어리구나.
어려 보여요? 훗, 제가 좀 동안이긴 하죠.
예전에는 '어리다'가 '어리석다'라는 의미로 쓰였어.
뭐? 이럴 수가!
이렇게 언어는 시간이 흐르면서 의미가 변하기도 해.
형태가 달라지는 경우도 있지.
• 얼굴: 형체 → 안면(顔面)
• 영감: 당상관 이상의 높은 벼슬을 지낸 사람 → 남자 노인
ᄆᆞᅀᆞᆷ → 마음
ᄇᆞᄅᆞᆷ → 바람
와~ 신기하다. 시대에 따라 국어에 많은 변화가 있었구나!
열심히 공부해야겠어!
좋은 태도야. 소중한 국어의 역사를 잘 익혀 두자!

4일 교과서 핵심 정리

교과서 208~223쪽

핵심 1 고대 국어

고대 국어	중세 국어		근대 국어	현대 국어
	전기	후기		
~10세기 초	10세기 초~14세기 말	15세기 초~16세기 말	17세기 초~19세기 말	20세기~

→ 통일 신라 시대까지 사용된 국어를 가리킴.

- 우리말을 표기할 우리만의 고유 문자가 존재하지 않아 ❶ ______ 를 빌려 다양한 방식으로 ❷ ______ 표기를 함.
- 차자 표기의 종류: 고유 명사의 표기, 서기체 표기, 이두, 구결, 향찰 등

❶ 한자
❷ 차자

핵심 2 중세 국어

- 10세기 초 고려가 건국되면서부터 16세기 말까지의 국어를 가리킴.
- 15세기에는 한글이 창제되어 향찰, 이두 등과 같은 차자법과 한문과 같은 한자 문화에서 점차 벗어나는 계기가 됨.

음운과 표기	• ❸ ______ 가 점차 발달함. ㉠ 구짓-(15세기)>ᄭᅮ짓-(16세기), 긇->ᄭᅳᆶ-, 딯->ᄯᅵᇂ- • 오늘날에는 쓰이지 않는 음운 'ㅸ, ㅿ, ㆆ, ㆁ, ㆍ'이 사용됨. • 겹자음이 모두 발음되는 어두 자음군이 존재함. ㉠ ᄠᅳᆮ(뜻), ᄡᆞᆯ(쌀), ᄢᅮᆯ(꿀) • 모음 조화가 비교적 지켜짐. ㉠ ᄇᆞᆯ가(ᄇᆞᆰ-+-아), 블거(븕-+-어), ᄂᆞᆫ/는, ᄋᆞᆯ/을 • 방점을 사용하여 음의 높낮이를 나타내는 성조를 표시함. ㉠ 활[弓](평성, 낮은 소리), ·입[口](거성, 높은 소리), :돌[石](상성, 낮다가 높아지는 소리) • 이어 적기(연철) 방식을 사용함. ㉠ 말ᄊᆞᆷ+이 → 말ᄊᆞ미, 닉+이+어 → 니겨 • 받침(종성)에는 주로 ❹ ______ 개의 초성자(ㄱ, ㄴ, ㄷ, ㄹ, ㅁ, ㅂ, ㅅ, ㆁ)로만 적음.
문법	• 주격 조사로 '이'만 사용됨. ㉠ ᄉᆡ미(ᄉᆡᆷ+이), 부톄(부텨+ㅣ), ᄃᆞ리(ᄃᆞ리+Ø) • 체언이 조사와 결합할 때 형태가 바뀌기도 함. ㉠ 나모, 나모와(나모+와) : 남기(ᄂᆞᇧ+이), 남ᄀᆞᆫ(ᄂᆞᇧ+ᄋᆞᆫ) • ❺ ______ 어미로 '-옴/움'이 사용됨. ㉠ 안좀(앉-+-옴), 여룸(열-+-움) • 주체, 객체, 상대 ❻ ______ 이 있었음. 주체 높임은 선어말 어미 '-시/샤-', 객체 높임은 선어말 어미 '-ᄉᆞᆸ/ᄌᆞᆸ/ᅀᆞᆸ-', 상대 높임은 주로 종결 어미를 통해 실현됨. ㉠ 耶양輸슝ㅣ …… (목련ᄃᆞ려) 世·솅尊존ㅅ安한否:불:묻ᄌᆞᆸ·고니ᄅᆞ·샤·ᄃᆡ므·스므·라·오시·니잇·고 야수가 …… (목련에게) 세존의 안부를 여쭙고 말씀하시기를 "무슨 일로 오셨습니까?" -《석보상절(釋譜詳節)》 권 6에서
어휘	• 현대 국어에서 쓰이지 않는 ❼ ______ 가 많이 쓰임. ㉠ 뫼[山], ᄀᆞᄅᆞᆷ[江], 온[百], 즈믄[千] • 한자어의 사용이 지속적으로 증가함. ㉠ 文子(문자), 百姓(백성), 爲(위)하다, 便安(편안) • 중국어가 귀화하여 고유어처럼 쓰이기도 함. ㉠ 붇[筆], 먹[墨], 사탕[砂糖] • 몽골어와 여진어에서 들어온 외래어가 존재함. ㉠ 투먼[豆漫]('두만강'의 '두만')

❸ 된소리
❹ 여덟
❺ 명사형
❻ 높임법
❼ 고유어

개념 Catch

- 이어 적기(연철)
받침 있는 체언이나 용언의 어간에 모음으로 시작하는 조사나 어미가 연결될 때, 앞 형태소의 종성을 다음 형태소의 초성에 내려 쓰는 방식.

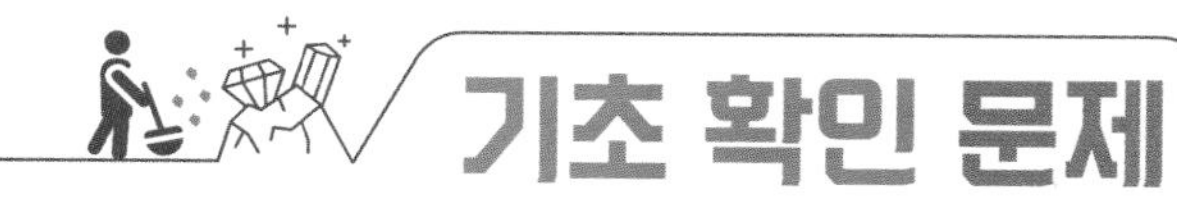

기초 확인 문제

정답과 해설 35쪽

4일

1 다음 설명이 맞으면 O표, 틀리면 X표 하시오.

(1) 고대 국어는 통일 신라 시대까지 사용된 국어를 말한다. [O | X]

(2) 고대에는 우리말을 표기할 우리만의 고유 문자가 존재했다. [O | X]

(3) 중세 국어는 15세기 전후를 기준으로 전기와 후기로 나누기도 한다. [O | X]

(4) 중세 국어 시기에는 오늘날 쓰이지 않는 음운이 사용되기도 했다. [O | X]

2 다음은 고대 국어 시기에 대한 설명이다. ⓐ, ⓑ에 들어갈 알맞은 말을 쓰시오.

고대 국어 시기에는 우리말을 표기할 고유의 문자가 없어 한자를 빌려 우리말을 표기하였습니다. 대표적인 차자 표기 방식으로는 '고유 명사의 표기', '(ⓐ) 표기', '이두', '구결', '(ⓑ)' 등이 있습니다.

ⓐ: (　　　　　　)　　ⓑ: (　　　　　　)

3 〈보기〉의 ㉠에 대한 이해로 적절한 것은?

보기

중세 국어 시기에는 음의 높낮이를 나타내는 방점이나, ㉠'ㅸ, ㅿ, ㆆ, ㆁ, ㆍ' 등의 음운이 사용되었고, 'ᄠᅳᆮ'의 'ㅳ', 'ᄡᆞᆯ'의 'ㅄ'과 같은 어두 자음군이 널리 쓰였다는 특징이 있다.

① 중국에서 유입된 글자이다.
② 된소리가 발달했음을 보여 준다.
③ 성조를 표시하기 위한 기호이다.
④ 현대 국어에서는 사라진 음운이다.
⑤ 높임법을 실현할 수 있음을 보여 준다.

4 다음은 중세 국어 시기에 사용된 어휘를 탐구한 내용이다. 이를 통해 알 수 있는 내용으로 적절한 것은?

- '산(山)'을 '뫼'라고, '강(江)'을 'ᄀᆞᄅᆞᆷ'이라고 하였다.
- '백(百)'이나 '천(千)' 대신에 '온'과 'ᄌᆞ믄'을 사용하였다.

① 고유어가 많이 쓰였음을 알 수 있다.
② 개성을 중심으로 어휘가 발달하였음을 알 수 있다.
③ 한자어의 사용이 지속적으로 증가하였음을 알 수 있다.
④ 본래 중국어였던 어휘들이 들어와 우리의 고유어처럼 쓰였음을 알 수 있다.
⑤ 몽골어와 여진어에서 들어온 외래어가 우리 어휘를 대신하였음을 알 수 있다.

4일 교과서 핵심 정리

핵심 3 근대 국어

• 17세기 초부터 19세기 말까지의 국어를 가리킴.
→ 중세 국어에서 현대 국어로 넘어오는 시기

구분	내용
음운과 표기	• 성조와 방점이 사라짐. → '장단'이 그 기능을 이어받게 됨. • 음운의 ❶ ☐ 과 변화가 일어남. – ㅿ: 16세기부터 약화되어 17세기에 소실됨. 예 니ᅀᅥ>니어, 손ᅀᅩ>손소('손수'의 옛말) – ㆁ: 종성에서만 실현되고, 글꼴도 'ㅇ'으로 변함. 예 ᄒᆞᄂᆞᅌᅵ다>ᄒᆞᄂᆞ이다 – ㆍ: 16세기부터 둘째 음절 이하에서는 주로 'ㅡ'로, 18세기에는 첫째 음절에서 주로 'ㅏ'로 변함. 예 모ᄅᆞ->모르-(16세기), ᄑᆞᆯ > 팔, ᄇᆡ>배(18세기) • 'ㅴ, ㅵ'과 같은 어두 자음군이 소멸하고, 'ㅺ, ㅼ, ㅽ, ㅾ'과 같은 된시옷 표기로 정착함. • 이중 모음이던 'ㅐ'와 'ㅔ'가 18~19세기에 ❷ ☐ 으로 변함. • 순음(입술소리) 밑의 'ㅡ' 모음이 원순 모음 'ㅜ'로 바뀜. 예 믈>물, 블>불, 브티다>부티다 • 두음 법칙에 변화가 나타나 어두의 'ㄴ'이 탈락됨. 예 님금>임금 • 17~18세기에 구개음화가 점진적으로 나타남. 예 디다>지다[落], 티다>치다[打] • 종성의 표기에는 'ㄱ, ㄴ, ㄹ, ㅁ, ㅂ, ㅅ, ㅇ'의 일곱 자를 사용함. • ❸ ☐ (중철) 방식이 나타남. 예 님금미(님금+이), 먹글(먹-+-을)
문법	• 주격 조사 '가'가 출현하여 '이'와 구별되어 쓰임. 예 ᄇᆡ>ᄇᆡ가 • ❹ ☐ 선어말 어미 '-ᅀᆞᆸ/ᄌᆞᆸ/ᄉᆞᆸ-'이 점차 쓰이지 않게 됨. • 명사형 어미 '-옴/움'이 '-음'으로 변하고 '❺ ☐'가 활발히 쓰임.
어휘	• 고유어가 한자어로 많이 대체됨. 예 뫼>산(山), ᄀᆞᄅᆞᆷ>강(江), 아ᅀᆞᆷ>친척(親戚) • 중국을 통해 근대 문물어가 많이 차용됨. 예 천리경(千里鏡), 자명종(自鳴鐘) 등 • 갑오개혁 이후 일본식 한자어가 많이 들어옴. • 어휘의 ❻ ☐ 변화가 일어남. 예 어엿브다(불쌍하다>아름답다)

❶ 소실
❷ 단모음
❸ 거듭 적기
❹ 객체 높임
❺ -기
❻ 의미

핵심 4 현대 국어

1 현대 국어의 특징

• 20세기 이후의 국어로, 개화기를 거치면서 ❼ ☐ 이 국문으로 인정받게 됨.
• 일제 강점기를 거치며 건설, 미용, 의상, 요리 분야 등에 일본어의 흔적이 많이 남음.
• 해방 이후 서구 사회와의 교류가 늘며 서구어가 유입되어 외래어의 비중이 높아짐.

❼ 한글

2 국어사 학습의 필요성

• 국어의 변화 과정과 원인을 살핌으로써 선인들의 삶과 국어에 담긴 문화적 특성을 파악할 수 있음.
• 현대 국어에 대한 통찰력을 높이고, 국어의 발전을 위한 인식을 새롭게 함.

개념 Catch

• **거듭 적기(중철)**
받침 있는 체언이나 용언의 어간에 모음으로 시작하는 조사나 어미가 연결될 때, 앞 형태소의 말음을 종성에도 적고 뒤 형태소의 초성에도 적는 방식.

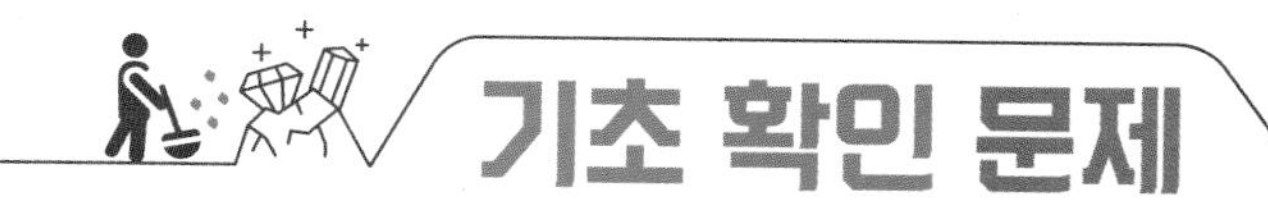

기초 확인 문제

정답과 해설 35쪽

5 근대 국어의 특징으로 적절하지 않은 것은?

① 성조와 방점이 사라지게 되었다.
② 'ㅿ'은 'ㅇ'으로 글꼴이 변하였다.
③ 'ㅴ'이나 'ㅵ'과 같은 형태가 사라지게 되었다.
④ 'ㅐ'와 'ㅔ'가 이중 모음에서 단모음으로 변하였다.
⑤ 주격 조사 '가'가 출현하여 '이'와 구별되어 쓰였다.

6 〈보기〉를 참고하여 이해한 내용이 맞으면 O표, 틀리면 X표 하시오.

보기

근대 국어 시기에는 모음 'ㆍ'가 점차 소실되었다. (사라져 없어짐.) 'ㆍ'는 16세기부터 둘째 음절 이하에서는 주로 'ㅡ'로, 18세기에는 첫째 음절에서 주로 'ㅏ'로 변하였다.

(1) 'ᄑᆞᆯ'이 '팔'로 표기되기 시작한 시기는 18세기라고 볼 수 있다. O X

(2) '모ᄅᆞ다'와 'ᄇᆡ'는 16세기에 각각 '모르다'와 '배'로 변하였다. O X

(3) 'ᄆᆞᅀᆞᆷ'은 먼저 'ᄆᆞ음'으로 변한 후 '마음'으로 변하였다. O X

7 다음 선생님의 설명을 참고하여 밑줄 친 물음에 대한 학생의 대답을 바르게 완성하시오.

근대 국어 시기에 쓰인 거듭 적기 방식은 앞말에 받침이 있고 뒷말이 모음으로 시작하는 조사나 어미일 때, 앞말의 종성을 뒷말의 초성에도 한 번 더 적는 것입니다. 예를 들어 '님금'에 조사 '이'가 결합할 때, '님금+이'를 '님금미'로 적은 것이지요. 그렇다면 어간 '먹-'에 어미 '-을'이 결합할 때 거듭 적기 표기는 어떻게 했을까요?

'먹-+-을'을 '(   )'로 썼습니다.

8 현대 국어에 대해 나눈 대화 내용으로 적절하지 않은 것은?

① 20세기 이후의 국어를 현대 국어라고 해.

② 개화기 이후에 한글이 국문으로 인정받게 되었어.

③ 서구 사회와의 교류가 늘면서 외래어의 비중이 높아지기도 했어.

④ 일제 강점기를 거치며 일상에 일본어의 흔적이 많이 남게 된 것은 아쉬워.

⑤ 고유어가 한자어로 많이 대체되기 시작한 점도 안타까운 일이지.

핵심 5 언어의 변화와 다양성

언어의 변화	언어의 다양성
음운, 단어, 문장, 의미 등의 차원에서 다양하게 변화함.	언어를 사용하는 ❶ ☐가 속한 지역, 연령, 세대, 성별, 사회적 계층에 따라 사용하는 언어 양상이 조금씩 다름.

↓

같은 시대에 ❷ ☐한 언어를 사용하는 사람들이라도 지역적, 사회적, 문화적 요인에 따라 언어가 변화하고 사용 양상의 차이를 보임.

❶ 화자

❷ 동일

핵심 6 언어 사용 양상의 차이

언어 사용 양상	특징
지역	• 같은 언어라 하더라도 지역에 따라 차이가 있음. • 우리나라의 경우 ❸ ☐ 구획을 일반적으로 '중부 방언, 동북 방언, 동남 방언, 서북 방언, 서남 방언, 제주 방언'의 여섯 개로 구분함.
연령이나 세대	• 연령이나 세대에 따라 언어 차이가 생김. 예 성인이 되면(엄마 → 어머니) / 노년층(옛말, 한자어) – 청소년(외래어, 속어) • 연령이나 세대에 따른 언어 차이는 그 경계가 분명한 것은 아님.
성별	• 성별에 따라 사용하는 언어에 차이가 생기기도 함. 예 여성: 동의를 구하는 부가 의문문, 감탄사, '해요체' 등을 많이 사용함. 남성: 여성에 비해 부가 의문문과 감탄사의 사용 빈도가 낮음. '하십시오체'를 많이 사용함. • 성별에 따른 언어 차이는 절대적인 것이 아니며, ❹ ☐과 사회 환경에 따라 차이가 있음.
직업 또는 전문 분야	• 현대 사회가 급속도로 변하며 새로운 직업과 전문 분야가 많이 생김. → 직업 또는 전문 분야에 따른 언어 차이가 커짐. • 직업 또는 전문 분야에 따른 언어 차이는 ❺ ☐ 차원에서 가장 뚜렷하게 나타남. 해당 직업 또는 전문 분야에 속해 있지 않을 경우 이해하기 어렵다는 특징이 있음.
문화	• 문화에 따라 발달한 어휘, 많이 사용하는 어휘 등에 차이가 있음. • 문장 구조나 담화 구성 방식이 달라지기도 함. • 한국어를 사용하는 사람이라도 국내, 북한, 해외 등 각자가 처한 ❻ ☐에 따라 언어 차이가 다양하게 나타날 수 있음.

❸ 방언

❹ 개인

❺ 어휘

❻ 문화

정답과 해설 35쪽

9 언어의 변화와 다양성에 대한 이해로 적절하지 <u>않은</u> 것은?

① 음운이나 단어 차원에서만이 아니라 문장 차원에서 변화하기도 한다.
② 문화적인 여건과 주변 환경에 따라서도 언어가 다양하게 변화할 수 있다.
③ 언어를 사용하는 화자의 성별에 따라서 언어 표현의 차이가 나타나기도 한다.
④ 지역이나 연령보다는 사회 계층에 따른 언어 변화가 가장 두드러지게 나타난다.
⑤ 같은 대상을 가리키는 여러 단어가 있다는 것은 언어의 변화와 다양성을 보여 주는 것이다.

10 다음 상황에 대한 이해로 적절하지 <u>않은</u> 것은?

① 세대에 따른 언어 사용 양상의 차이를 보여 준다.
② 단어 차원에서 서로의 표현을 이해하지 못하고 있다.
③ ㉠은 할아버지와 손녀가 모두 이해하는 어휘이다.
④ ㉡은 책을 통해 학습해야 하는 전문 용어이다.
⑤ ㉢은 특정 연령층에서 주로 사용하는 유행어이다.

11 다음 상황에 대해 이해한 내용으로 맞으면 O표, 틀리면 X표 하시오.

(1) 성별에 따라 언어 사용 양상이 다른 상황이다. [O | X]

(2) 이 상황과 같은 언어 사용 양상의 차이는 어휘 차원에서 가장 뚜렷하게 드러난다. [O | X]

12 〈보기〉를 읽고 ⓐ와 ⓑ에 들어갈 알맞은 말을 각각 2음절로 쓰시오.

보기

> 나비 제비야 깝치지 마라,
> 맨드라미 들마꽃에도 인사를 해야지.
> – 이상화, 〈빼앗긴 들에도 봄은 오는가〉에서
>
> "선생님, 시가 이상해요. 봄에 무슨 맨드라미가 펴요. 맨드라미는 가을에나 핍니다." 선생님께서는 대답이 없으시다.
> 다음 국어 시간, 선생님께서 열심히 자료를 찾아보셨는지 정답을 주신다.
> "작자 이상화는 대구 출신으로서 이 시에 등장하는 맨드라미는 우리가 알고 있는 맨드라미가 아니라 민들레의 경상도 지역 방언……." 그제야 앞뒤가 맞는다.
> – 한성우, 《방언 정담》에서

이상화의 시 구절은 (ⓐ)을 사용한 예로, 이는 (ⓑ)에 따른 언어 사용 양상의 차이를 보여 준다.

교과서 기출 베스트

[1~3] 다음 글을 읽고, 물음에 답하시오.

가 ㉠素那(或云金川) 白城郡蛇山人也

| 현대어 풀이 |

소나(혹은 금천이라고 한다)는 백성군 사산 사람이다.

– 《삼국사기(三國史記)》 권 제47에서

나 壬申年六月十六日 二人幷誓記 ㉡天前誓
今自三年以後 忠道執持 過失无誓

| 현대어 풀이 |

임신년 6월 16일에 두 사람이 함께 맹세하여 기록한다. 하늘 앞에 맹세한다.

지금부터 3년 이후에 충성스러운 도를 간직하고 허물이 없기를 맹세한다.

– 〈임신서기석(壬申誓記石)〉에서

다

善化公主㉢主隱(훈차, 음차)
他密只嫁良置古(음차, 음차, 음차)
薯童房乙
夜矣卯乙抱遣去如(음차, 음차, 훈차, 음차)

| 현대어 풀이 |

선화 공주님은
남 몰래 결혼하고
맛둥서방을
밤에 몰래 안고 가다.

– 《삼국유사(三國遺事)》 권 제2에서

1 (가)~(다)의 공통점으로 가장 적절한 것은?

① 중세 국어에 주로 사용되었다.
② 한자를 빌려 우리말을 표기하였다.
③ 우리말을 우리 고유 문자로 표기하였다.
④ 한문의 어순을 그대로 따르며 우리말을 표기하였다.
⑤ 한자를 활용하여 우리말의 조사나 어미를 표기하였다.

도움말
- 차자 표기

자기 나라의 말을 적는 데 남의 나라의 글자를 빌려 쓰는 것이나 그 글자를 '차자'라고 한다. 한자의 음을 빌려 표기하는 음차(音借)와 한자의 뜻을 빌려 표현하는 훈차(訓借)가 있다.

2 〈보기〉를 참고하여 ㉠과 ㉡에 대해 이해한 내용으로 적절하지 않은 것은?

보기

㉠

素	那	金	川
흴 소	어찌 나	쇠 금	내 천

㉡

天	前	誓
하늘 천	앞 전	맹세할 서

[참고] 한문 어순에 맞게 바꾼 표현

誓	天	前
맹세할 서	하늘 천	앞 전

① ㉠은 '소나' 혹은 '쇠내'와 유사한 소리로 읽었겠구나.

② ㉠의 '素那'는 한자의 음을 빌려 표기한 것이구나.

③ ㉠의 '金川'은 한자의 뜻을 빌려 표기한 것이구나.

④ ㉡은 한문 어순에 따라 한자를 배열했다고 볼 수 있겠어.

⑤ ㉡의 현대어 풀이를 보니 한자의 뜻을 빌려 표기했음을 알 수 있어.

도움말
- 차자 표기의 종류

고유 명사의 표기	인명, 지명 등의 고유 명사를 표기하고자 한자의 뜻과 소리를 이용함.
서기체 표기	한문을 국어 어순에 맞게 변형하여 씀.
향찰	어휘적인 의미를 가진 부분은 한자의 뜻을 빌리고, 문법적인 의미를 가진 부분은 한자의 소리를 빌려 우리말 운문 문장을 표기함.

3 서술 유형 다음을 참고하여 ⓒ의 표기 방식을 〈조건〉에 따라 서술하시오.

조건

- "'主'는 ~을 빌려 쓴 것이고, '隱'은 ~을 빌려 쓴 것이다."의 형식으로 쓸 것.
- 40자 내외로 쓸 것.

[4~6] 다음 글을 읽고, 물음에 답하시오.

海東六龍·이 ᄂᆞᄅᆞ·샤 :일:마다 天福·이시·니 古聖·이 同符·ᄒᆞ시·니

(海東六龍: 세종의 선조인 목조, 익조, 도조, 환조, 태조, 태종을 가리킴. / 古聖: 옛 성인. / 同符: 똑같이 들어맞으시니.)

| 현대어 풀이 |

우리나라의 여섯 용이 나시어 하는 일마다 모두 하늘이 내리신 복이십니다.

중국 고대 성군들이 하신 일과 일치합니다.

〈제1장〉

불·휘 기·픈 ㉠남·ᄀᆞᆫ ᄇᆞᄅᆞ·매 아·니 :뮐·ᄊᆡ 곶 :됴·코 여·름 ·하ᄂᆞ·니

(남·ᄀᆞᆫ: 낡+ᄋᆞᆫ / 뮐·ᄊᆡ: 움직이므로. 뮈-+-ㄹᄊᆡ / 여·름: 열매)

㉡:ᄉᆡ·미 기·픈 ·므·른 ·ᄀᆞᄆᆞ·래 아·니 그츨·ᄊᆡ :내·히 이·러바·ᄅᆞ·래 ·가ᄂᆞ·니

(:내·히: 시내가. 내ㅎ+이)

| 현대어 풀이 |

뿌리가 깊은 나무는 바람에 흔들리지 않으므로, 꽃이 좋게 피고 열매가 많습니다.

샘이 깊은 물은 가뭄에도 끊어지지 않으므로, 냇물이 되어 바다로 흘러갑니다.

〈제2장〉

– 《용비어천가(龍飛御天歌)》(1445)에서

4 윗글에 대한 설명으로 적절하지 않은 것은?

① 높임법이 실현되지 않았다.
② 이어 적기 방식이 사용되었다.
③ 우리 고유 문자가 표기에 활용되었다.
④ 오늘날 쓰이지 않는 음운이 사용되었다.
⑤ 음의 높낮이를 나타내는 성조를 표시하였다.

5 ㉠에 대한 설명을 바탕으로 이 시기 국어의 문법적 특징을 추론한 내용으로 가장 적절한 것은?

> 현대 국어 '나무'는 15세기에 '나모'와 '낡'의 두 형태로 존재하였는데, 조사 '와'와 결합할 때는 '나모'로 실현되어 '나모와(나모+와)'로, 조사 'ᄋᆞᆫ'이 결합할 때는 '낡'으로 실현되어 '남ᄀᆞᆫ(낡+ᄋᆞᆫ)'으로 쓰였다.

① 체언에 조사가 결합하면 의미가 달라졌다.
② 체언에 따라 조사의 형태가 바뀌기도 하였다.
③ 체언은 어떤 경우라도 기본형이 바뀌지 않았다.
④ 조사와 결합할 때 형태가 바뀌는 체언이 있었다.
⑤ 체언 외에도 조사와 결합할 수 있는 품사가 있었다.

6 빈출 유형 다음은 중세 국어 시기의 특징들이다. ㉡에서 확인할 수 있는 것끼리 묶인 것은?

ⓐ 어두 자음군이 존재하였다.
ⓑ 이어 적기 방식을 사용하였다.
ⓒ 주격 조사로 '이'가 사용되었다.
ⓓ 객체 높임 선어말 어미가 존재하였다.
ⓔ 몽골어나 여진어에서 들어온 외래어가 존재하였다.

① ⓐ, ⓑ ② ⓐ, ⓒ ③ ⓑ, ⓒ
④ ⓑ, ⓒ, ⓓ ⑤ ⓑ, ⓓ, ⓔ

7 빈출 유형 다음 설명의 예시를 〈보기〉에서 찾아 바르게 묶은 것은?

중세 국어 시기에도 주체 높임법이 존재하였습니다. 어미 앞에 '-시-'나 '-샤-'를 써서 주체 높임을 나타냈습니다.

보기

千世 우·희 미·리 ㉠定·ᄒᆞ·샨 漢水北·에 ㉡累仁開國·ᄒᆞ·샤 ·卜年·이 ᄀᆞᇫ 업·스시·니

聖神·이 니·ᅀᆞ샤·도 敬天勤民·ᄒᆞ샤·ᅀᅡ 더욱 구드·시·리이·다

㉢님·금·하 아·ᄅᆞ쇼·셔 洛水·예 山行·가 이·셔 ·하나·빌 ㉣미·드·니잇·가

| 현대어 풀이 |

천세 전부터 미리 정하신 한강 북쪽에 어진 덕을 쌓아 나라를 여시어, 나라의 운명이 끝이 없으십니다.

성스러운 임금이 이으셔도 하늘을 공경하고 백성을 부지런히 돌보셔야 더욱 굳으실 것입니다.

임금이시여, 아소서. (하나라 태강왕처럼) 낙수에 사냥 가 있으면서 할아버지(조상의 공덕)를 믿습니까.

〈제125장〉

-《용비어천가(龍飛御天歌)》(1445)에서

① ㉠, ㉡ ② ㉠, ㉢ ③ ㉠, ㉣
④ ㉡, ㉢ ⑤ ㉢, ㉣

도움말

• **상대 높임법의 실현**
상대 높임법은 주로 종결 어미를 통해 실현되었으나, '-이-', '-잇-'과 같은 선어말 어미를 통해서도 실현되었다.

[8~10] 다음 글을 읽고, 물음에 답하시오.

㉠너는 高麗ㅅ 사ᄅᆞᆷ이어니 또 엇디 漢語 ㉡니ᄅᆞᆷ을 잘 ᄒᆞᄂᆞ뇨

내 漢ㅅ 사ᄅᆞᆷ의 손ᄃᆡ 글 ᄇᆡ호니 이런 젼ᄎᆞ로(까닭으로.) 져기(조금.) 漢ㅅ 말을 아노라

㉢네 뉘손ᄃᆡ 글 ᄇᆡ혼다(배웠느냐.)

내 漢ᄒᆞᆨ당의셔 글 ᄇᆡ호라

네 므슴(무슨.) 글을 ᄇᆡ혼다

論語 孟子 小學을 닐그롸(읽었다.)

네 每日 므슴 공부ᄒᆞᄂᆞᆫ다(공부하느냐.)

[A] 每日 이른 새배 니러(새벽에. 일어나.) 學堂의 가 스승님ᄭᅴ 글 ᄇᆡ호고 學堂의셔 노하든 집의 와 밥먹기 ᄆᆞᆺ고(마치고.) 또 ᄒᆞᆨ당의 가 셔품(글씨본. 습자(習字).) 쓰기 ᄒᆞ고 셔품 쓰기 ᄆᆞᆺ고 년구ᄒᆞ기 ᄒᆞ고 년구ᄒᆞ기 ᄆᆞᆺ고 글 읇기 ᄒᆞ고 글 읇기 ᄆᆞᆺ고 스승 앏픠셔(앞에서.) 글을 강ᄒᆞ노라(서당에서 배운 글을 왼다.)

-《노걸대언해(老乞大諺解)》(1670)에서

8 윗글이 쓰인 시기의 국어의 특징으로 적절하지 않은 것은?

① 성조와 방점 표기가 사라졌다.
② 'ㅄ, ㅷ'과 같은 어두 자음군이 쓰였다.
③ 'ㅿ'이 약화되어 점차 사라지게 되었다.
④ 'ㄱ, ㄴ, ㄹ, ㅁ, ㅂ, ㅅ, ㅇ'이 종성 표기에 사용되었다.
⑤ 객체 높임 선어말 어미 '-습/줍/숩-'이 점차 쓰이지 않게 되었다.

9 ㉠~㉢에 대한 이해로 적절한 것은?

① ㉠: 모음 조화가 표기에 반영되었다.
② ㉡: 어두의 'ㄴ'이 탈락되기 시작하였다.
③ ㉡: 'ㆍ'가 둘째 음절 이하에서만 나타난다.
④ ㉢: 주격 조사 '가'가 나타난다.
⑤ ㉢: 의문문에 사용하는 종결 어미가 쓰였다.

10 [A]에서 〈보기〉의 밑줄 친 부분의 예시로 활용할 수 있는 표현을 2개 이상 찾아 쓰시오.

보기

중세 국어 시기에는 명사형 어미로 '-옴/움'이 사용되었는데, 근대 국어 시기에 들어서는 명사형 어미 '-옴/움'이 '-음'으로 변하고 '-기'가 활발하게 사용되었다.

11 빈출 유형 다음은 표기 방식의 변화에 대한 설명이다. ⓐ~ⓒ에 들어갈 알맞은 말을 쓰시오.

오늘날에는 '서른다섯이라'와 같이 '다섯'과 '이라'를 구별하여 적는 (ⓐ) 방식을 사용하고 있는데, 중세 국어에서는 '설·흔다·ᄉᆞ·시·라'와 같이 (ⓑ) 방식을 사용하는 것이 일반적이었다. 근대 국어에서는 '셜흔다ᄉᆞᆺ시라'와 같이 (ⓒ) 방식을 사용하여 표기함으로써 중세 국어와 현대 국어 사이의 과도기적인 모습을 보여 주었다.

12 다음 사례를 읽고, 보일 수 있는 학생의 반응으로 가장 적절한 것은?

- '마음'은 'ᄆᆞᅀᆞᆷ>ᄆᆞᄋᆞᆷ'의 변화를 거쳐 '마음'으로, '조ᄡᆞᆯ'과 '암ᄃᆞᆰ'은 각각 '좁쌀'과 '암탉'으로 형태가 변함.
- '어엿브다'는 '불쌍하다'에서 '아름답다'로, '어리다'는 '어리석다'에서 '나이가 어리다'로 의미가 변함.

① 항상 새로운 어휘를 만들어 낼 수 있어야 해.
② 변화한 어휘의 형태와 의미를 원래대로 바꾸어야 해.
③ 언어는 시간의 흐름에 따라 꾸준히 변화하는 유기체와 같아.
④ 국어는 시간이 흐를수록 서구의 영향을 받아 변화하고 있어.
⑤ 국어는 항상 변화하니까 이전 시기 국어를 연구할 필요가 없어.

13 (가)는 아동을 대상으로 한 번역이고, (나)는 성인을 대상으로 한 번역이다. 이에 대한 이해로 적절하지 않은 것은?

"That's the reason they're called lessons," the Gryphon remarked: "because they lessen from day to day."

가 그리펀이 대꾸했다. "그러니까 수업에 시간을 쓰는 거지. 쓰면 쓸수록 줄어들잖아."

나 "그렇게 하루하루 줄어드니까(lessen, 줄어든다는 뜻-옮긴이) 수업(lesson, 발음이 같은 것을 이용해 말장난을 한 것임.-옮긴이)이지." 그리펀이 단호하게 말했다.

- 원문: 루이스 캐럴, 〈Alice's Adventures in Wonderland〉에서
- 가: 루이스 캐럴(김경미 옮김), 〈이상한 나라의 앨리스〉에서
- 나: 루이스 캐럴(최인자 옮김), 〈이상한 나라의 앨리스〉에서

① (가)와 (나)는 내용 순서에서 차이를 보이고 있군.
② (가)는 (나)에 비해 원문을 그대로 직역하고자 하였군.
③ (가)에는 원문의 말장난 효과는 나타나지 않는군.
④ (나)는 주석을 활용하여 원문에 나타난 표현의 배경을 설명하고 있군.
⑤ (가)의 '대꾸했다'는 (나)의 '단호하게 말했다'를 좀 더 쉽게 표현하고자 한 것이군.

2. 언어와 매체의 생산과 발전

생각 열기 **매체 자료를 생산할 때는 무엇을 고려해야 할까?**

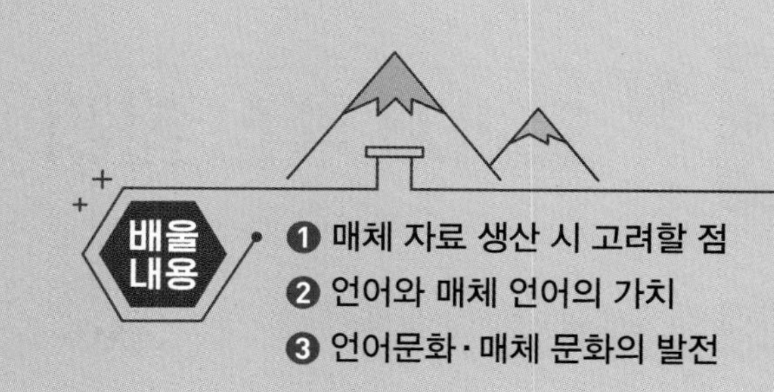
배울 내용
❶ 매체 자료 생산 시 고려할 점
❷ 언어와 매체 언어의 가치
❸ 언어문화·매체 문화의 발전

매체 자료를 생산할 때는 이 세 가지 요소를 잘 고려해야 해!
이번 과제에서 이 세 가지 요소에 해당하는 건 각각 무엇일까?
목적
수용자
매체의 특성
순서대로 이렇게야!
목적 홍보+설득
수용자 또래
매체의 특성 상호 소통
오, 대단한데? 좋아, 파이팅!

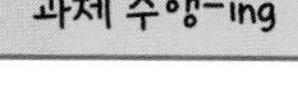
과제 수행-ing

누리집 업로드 완료!

천재 고등학교

오, 정말 잘 만들었는걸?
바른 댓글 문화가 조성되면 악성 댓글도 근절될 듯!
순기능이 부각되는 쪽으로 댓글 기능이 활용되면 좋겠어.

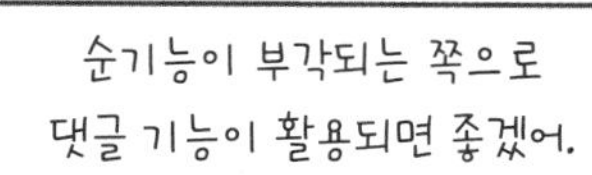
맞아. 댓글 같은 매체 문화가 나쁜 게 아니라, 그걸 어떻게 활용하느냐가 중요한 것 같아.

교과서 234~251쪽

핵심 1 매체 자료의 생산

- 매체 자료를 생산할 때는 ❶ [ ], 수용자, 매체 특성을 고려해야 함.

목적
- 소통 목적을 고려함.
  - 정보 전달, 설득, 심미적 정서 표현, 사회적 상호 작용 등
  - 매체의 소통 목적에 맞는 음향, 그림, 사진, 영상 등을 활용할 수 있음.

수용자
- 수용자의 특성을 고려함.
  - 수용자의 연령, 성, 규모, 관심사, ❷ [ ] 정도 등

매체 특성
- 매체의 언어적 특성과 파급력을 고려함.
  - 인쇄 매체, 영상 매체 등 매체별 ❸ [ ] 실현 방식, 매체의 파급력, 매체의 상호 소통 방식 등

❶ 목적
❷ 배경지식
❸ 의미

핵심 2 매체 언어의 가치와 매체 문화의 발전

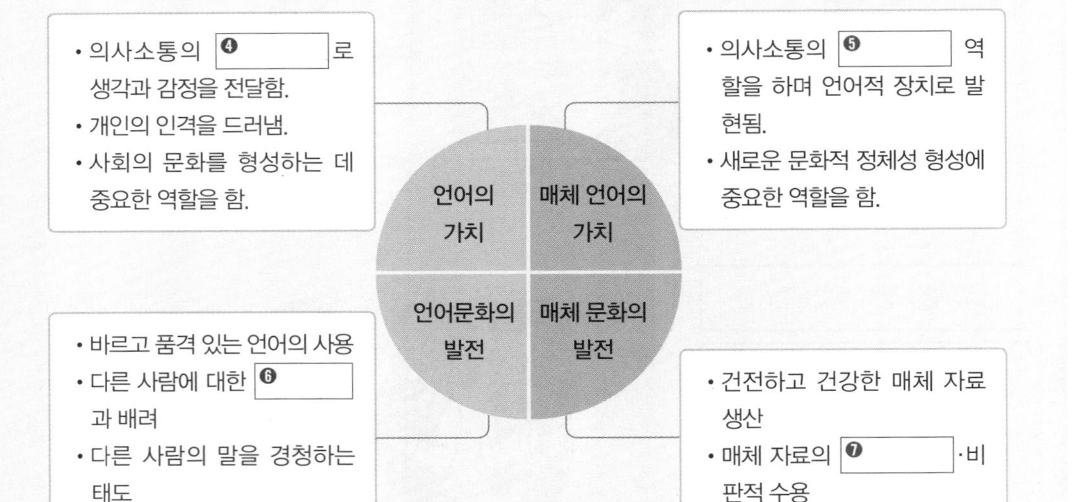

• 의사소통의 ❹ [ ]로 생각과 감정을 전달함.
• 개인의 인격을 드러냄.
• 사회의 문화를 형성하는 데 중요한 역할을 함.
언어의 가치
매체 언어의 가치
• 의사소통의 ❺ [ ] 역할을 하며 언어적 장치로 발현됨.
• 새로운 문화적 정체성 형성에 중요한 역할을 함.
언어문화의 발전
매체 문화의 발전
• 바르고 품격 있는 언어의 사용
• 다른 사람에 대한 ❻ [ ]과 배려
• 다른 사람의 말을 경청하는 태도
• 정직하게 말하고 글 쓰는 문화
• 건전하고 건강한 매체 자료 생산
• 매체 자료의 ❼ [ ]·비판적 수용

❹ 매개체
❺ 도구
❻ 존중
❼ 주체적

- 현대 사회는 언어와 매체 언어의 가치가 강조되며 이를 통해 바람직한 문화 형성에 대한 요구가 커지고 있음.
- 언어문화와 매체 문화를 자신의 삶과 관련하여 이해하고, 이를 발전시키려는 태도를 지녀야 함.

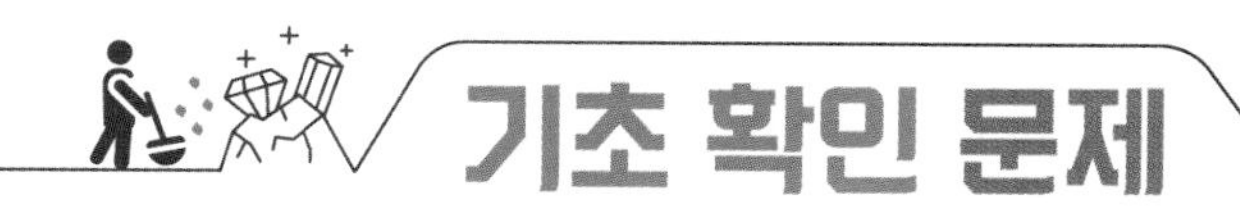

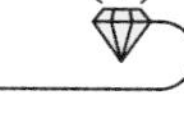

정답과 해설 38쪽

1 다음은 매체 자료의 생산과 관련된 설명이다. ⓐ, ⓑ에 들어갈 알맞은 말을 각각 쓰시오.

매체 자료를 생산할 때는 (ⓐ)과 (ⓑ), 매체 특성을 고려해야 합니다.

ⓐ: ( ) ⓑ: ( )

2 다음 매체 자료 생산에 대한 설명이 맞으면 O표, 틀리면 X표 하시오.

(1) '정보 전달'이나 '설득'은 매체 자료를 생산하는 목적에 해당한다. O X

(2) 수용자의 연령이나 성 등은 매체 자료의 생산 목적과 관련이 있다. O X

(3) 매체의 특성상 소통 목적에 맞는 음향, 그림, 사진, 영상 등을 활용할 수 있다. O X

(4) 매체를 생산할 때는 매체의 '언어적 특성'뿐만 아니라 '파급력'도 고려해야 한다. O X

3 다음과 같은 상황에 필요한 언어문화 태도로 가장 적절한 것은?

애들아, 나 이거 득템했어!

진짜? 대박! 좀 짱인듯~.

그렇지? 게다가 반값에 산 거 같아.

레알? 완전 깜놀했어.

① 내용을 긍정적으로 수용하려는 태도
② 다른 사람을 존중하고 배려하는 태도
③ 바르고 품격 있는 언어를 사용하려는 태도
④ 다른 사람의 말을 경청하며 이해하려는 태도
⑤ 과장이나 거짓이 아닌 정직하게 말하려는 태도

4 다음 중 매체 문화를 발전시키기 위한 내용으로 적절하지 않은 것은?

① 정확하고 진실된 자료를 생산해야 한다.
② 매체의 이면에 숨겨진 의도를 파악할 수 있어야 한다.
③ 매체 자료를 수용할 때는 특별히 검증할 필요는 없다.
④ 다른 사람과 사회에 도움이 되는 자료를 생산해야 한다.
⑤ 건전하고 건강한 매체 자료를 생산하는 문화를 만들어야 한다.

교과서 기출 베스트

[1 ~ 5] 다음 글을 읽고, 물음에 답하시오.

가

이제 슬슬 자선 장터를 준비해야겠네.

응. 그래서 자선 장터에서 판매할 물품을 기증받는다는 내용과 자원봉사자를 모집한다는 내용을 담은 홍보물을 만들려고 해.

벌써 장터를 할 시기가 되었구나.

홍보물은 누구를 대상으로 만들 건데?

작년에는 우리 학교 선생님과 학생들을 대상으로 만들었어.

올해는 학부모님들도 대상에 추가하는 게 어때?

좋은 생각이야.

나

홍보물에 구체적으로 어떤 내용을 담아야 하지?

기증할 수 있는 물품의 종류랑 물품 기증하는 방법, 그리고 자원봉사자 신청 방법과 신청 기한 등을 담으면 되지 않을까?

우리 학교 선생님과 학생들은 이 자선 장터를 잘 알고 있지만, 학부모님들은 정보가 부족할 수도 있으니까 장터의 목적과 취지, 수익금의 사용 내역 등도 밝히는 것이 좋을 것 같아.

맞아. 수익금이 우리 지역 복지 시설에 기부된다는 것을 알리면 사람들의 마음을 움직이는 데에도 도움이 되겠다.

홍보물은 어떤 형식으로 제작할 거야?

내 생각에는 학급마다 게시판이 있으니까, 홍보 포스터를 만들어서 학급별로 게시하는 게 좋을 것 같아.

선생님들께는 따로 만든 인쇄물을 직접 갖다드리면서 부탁드리도록 하자.

그럼 학부모님들께는 어떤 방식으로 홍보하지?

학부모님들께서 학교 누리집을 많이 살펴보시니까 일단 학교 누리집에 홍보물을 게시하는 게 좋을 것 같아. 휴대 전화 문자 메시지를 통해 학교 누리집 주소 링크도 전달하고.

다

그럼 누리집이나 휴대 전화를 활용해서 홍보할 거니까 동영상을 제작하는 건 어때?

작년 행사 영상과 함께 자막과 해설을 넣으면 행사의 목적과 취지를 설명하는 데도 도움이 될 것 같아.

좋은 생각이야. 인쇄물과 포스터에도 작년 행사 사진을 넣어서 좀 더 구체적인 홍보물이 되도록 해야겠어.

그럼 난 다음 시간까지 ㉠ 포스터를 기획해 올게.

그럼 난 인쇄물!

동영상 편집을 배워 두길 잘했네. 내가 동영상을 기획해 볼게. 오늘부터 배경 음악은 뭐가 좋을지 생각해 봐야겠다.

1 (가)~(다)에 대한 설명으로 적절한 것은?

① (가)~(다)에서 학생들은 매체 자료를 생산하기 위한 논의를 전개하고 있다.

② (가)~(다)에서 학생들은 매체 자료를 검증하기 위한 논의를 전개하고 있다.

③ (가), (나)에서는 (다)와 달리 매체 특성을 고려한 논의 내용이 나타난다.

④ (나), (다)에서는 (가)와 달리 매체 생산자를 고려한 논의 내용이 나타난다.

⑤ (다)에서는 (가), (나)와 달리 수용자를 고려한 논의 내용이 나타난다.

2 (가)에서 알 수 있는 내용으로 적절하지 않은 것은?

① 자선 장터와 관련된 홍보물을 만들려고 한다.
② 남학생은 학부모님에게도 행사 홍보를 할 것을 제안하고 있다.
③ 이전의 동일한 행사에서 대상으로 삼았던 이들은 수용자에서 제외하였다.
④ 매체 자료의 생산 목적은 자선 장터에서 판매할 물품 기증과 자원봉사자 모집이다.
⑤ 자선 장터에 대한 정보 전달과 행사 참여를 설득하는 목적이 동시에 나타난다.

3 빈출 유형 〈보기〉를 참고하여 (나)를 이해한 내용으로 적절한 것은?

보기

매체 자료를 생산할 때는 수용자의 연령과 성이 어떠한지, 수용자는 다수인지 소수인지, 수용자의 관심사는 무엇인지, 전달하려는 내용에 대한 수용자의 배경지식은 어느 정도인지 등을 고려해야 한다.

① 수용자인 학생들의 성을 고려하고 있다.
② 수용자인 학생들의 연령을 고려하고 있다.
③ 수용자인 선생님들의 관심사를 고려하고 있다.
④ 수용자인 학부모님들의 인원을 고려하고 있다.
⑤ 수용자인 학부모님들의 배경지식을 고려하고 있다.

도움말

• '배경지식'에 따라 내용을 수용하는 정도도 달라질까?
배경지식이란 원래부터 알고 있었던 경험이나 지식을 말하는데, 자신이 원래 알고 있던 내용이라면 이해하기 쉽고, 공감도 잘 되기 때문에 배경지식에 따라 내용을 이해하고 수용하는 정도가 달라질 수 있다.

4 (나)와 (다)에서 학생들이 자선 장터를 알리기 위해 선택한 매체에 대한 이해로 적절하지 않은 것은?

① 누리집과 휴대 전화를 활용하기로 하였군.

② 누리집과 달리 휴대 전화는 다수의 사람들에게 정보를 알릴 수 있겠구나.

③ 누리집과 휴대 전화는 모두 동영상을 활용하여 내용을 전달할 수 있겠구나.

④ 동영상 자료를 만들면서 문자 언어도 함께 활용하여 전달력을 높이려 하네.

⑤ 누리집과 휴대 전화 외에도 다른 수단을 활용하여 내용을 전달하고자 하는군.

5 서술 유형 다음은 ㉠의 생산 계획이다. ⓐ~ⓒ 중, 적절하지 않은 것을 하나 찾고, 그 이유를 〈조건〉에 따라 서술하시오.

매체별 의미 실현 방식, 매체의 파급력, 상호 소통 방식 등을 고려하여 매체 생산 계획을 세운다.
ⓐ 학급에 게시하여 학생들에게 홍보하도록 함.
ⓑ 내용을 한눈에 알아볼 수 있도록 그림이나 사진을 활용하도록 함.
ⓒ 실시간으로 학급별 의견을 수렴하여 자선 장터 행사 계획에 반영하도록 함.

조건

• 매체의 소통 방식과 관련하여 이유를 밝힐 것.
• '㉠은 ~ 소통을 하는 매체이므로, ~이 어렵다는 점에서 ~는 적절하지 않다.'의 형식으로 쓸 것.
• 50자 내외로 쓸 것.

[6~8] 다음 글을 읽고, 물음에 답하시오.

얼마 전 재판에서 당사자가 제발 자신의 말을 두 시간만 들어 달라고 했던 기억이 난다. 시간 관계상 내가 속한 재판부는 30분간 발언할 기회를 주기로 하였다. 과연 두 시간 동안 할 말이 있을지, 재판부가 꼭 들어야 할 내용인지는 현재로는 알 수 없고, 시간이 연장될 수도 있다. 하지만 만약 두 시간 발언을 신청했다가 30분으로 시간이 제한된 당사자가 소송에서 패소하게 된다면, 그는 원인이 재판부가 자신의 이야기를 충분히 경청하지 않아서라고 생각할지도 모른다.

패소하게: 소송에서 지다.

조금 더 여유 있게 당사자의 말과 글을 차분하고 꼼꼼하게 듣고 읽을 수 있다면, 더 좋은 결론이 나올 수 있고, 법원에 대한 당사자의 신뢰도 더 쌓이지 않을까.

마지막으로 사람들 간에 서로를 존중하고, 진정으로 충분히 의사가 소통되는 말과 글을 사용했으면 한다. [중략]

최근 조정이 된 사건은 ㉠"매도인은 매수인의 대출이 잘 되도록 적극 협력한다."라는 문구 때문에 생긴 분쟁이었다. 원고는 이를 '피고가 대출이 될 수 있도록 제반 조치를 할 의무를 법적으로 부담하기로 한 것'이라 생각해서, 반면 피고는 이를 '자신에게 손해가 가지 않는 범위 내에서 매도인으로서 통상 기대되는 정도의 협력을 할 의무를 부담하기로 한 것'이라고 생각해서 계약서에 이 문구를 기재하였다. 만약 서로가 상대에게 기대하는 내용에 대한 충분한 의사소통이 이루어졌다면, 그리고 그 내용을 명확히 글로 기재해 두었다면 생기지 않았을 분쟁이었다.

매도인: 물건을 팔아서 넘겨주는 사람.

이 밖에도 서로 예의 바르고 공손하게 대화를 하였으면 생기지 않았을 분쟁들도 무척 많다. ㉡"말 한마디에 천 냥 빚도 갚는다."라는 말이 있듯이, 말 한마디로 엄청난 경제적·정신적 고통을 줄 송사를 피할 수가 있는 경우가 많이 있는 것이다.

– 이영창, 〈나와 우리말과 글〉에서

6 윗글의 '나'에 대한 이해로 적절하지 않은 것은?

① '나'는 실제 자신의 경험을 바탕으로 '말'과 '소통'에 대한 의견을 드러낸다.
② '나'는 시간을 오래 들여 말을 할수록 오해가 쌓일 수 있다는 것을 염려한다.
③ '나'는 사람들이 서로를 존중하면서 예의 바르고 공손하게 의사소통하기를 바란다.
④ '나'는 충분히 소통되지 못하는 말과 글로 인해 불필요한 분쟁이 일어난다고 생각한다.
⑤ '나'는 서로에게 예의를 갖추고 공손하게 대화를 한다면 분쟁이 일어나지 않을 것이라고 생각한다.

도움말
• '의사소통'의 의미와 필요성
의사소통은 생각을 뜻하는 '의사'와 막히지 않고 통한다는 '소통'이 합쳐진 말이므로 생각이나 뜻이 서로 통한다는 것을 의미한다. 사람은 혼자 살 수 없고 어울려 사는 존재라는 점에서 매 순간 의사소통을 하게 되고, 이것이 성공할 때 만족감과 행복을 느끼게 되므로 의사소통은 사회를 살아가는 우리에게 반드시 필요한 것이다.

7 ㉠과 ㉡에 대한 이해로 가장 적절한 것은?

① ㉠과 ㉡은 모두 언어의 위험성을 경고한 말이다.
② ㉠과 ㉡은 모두 계약상 동의한 말을 인용한 것이다.
③ ㉠과 ㉡은 모두 불분명한 해석으로 인해 분쟁의 원인이 된 경우를 가리킨다.
④ ㉠은 문제를 야기한 표현인 반면에, ㉡은 의사소통이 문제 해결의 도구가 될 수 있음을 보여 준다.
⑤ ㉠은 의사소통의 법률상 문제를 지적한 표현인 반면에, ㉡은 언어의 윤리적 측면을 지적한 표현이다.

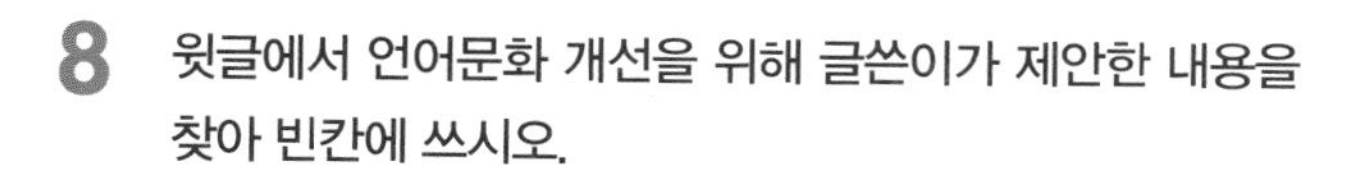

8 윗글에서 언어문화 개선을 위해 글쓴이가 제안한 내용을 찾아 빈칸에 쓰시오.

- 다른 사람의 말과 글을 조금 더 여유 있는 자세로 차분하고 꼼꼼하게 듣고 읽자.
- 사람들 간에 서로를 존중하는 말과 글을 사용하자.
- (　　　　　　　　　　　　　　　　　　)

[9~10] 다음 글을 읽고, 물음에 답하시오.

가

- 기자는 사실과 의견을 명확히 구분하여 보도 기사를 작성해야 한다. 또한 기자는 편견이나 이기적 동기로 보도 기사를 고르거나 작성해서는 안 된다.
- 기자는 경합 중인 사안을 보도할 때 어느 한쪽의 주장을 편파적으로 보도하지 않는다. 여론 조사 등을 바탕으로 보도할 경우 그 조사의 신뢰성에 대한 근거를 분명히 밝혀야 한다.
- 기자는 출처가 분명치 아니하거나 확인되지 않은 사실을 부득이 보도할 경우 그 점을 분명히 밝혀야 한다.
- ⓐ재난이나 대형 사건 등을 보도할 때 상황과 상관없는 흥미 위주의 보도를 지양하고 자극적이거나 선정적인 용어는 사용하지 않는다. 재난 및 사고의 피해자, 희생자 및 그 가족의 명예나 사생활 등 개인의 인권을 침해하는 일이 없도록 유의해야 한다.

– 한국신문윤리위원회, 〈신문 윤리 실천 요강〉 제3조 보도 준칙에서

나

이럴 때 저작권 침해!

- 인터넷에서 떠도는 글, 그림, 사진 등을 내 누리집에 옮기기.
- 공유 사이트, 웹 하드 등에서 자료 주고받기.
- 영화·음악 파일을 게시판 자료로 올리기.
- 컴퓨터 프로그램을 복제하여 친구들에게 나눠 주기.
- ⓑ내가 가진 음악 파일을 개인 누리집이나 블로그에 대가 없이 배경 음악으로 쓰기.
- 교내 대회에 다른 사람의 글이나 그림 베껴서 내기.
- 인터넷 자료를 그대로 옮겨서 내 것인 양 학교 과제로 제출하기.
- 학습 자료 스캔해서 학교 누리집에 올리기.

– 한국저작권위원회, 〈이럴 때 저작권 침해〉에서

9 빈출 유형 (가)와 (나)를 통해 알 수 있는 매체 자료를 생산할 때의 유의점으로 적절하지 않은 것은?

① (가): 생산하는 매체 자료의 공정성 여부
② (가): 생산하는 매체 자료의 신뢰성 여부
③ (가): 생산하는 매체 자료 내용의 타당성 여부
④ (나): 타인의 자료를 얼마나 많이 사용하는지 여부
⑤ (나): 타인의 매체 자료를 무단으로 사용하는지 여부

10 ⓐ와 ⓑ의 공통점으로 가장 적절한 것은?

① 타인에게 피해를 주는 행위를 경계하고 있다.
② 내용의 참신성이라는 기준에 따라 평가하고 있다.
③ 문제가 되었을 때의 법적 책임을 구체화하고 있다.
④ 인기를 끌기 위해 자극적인 내용으로 구성하는 것을 지적하고 있다.
⑤ 정보의 출처를 명료하게 밝히는 것이 무엇보다 중요함을 말하고 있다.

누구나 100점 테스트 1회

1 <보기>에서 설명하는 문장 성분으로 적절한 것은?

보기
- 문장을 구성하는 요소 중 부속 성분으로, 주로 주성분의 내용을 꾸며 주는 역할을 한다.
- 체언을 수식하는 문장 성분이다.

  예 소녀가 예쁜 옷을 입었다.

① 주어 ② 보어 ③ 부사어
④ 목적어 ⑤ 관형어

2 선생님의 설명에서 밑줄 친 부분에 해당하는 문장으로 적절한 것은?

문장은 주어와 서술어의 관계가 한 번 나타나는 홑문장과 두 번 이상 나타나는 겹문장으로 구분됩니다.

① 아기가 밥을 잘 먹는다.
② 나의 친구는 정말 성실하다.
③ 은호는 민주가 예쁘다고 말했다.
④ 학교에서 시 낭송 대회를 열었다.
⑤ 선생님께서 보경이에게 상을 주셨다.

3 다음 밑줄 친 부분에 대한 설명으로 적절한 것은?

너의 새로운 도전을 응원해.
우리는 모두 너의 일이 잘되기를 바란다.

① 관형사형 어미가 붙어서 미래의 시간을 표현한다.
② 문장의 부속 성분으로 절의 위치 이동이 자유롭다.
③ 절 표지가 따로 없이 전체가 서술어의 기능을 한다.
④ 명사형 어미가 붙어서 문장에서 목적어 기능을 한다.
⑤ 부사형 어미가 붙어서 서술어를 수식하는 부사어의 기능을 한다.

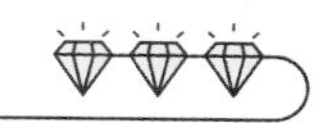

정답과 해설 39쪽

4 〈보기〉는 이어진문장에 대한 설명이다. 이를 탐구한 결과로 적절한 것은?

보기

대등하게 연결된 이어진문장은 앞 절과 뒤 절의 의미 관계가 대등하다고 볼 수 있다. 반면 종속적으로 연결된 이어진문장은 앞 절과 뒤 절의 의미가 독립적이지 못하고 종속적인 관계에 있는 문장이다.

ㄱ. 낮말은 새가 듣고, 밤말은 쥐가 듣는다.

ㄴ. 비가 와서, 길이 질척하다.

① ㄱ은 앞 절과 뒤 절이 '조건'의 의미 관계를 갖고 있군.

② ㄱ은 앞 절과 뒤 절의 순서를 바꾸어도 의미상 큰 차이가 없군.

③ ㄴ은 앞 절과 뒤 절이 '대조'의 의미 관계를 갖고 있군.

④ ㄴ은 앞 절과 뒤 절의 의미 관계가 대등하다고 볼 수 있군.

⑤ ㄱ과 ㄴ은 모두 앞 절의 주어와 뒤 절의 주어가 서로 동일하군.

5 다음 대화에서 아들이 "제가 어지럽혔어요."라고 말하지 않고, ㉠과 같이 대답한 이유를 〈조건〉에 따라 서술하시오.

조건

• ㉠의 문장 형식의 의미를 밝혀 쓸 것.

• '아들은 ㉠과 같이 ~ 형식의 문장을 사용하여, 방을 어지럽힌 ~ 않고 있다.'와 같은 형식으로 문장을 완성할 것.

• 60자 내외로 쓸 것.

6 다음 중 주체 높임법이 실현된 문장은?

① 할머니께서 식사를 하신다.
② 선생님께 내일 과제가 무엇인지 여쭈었다.
③ 친구가 오랜만에 우리 집을 찾아왔습니다.
④ 봄이 되었으니 공원에 벚꽃 구경을 하러 가요.
⑤ 우리 가족은 할아버지를 모시고 여행을 떠났다.

7 ㉠~㉣ 중 시제의 성격이 같은 것끼리 바르게 묶인 것은?

> 미세 먼지가 심해지자 사람들의 호흡기 관련 질환도 심각하게 ㉠늘어났다. 일기 예보에서 다음 주는 미세 먼지가 더욱 ㉡심해질 예정이라고 하니 다음 주까지는 야외 활동을 삼가겠다고 ㉢생각하였다. 미세 먼지 해결을 위한 정부와 시민들의 적극적인 관심과 대책 마련이 필요한 ㉣시점이다.

① ㉠, ㉡　　② ㉠, ㉢
③ ㉡, ㉢　　④ ㉡, ㉣
⑤ ㉢, ㉣

8 〈보기〉의 설명을 참고할 때 밑줄 친 부분이 '사동 표현'의 예로 적절한 것은?

> 보기
>
> 사동 표현은 주어가 남에게 동작을 하게 시키는 표현이다. 예를 들어 '엄마가 우진이에게 옷을 입혔다.'라는 문장은 우진이가 동작을 직접 하는 것보다 엄마가 우진이에게 옷을 입히는 행동을 했다는 의미를 표현하게 된다.

① 마당에 꽃이 잘 심어졌다.
② 이 지우개는 글씨가 잘 지워진다.
③ 전기가 차단되자 인터넷이 끊기고 말았다.
④ 그는 어떤 유혹에도 절대 흔들리지 않았다.
⑤ 경기에서 친구들이 내게 중요한 역할을 맡겼다.

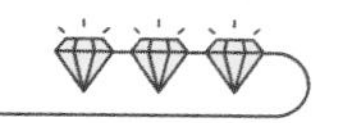

정답과 해설 39쪽

9 서술 유형

〈보기〉의 상황 맥락을 고려할 때, 엄마의 발화에 담긴 의도는 무엇인지 〈조건〉에 따라 서술하시오.

보기

(누워서 핸드폰 게임을 하고 있는 아들에게)

엄마: 아이고, 재활용 쓰레기를 버리는 날인데 정리할 쓰레기가 한가득 쌓여 있네.

조건

- 제시된 발화의 문장 유형을 밝힐 것.
- 상황 맥락을 고려하여 화자의 의도를 밝힐 것.
- 50자 내외로 서술할 것.

10 **〈보기〉를 참고하여 다음 광고문을 탐구한 내용으로 적절하지 않은 것은?**

보기

광고문은 홍보의 효과를 올리는 데 그 목적이 있다. 광고에는 상품 판매를 목적으로 하는 상업 광고, 공공 기관의 주요 시책을 알리는 공익 광고, 기업 이미지 상승효과를 위한 기업 광고 등이 있다. 또한 매체에 따라 인쇄 광고, 방송 광고, 라디오 광고 등으로 나눌 수 있다.

광고문의 언어적 특성으로는 사람들의 기억에 남을 수 있도록 축약적이고 재미있는 발상이 드러나는 표현이 빈번하게 사용된다는 것을 들 수 있다.

– 한국방송광고진흥공사 공익광고협의회, 2014

① 강조하고자 하는 문구는 색깔을 다르게 표현하였다.
② 공익 정책을 홍보하려는 의도로 제작된 공익 광고이다.
③ 한자와 안전띠 이미지를 함께 활용하는 독특한 발상이 드러나 있다.
④ 광고문이 설득하려는 대상은 안전띠를 매지 않는 운전자나 차량 탑승자이다.
⑤ 전달하고자 하는 주제를 부각하기 위해 텍스트로 구현된 내용을 전체 면에 배치하였다.

6일

6일 누구나 100점 테스트 2회

1 다음 인공 지능과 관련한 기사의 표제와 그에 대한 관점이 적절하게 연결된 것은?

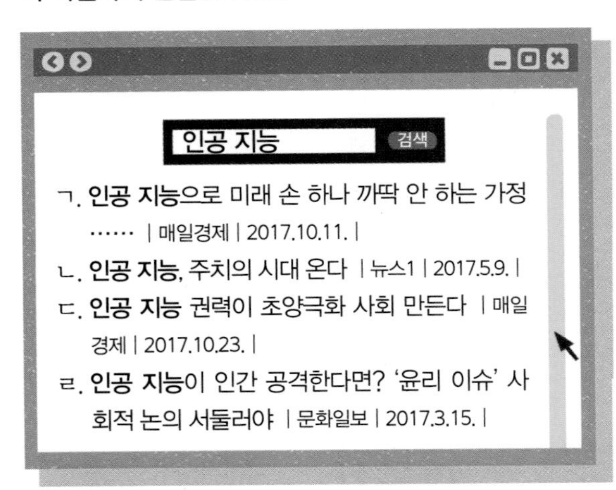

인공 지능 [검색]

ㄱ. **인공 지능**으로 미래 손 하나 까딱 안 하는 가정 …… | 매일경제 | 2017.10.11. |
ㄴ. **인공 지능**, 주치의 시대 온다 | 뉴스1 | 2017.5.9. |
ㄷ. **인공 지능** 권력이 초양극화 사회 만든다 | 매일경제 | 2017.10.23. |
ㄹ. **인공 지능**이 인간 공격한다면? '윤리 이슈' 사회적 논의 서둘러야 | 문화일보 | 2017.3.15. |

	긍정적	부정적
①	ㄱ, ㄴ	ㄷ, ㄹ
②	ㄱ, ㄷ	ㄴ, ㄹ
③	ㄱ, ㄹ	ㄴ, ㄷ
④	ㄴ, ㄷ	ㄱ, ㄹ
⑤	ㄷ, ㄹ	ㄱ, ㄴ

2 다음 뉴스를 보고 나눈 대화 내용으로 적절하지 않은 것은?

지금 세계인들은 우리의 대중가요와 드라마의 매력에 빠져 있습니다. 세계에서 한류 열풍이 문화 전반에 걸쳐 나타나고 있는 것입니다.

① 나와 같은 아이돌 그룹을 좋아하는 친구와는 잘 통해서 좋아.

② 나도 인기 있는 드라마를 친구랑 같이 보면서 휴일을 즐기고 있어.

③ 대중가요나 드라마를 감상할 때에는 그 내용을 비판적으로 살필 필요가 있어.

④ 맞아. 인기 있는 대중문화라도 장단점을 인식하고 주체적으로 수용해야 해.

⑤ 자극적인 내용의 드라마로 이윤을 크게 얻는다면 수용자에게 긍정적인 영향을 줄 수 있을 텐데.

[3~4] 다음 글을 읽고, 물음에 답하시오.

가

원문	| 현대어 풀이 |
㉠善化公主主隱(훈차)	선화 공주님은
他密只嫁良(음차)置古(음차)	남 몰래 결혼하고
薯童房乙(음차, 음차)	맛둥서방을
夜矣(음차)夘乙(음차)抱遣(음차, 훈차)去如	밤에 몰래 안고 가다.

– 《삼국유사(三國遺事)》 권 제2에서

나 불·휘기·픈남·ᄀᆞᆫᄇᆞᄅᆞ·매아·니:뮐·ᄊᆡ(움직이므로.)곶:됴·코여·름(열매)·하ᄂᆞ·니

㉡:ᄉᆡ·미기·픈·므·른·ᄀᆞᄆᆞ·래아·니그츨·ᄊᆡ:내·히이·러바·ᄅᆞ·래·가ᄂᆞ·니

| 현대어 풀이 |

뿌리가 깊은 나무는 바람에 흔들리지 않으므로, 꽃이 좋게 피고 열매가 많습니다. / 샘이 깊은 물은 가뭄에도 끊어지지 않으므로, 냇물이 되어 바다로 흘러갑니다. 〈제2장〉

– 《용비어천가(龍飛御天歌)》(1445)에서

정답과 해설 40쪽

3 (가)와 (나)에 대한 설명으로 적절한 것은?

① (가)는 한자의 음만을 빌려 우리말의 순서에 따라 표기하고 있다.
② (가)는 한자의 음과 뜻을 빌려 우리말을 쓰되, 우리말의 조사는 표기하지 않고 있다.
③ (나)는 방점을 사용하여 음의 높낮이를 나타내는 성조를 표시하고 있다.
④ (가)와 (나)는 모두 우리말을 표기할 우리 글자가 없던 때의 모습을 보여 준다.
⑤ (가)와 (나)는 모두 한자를 빌려 와 우리말의 순서대로 표기하는 차자 표기를 사용하였다.

4 ㉠과 ㉡에 대해 나눈 대화 내용으로 적절하지 않은 것은?

① ㉠은 '선화 공주님은'이라는 뜻이야.

② ㉠의 '主(주)'는 모두 한자의 뜻을 빌려 표기한 것이지.

③ ㉡은 ':시·미', '기·픈', '·므·른'과 같이 세 부분으로 나눠 볼 수 있겠다.

④ 맞아. ㉡의 세 부분은 모두 같은 방식으로 표기했다고 할 수 있지.

⑤ 그렇다면 ㉡은 모두 이어 적기에 따라 표기된 것이라 할 수 있겠구나.

[5~6] 다음 글을 읽고, 물음에 답하시오.

너ᄂᆞᆫ 高麗ㅅ 사ᄅᆞᆷ이어니 ᄯᅩ 엇디 漢語 니ᄅᆞᆷ을 잘 ᄒᆞᄂᆞ뇨
내 漢ㅅ 사ᄅᆞᆷ의 손ᄃᆡ 글 ᄇᆡ호니 이런 젼ᄎᆞ로(까닭으로.) 져기(조금.) 漢ㅅ 말을 아노라
네 뉘손ᄃᆡ 글 ᄇᆡ혼다(배웠느냐.)
내 漢ᄒᆞᆨ당의셔 글 ᄇᆡ호라
네 므슴 글을 ᄇᆡ혼다
論語(논어) 孟子(맹자) 小學(소학)을 닐그롸(읽었다.)
네 每日 므슴 공부ᄒᆞᄂᆞᆫ다(공부하느냐.)
每日 이른 새배 니러(일어나.) 學堂의 가 ㉠스승님ᄭᅴ 글 ᄇᆡ호고 學堂의셔 노하든 집의 와 밥먹기 ᄆᆞᆺ고(마치고.) ᄯᅩ ᄒᆞᆨ당의 가 셔품(글씨본, 습자(習字).) 쓰기 ᄒᆞ고 셔품 쓰기 ᄆᆞᆺ고 년구ᄒᆞ기 ᄒᆞ고 년구ᄒᆞ기 ᄆᆞᆺ고 글 읇기 ᄒᆞ고 글 읇기 ᄆᆞᆺ고 스승 앏픠셔(앞에서) 글을 강ᄒᆞ노라(서당에서 배운 글을 왼다.)

-《노걸대언해(老乞大諺解)》(1670)에서

5 윗글에서 알 수 있는 근대 국어에 대한 설명으로 적절한 것은?

① 순 한글로만 표기하였다.
② 둘째 음절의 'ㆍ'가 사라졌다.
③ 이어 적기 방식만 사용되었다.
④ 명사형 어미 '-(으)ㅁ', '-기'가 사용되었다.
⑤ 오늘날에는 쓰이지 않는 'ㅿ'이 사용되었다.

6 서술 유형 ㉠을 다음의 16세기 초에 간행된 《번역노걸대》의 표기와 비교하여 〈조건〉에 따라 서술하시오.

스숭·님·끠·글 듣줍·고

조건
- 높임 표현에서 중세 국어와 다른 근대 국어의 특징을 밝혀 쓸 것.
- '~가 사용되지 않았다.'의 형식으로 쓸 것.
- 20자 내외로 서술할 것.

[7~8] 다음 글을 읽고, 물음에 답하시오.

가 한국어에서는 자신의 가족을 가리키는 어휘 앞에 대명사 '우리'를 사용하여 '우리 엄마', '우리 아빠'와 같이 표현한다. 그러나 외국인 한국어 학습자들은 이러한 표현을 이해하기 어려워한다. 예를 들어 일본어에서는 가족에 관한 호칭어와 지칭어가 구별되어 있어서 가족을 지칭할 때 대명사를 사용하는 경우가 없고, '나의' 가족이라는 사실을 강조할 때에만 1인칭 단수형 대명사를 사용한다. 이에 일본인들이 한국어로 작문할 때, 다음과 같은 표현들이 많이 나오기도 한다.

- 제 언니는 요즘 결혼했어요.
- 제 엄마는 일본 사람이에요.
- 내 아빠는 일본인입니다.

호칭어: 사람이나 사물을 부르는 말. '아버지', '어머니' 등이 있음.
지칭어: 사람이나 사물을 가리켜 이르는 말.

나

7 (가)와 (나)에 대한 설명으로 적절한 것은?

① (가)는 문화에 따른 언어 차이를 보여 준다.
② (나)는 직업에 따른 언어 차이를 보여 준다.
③ (나)는 전문 분야에 따른 언어 차이를 보여 준다.
④ (가)와 (나)는 지역에 따른 언어 차이를 보여 준다.
⑤ (가)와 (나)는 성별에 따른 언어 차이를 보여 준다.

8 (가)와 (나)에 나타난 의사소통의 어려움에 대해 탐구한 내용으로 적절하지 않은 것은?

① (가): 일본인 친구는 '우리 엄마'란 표현을 잘 이해하지 못하겠군.
② (가): 일본인 친구는 '너희 가족', '걔네 언니'와 같은 말을 낯설어하겠군.
③ (가): 일본에서는 가족을 지칭하는 표현이 따로 없어 1인칭 단수형 대명사로 가족을 지칭하는구나.
④ (나): 할아버지와 손녀는 서로 사용하는 단어의 의미를 이해하지 못해 의사소통에 어려움을 겪는군.
⑤ (나): '섣달그믐'이나 '정월 초하루'와 달리 '팩폭'은 새로 만들어진 표현이라 할아버지가 이해하지 못하는군.

9 다음 상황에서 매체 자료를 생산할 때 고려해야 하는 요소로 언급한 것끼리 묶은 것은?

① 매체의 파급력, 매체 자료 생산의 목적
② 매체 자료 생산의 수용자, 매체의 파급력
③ 매체 자료 생산의 목적, 매체 자료의 수용자
④ 매체별 의미 실현 방식, 매체 자료의 수용자
⑤ 매체별 의미 실현 방식, 매체의 파급력, 매체 자료 생산의 목적

10 서술 유형 다음 글의 밑줄 친 부분에 대한 선생님의 설명을 읽고, 〈조건〉에 따라 ㉠과 ㉡에 들어갈 말을 각각 쓰시오.

> 증오와 비난, 탐욕으로 물든 말과 글을 비워 내고 아름다움, 감동과 진실, 공감의 말과 글을 조금씩이라도 꾸준히 채울 수 있다면, 당사자들의 말과 글에서 놓치지 말아야 할 것들을 조금 더 보게 될 수 있지 않을까 싶다. 그렇다면 그들에 대한 이해와 공감의 폭은 더 넓어질 것이고, 약간의 운이 더해진다면 그 속에서 분쟁 해결의 실마리를 찾을 수도 있지 않을까 싶다.
>
> [중략]
>
> 그런데 최근 우리 사회의 말과 글은 더욱더 적대적이고 공격적으로 변해 가고 있는 것 같아 걱정스럽다. 아름답고 평화롭고 분쟁이 적은 사회를 위해서는 다른 무엇보다도 말 그대로 '새 국어 생활'이 필요한 것이 아닌가 싶다.
>
> – 이영창, 〈나와 우리 말과 글〉에서

'새 국어 생활'은 (㉠)을 해결하여 평화로운 사회를 이루기 위해 필요합니다. 이를 위해 (㉡) 등을 드러내는 표현을 쓰는 것이 좋겠습니다.

조건
- 윗글에서 ㉠과 ㉡에 들어갈 말을 찾아 제시할 것.
- 제시된 설명이 자연스럽게 이어질 수 있도록 매끄럽게 표현할 것.

참의·융합·코딩 서술형 테스트

1 참의

다음 자료를 참고하여 ㉠, ㉡의 문장의 종류를 〈조건〉에 따라 서술하시오.

문장에서 주어와 서술어의 관계가 두 번 이상 나타나면 겹문장이라 하는데, 겹문장에는 두 홑문장이 나란히 연결된 이어진문장과 한 문장 안에 다른 문장이 안겨 있는 안은문장이 있다.

㉠ 이 연필은 길지만, 저 연필은 짧다.

㉡ 지금은 치킨을 먹기에 너무 늦은 시간이다.

조건

- ㉠과 ㉡의 문장 종류를 각각 쓸 것.
- 각각 어떤 홑문장이 결합해 있는지를 밝혀 적을 것.
- 각각의 홑문장을 완전한 문장 형태로 제시할 것.

2 참의 코딩

다음 문장을 기준에 따라 검토하여 수정하고자 한다. 〈조건〉에 따라 서술하시오.

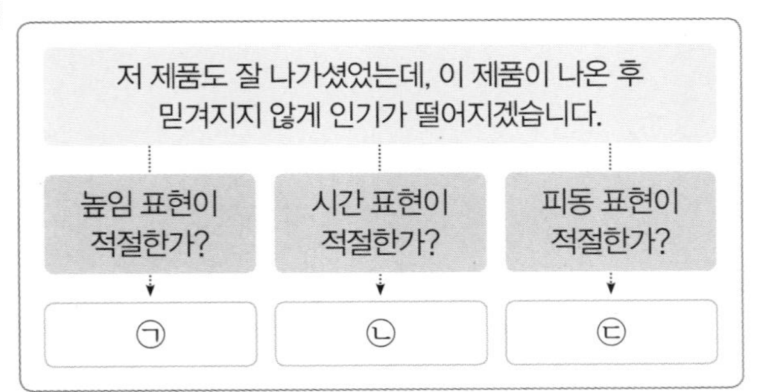

조건

- 각 기준에 따라 수정해야 하는 부분을 찾아 ㉠~㉢에 들어갈 바른 표현으로 수정할 것.
- 문장을 검토하여 수정한 후 완성된 문장을 제시할 것.

3 참의

다음 담화에서 같은 발화인 ㉠, ㉡이 다른 의미로 해석되는 이유를 〈조건〉에 따라 서술하시오.

조건

- ㉠, ㉡의 의미를 각각 밝힐 것.
- 발화의 의미가 다른 이유를 맥락과 관련하여 밝힐 것.
- '㉠은 ~하기 위한 것이고, ㉡은 ~하기 위한 것이다. ㉠과 ㉡의 의미가 다른 이유는 ~ 때문이다.'의 형식으로 쓸 것.

정답과 해설 41쪽

4 창의

다음 내용을 보고, ㉠을 구매하려는 소비자들이 다음의 '여러 신문'을 읽을 때 어떤 영향을 받게 될지 〈조건〉에 따라 서술하시오.

한 유명 스마트폰 제조업체에서 새로운 스마트폰을 공개하자 여러 신문들은 ㉠새로운 스마트폰에 대한 다양한 기사들을 내보내기 시작하였다.

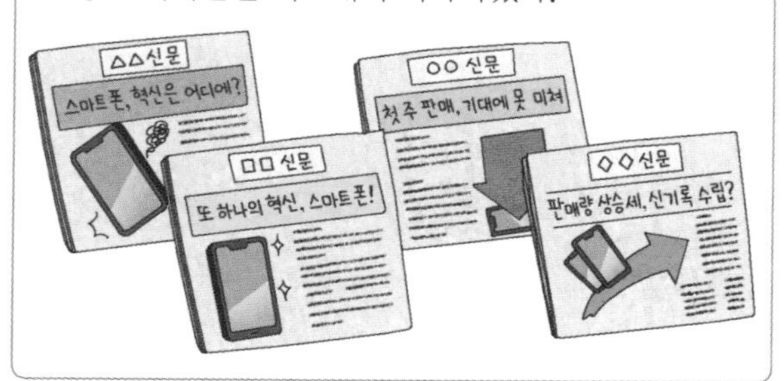

조건
- 신문들의 표제를 두 관점으로 분류하여 각각 소비자에게 어떤 영향을 미치게 될지 설명할 것.
- 대조의 방법으로 서술할 것.

5 융합

다음 기사문에서 부각되는 관점을 찾고, 매체 자료를 비판적으로 수용하기 위해서 다음 기사문을 수용하는 올바른 자세를 〈조건〉에 따라 서술하시오.

'게임 중독'보다 '게임 편용'이라는 단어가 적절

게임 산업 현장의 목소리와 업계 전문가들이 참여해 정부에 직접 정책을 제안하는 대한민국 게임 포럼 정책 제안 발표회가 금일 국회 의원 회관에서 개최됐다.

□□디지털문화연구소의 이○○ 소장은 게임은 이야기, 음악, 미술, 디자인이 어우러지는 종합 예술이자 최신 기술력을 요구하는 첨단 기술의 총아라고 전했다. [중략]

총아: 특별한 사랑을 받는 사람.

이어 이 소장은 '게임 중독' 혹은 '과몰입' 같은 부정적인 용어 때문에 게임 산업 전체가 피해를 보고 있으므로, '게임 편용'과 같은 용어로 바꿔야 한다고 강조했다.

－《게임동아》, 2017년 9월 22일 자에서

전자 우편 | 공유 | 35 | 24

조건
- 기사문에 나타나는 '게임 산업'과 '게임 중독'에 대한 관점을 밝힐 것.
- 누구의 이해관계를 고려한 기사문인지 밝힐 것.
- 다양한 관점과 가치를 고려하여 매체 자료를 수용해야 한다는 점을 드러낼 것.

6일 창의·융합·코딩 서술형 테스트

6 융합 코딩

다음은 '향찰'을 이해하는 방법을 도식화한 자료이다. 빈칸에 '예' 또는 '아니요' 중 적절한 말을 넣어 완성하시오.

'향찰'은 대체로, 고유 명사와 형식 형태소는 한자의 음을 빌리고, 실질 형태소는 한자의 뜻을 빌려 우리말 어순에 맞게 표기했습니다.

영어를 빌려 우리말을 표현한다고 가정하여 '향찰'을 이해하는 법을 알아봅시다. 다음 질문에 답을 하며 향찰의 원리를 파악해 볼까요?

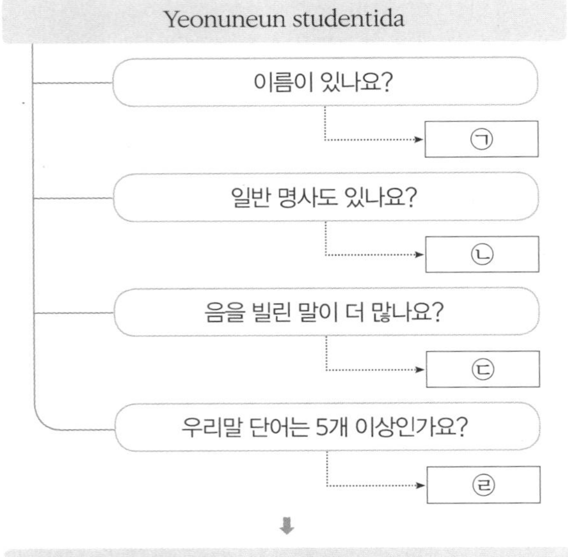

Yeonuneun studentida
이름이 있나요?
㉠
일반 명사도 있나요?
㉡
음을 빌린 말이 더 많나요?
㉢
우리말 단어는 5개 이상인가요?
㉣

위의 영어 표기 'Yeonuneun studentida'는 바로 '연우는 학생이다.'였군!

7 창의 융합

현대 국어의 단어 '마음'을 시대에 맞는 표기로 써 보았다. 제출한 답변을 다음과 같이 채점한다고 할 때, ㉠에 들어갈 내용을 〈조건〉에 따라 서술하시오.

	답안지		채점 기준		채점 결과
중세 국어	ᄆᆞᅀᆞᆷ	➡	시기별 국어의 특징에 맞게 표기하였나?	➡	중세 국어 시기에는 'ㅿ'이 쓰였으므로 맞는 표기이다.
근대 국어	ᄆᆞ음				㉠

조건
- 근대 국어의 특징을 근거로 들어 표기가 맞았는지 틀렸는지 밝힐 것.
- 30자 내외로 서술할 것.

8 창의 코딩

다음은 같은 환자에 대해 의사가 서로 다르게 설명하고 있는 상황이다. 이를 이해하는 과정을 도식화하였다고 할 때, ㉠~㉣에 들어갈 알맞은 말을 쓰시오.

수술 중에 어레스트가 있었지만, 다행히 씨저는 없었고, 시피아르를 계속하며 수술을 진행해서 결과 양호합니다.
수술 중에 심장이 갑자기 멈추는 일이 있었지만 다행히 발작은 일으키지 않았습니다. 심폐 소생술을 계속하며 수술을 진행했더니 무사히 회복하여 결과가 좋습니다.

동료 의사에게		보호자에게
어레스트	➡	㉠
씨저		㉡
시피아르		㉢

전문 분야에 따른 언어 차이는 (㉣) 차원에서 가장 뚜렷하니, 이를 보호자에게 쉽게 설명하고 있는 것이군.

[9~10] 다음 글을 읽고, 물음에 답하시오.

9 창의

〈보기〉를 참고하여 윗글에서 '휴대 전화'를 사용하여 정보를 전달한 이유를 매체의 의미 실현 방식과 파급력의 측면에서 서술하시오.

보기

인쇄물이나 포스터는 문자, 그림, 사진 등을 활용하여 정보를 전달하고, 동영상은 영상, 사진, 음악, 문자 등을 활용하여 정보를 전달한다. 휴대 전화를 통해서는 문자, 그림, 사진뿐만 아니라 동영상을 전송할 수 있는데, 많은 사람에게 한꺼번에 정보를 전달하는 것도 가능하다.

10 창의 융합

다음을 바탕으로 매체 자료를 생산할 때 어떤 점을 유의해야 하는지 〈조건〉에 따라 서술하시오.

이럴 때 저작권 침해!

- 인터넷에서 떠도는 글, 그림, 사진 등을 내 누리집에 옮기기.
- 공유 사이트, 웹 하드 등에서 자료 주고받기.
- 영화·음악 파일을 게시판 자료로 올리기.
- 컴퓨터 프로그램을 복제하여 친구들에게 나눠 주기.
- 내가 가진 음악 파일을 개인 누리집이나 블로그에 대가 없이 배경 음악으로 쓰기.
- 교내 대회에 다른 사람의 글이나 그림 베껴서 내기.
- 인터넷 자료를 그대로 옮겨서 내 것인 양 학교 과제로 제출하기.
- 학습 자료 스캔해서 학교 누리집에 올리기.

– 한국저작권위원회, 〈이럴 때 저작권 침해〉에서

조건

- ㉠과 관련된 저작권 침해 사례를 찾아 제시할 것.
- ㉠과 관련하여 매체 자료를 생산할 때 어떤 점을 유의해야 하는지 저작권과 관련지어 서술할 것.

6일

7일 기말고사 기본 테스트 1회

1 〈보기〉의 설명을 참고하여 ㉠~㉢을 분석한 내용으로 적절하지 않은 것은?

보기

문장 성분은 문장을 이루는 데 골격을 이루는 주성분, 주로 주성분의 내용을 꾸며 주는 역할을 하는 부속 성분, 주성분이나 부속 성분과 관련을 맺지 않고 독립적으로 떨어져 있는 독립 성분으로 나뉜다. 문장의 주성분에는 '주어, 목적어, 보어, 서술어'가 있으며, 부속 성분에는 '관형어, 부사어', 독립 성분에는 '독립어'가 있다.

㉠ 민수는 축구만 좋아한다.
㉡ 동생이 벌써 고등학생이 되었다.
㉢ 지은이가 교실에서 조용히 책을 읽었다.

① ㉠~㉢ 모두 독립 성분이 없다.
② ㉠은 ㉡과 달리 주성분만으로 이루어져 있다.
③ ㉡은 ㉠과 달리 보어가 존재한다.
④ ㉢은 ㉡과 달리 부속 성분이 2개 존재한다.
⑤ ㉢은 ㉠, ㉡과 달리 목적어가 존재한다.

2 〈보기〉는 관형어에 대한 설명이다. ⓐ에 해당하는 관형어가 사용된 문장은?

보기

관형어는 체언을 수식하는 문장 성분으로 문장에서 다음과 같은 형태로 나타난다.
- 관형사 예 이것은 새 책이다.
- 체언+관형격 조사 예 형의 자전거가 마당에 있다.
- ⓐ 용언+관형사형 어미 예 낙엽이 지는 계절이 왔다.
- 체언 예 우리나라 여름이 덥고 습하다.

① 형이 옛 친구를 만났다.
② 나는 시골의 풍경이 그립다.
③ 모든 학생들이 수업에 참석했다.
④ 동생은 예쁜 옷을 선물로 받았다.
⑤ 아침 식사는 건강에 매우 중요하다.

3 다음 중 겹문장의 형태가 나머지와 다른 하나는?

① 상우는 눈이 예쁘다.
② 지금은 집에 가기에 늦은 시간이다.
③ 지수는 우리가 돌아온 사실을 모른다.
④ 나는 동생과 다르게 도서관을 좋아한다.
⑤ 영수는 사과는 좋아하지만 배를 싫어한다.

4 다음 선생님의 질문에 알맞은 대답을 〈조건〉에 맞게 서술하시오.

'물이 얼음이 되었다.'는 주어가 두 개인 것처럼 보이지요? 하지만 이 문장의 짜임을 분석하면 '주어(물이) 보어(얼음이) 서술어(되었다)'로 주어와 서술어가 하나인 홑문장이라는 것을 알 수 있습니다. 그렇다면 다음 문장은 어떤 점에서 이 문장과 문장 구조가 다를까요?

기린이 목이 길다.

조건
- 설명을 참고하여 문장의 짜임 구조를 밝힐 것.
- 60자 내외로 서술할 것.

정답과 해설 43쪽

5 〈보기〉의 문장과 같은 종류의 높임법이 실현된 것은?

보기

이 신발을 할머니께 드려라.

① 어제는 눈이 내렸습니다.
② 할머니께서 방에서 주무신다.
③ 할아버지께서는 귀가 밝으시다.
④ 나는 부모님을 모시고 백화점에 갔다.
⑤ 오늘은 가족과 함께 저녁을 먹겠습니다.

6 〈보기〉의 시제를 탐구한 내용으로 적절하지 않은 것은?

보기

ㄱ. 우리는 지금 운동장에서 야구를 한다.
ㄴ. 미소가 예쁜 저 아이는 나의 동생이다.
ㄷ. 눈이 멈춘 후에 세상이 하얗게 변했다.
ㄹ. 영희가 어제 도서관에서 책을 빌리더라.
ㅁ. 현수가 지금쯤은 도착했겠다.

① ㄱ의 동사는 현재 시제 선어말 어미 '-ㄴ-'과 결합하여 현재 시제를 나타내고 있군.

② ㄴ, ㄷ의 형용사와 동사는 관형사형 어미 '-(으)ㄴ'과 결합하여 현재 시제를 나타내고 있군.

③ ㄱ, ㄹ은 시간 부사를 통해 시제를 표현하고 있군.

④ ㄹ은 선어말 어미 '-더-'를 통해 과거의 경험을 회상하는 의미를 보여 주고 있군.

⑤ ㅁ은 선어말 어미 '-겠-'을 통해 추측의 의미를 보여 주고 있군.

7 다음은 피동 표현에 대한 설명이다. 이를 바탕으로 할 때 피동 표현의 쓰임이 적절하지 않은 것은?

피동 표현은 주어가 다른 주체에 의해서 어떤 동작을 당하게 되는 것을 말한다. 동사의 어근에 피동 접미사 '-이-, -히-, -리-, -기-'가 결합한 경우, 체언에 피동 접미사 '-되다'가 결합한 경우, 동사 '되다'와 보조 동사 '지다'가 각각 결합한 '-게 되다, -어지다' 구성이 있다. 단, 피동 접미사와 '-어지다'가 동시에 사용되어 이중 피동이 만들어지는 것은 지나친 피동 표현이므로 유의해야 한다.

① 우는 아이가 엄마 등에 업혔다.
② 꽃밭에서 벌에게 다리를 쏘였다.
③ 이 영상은 학생들에 의해 만들어졌다.
④ 눈에 덮여진 산봉우리가 매우 아름답다.
⑤ 무너진 다리가 오랜 시간 끝에 복구되었다.

8 다음 대화 중 ㉠과 ㉡의 의미상 차이를 〈조건〉에 따라 서술하시오.

민수: 희진아, 아침 먹었어?
희진: 아니, 늦게 일어나서 아침을 ㉠못 먹었어.
민수: 그럼 매점에 가서 우리 빵 사 먹을까?
희진: 미안, 오늘은 빵 ㉡안 먹을래. 대신 우유나 사 먹어야겠다.

조건

- 대화 맥락을 고려하여 ㉠과 ㉡의 부정 표현의 의미상 차이를 밝힐 것.
- 60자 내외로 서술할 것.

9 **다음 대화 맥락을 고려하였을 때 ㉠에 들어갈 우리말의 사회·문화적 관습으로 적절한 것은?**

> 메이: 왜 승하한테 “승하야.”라고 부르면 안 돼?
> 재용: 승하가 선배잖아. 선배한테 그냥 이름을 부르는 경우는 없어.
> 메이: 왜 그러면 안 되는 건데?
> 재용: ______㉠______

① 우리말에는 세대별로 쓰는 어휘가 다른 의사소통 문화가 있어.
② 우리말에는 개인보다 공동체를 강조하는 문화적 관습이 있어.
③ 우리말은 자신의 의사를 완곡하게 표현하여 전달하는 관습이 있어.
④ 우리말은 나이의 상하 관계에 따라 높임말을 사용하는 관습이 있어.
⑤ 우리말은 자신을 겸손하게 드러내는 겸양의 태도를 중시하는 경향이 있어.

10 **다음 매체 자료에 대한 설명으로 적절하지 <u>않은</u> 것은?**

– 한국방송광고진흥공사 공익광고협의회, 2015

① 명사형 종결 표현을 통해 내용을 간결하게 전달하고 있다.
② 상대방을 설득하기 위한 목적으로 만들어진 매체 자료이다.
③ 상업성이 배제된 공공 기관의 정책 홍보를 위한 자료이다.
④ 시각적 이미지와 텍스트를 조합하여 메시지를 전달하고 있다.
⑤ 대조적 표현을 통해 대중에게 공동체 배려 문화를 강조하고 있다.

11 **다음 매체 자료와 관련된 설명으로 적절하지 <u>않은</u> 것은?**

happyhappy 우리 동네 맛집을 소개합니다. 유기농 딸기케이크가 유명하답니다. #딸기케이크 #디저트

초코초코 가격도 궁금합니다!
↳ happyhappy 메뉴판 사진도 올려 드릴게요~.
보라돌이 사진만 봐도 너무 맛있어 보이네요.
↳ happyhappy 그렇죠? 꼭 방문해 보세요.^^

① 불특정 다수와 내용을 공유할 수 있다.
② 일상에서 반복적으로 쉽게 접할 수 있다.
③ 객관적이고 중립적인 정보가 주로 다루어진다.
④ 생산자와 수용자 간의 상호 작용이 활발하게 이루어진다.
⑤ 신문이나 텔레비전보다 개인의 매체 자료 생산이 용이하다.

[12 ~ 13] 다음 글을 읽고, 물음에 답하시오.

가 대중문화 상품을 생산하는 것은 자본이다. 작곡가, 연출가, 가수, 배우 등을 대중문화의 생산 주체라고 생각하기 쉽지만 그렇지 않다. 아무리 훌륭한 작품이라도 자본가의 마음에 들지 않으면 상품화될 수 없다. 문화 상품을 생산하는 자본가의 목적은 돈을 버는 것이기 때문에 이윤을 극대화하기 위해 모든 전략을 강구한다. 예를 들어 드라마의 인물은 현실감이 떨어지는 경우가 많다. 가난하더라도 최신 유행의 옷과 액세서리가 많고, 최신의 고가품들을 사용한다. 이는 드라마가 광고 수단으로 사용되기 때문에 나타나는 현상이다. 대중문화는 근본적으로 상업의 영역에 속하는 문화이므로, 대중문화 제작 환경에 대한 성찰이 필요하다고 하겠다.

나 대중문화 상품의 생산자들은 위험 부담을 최소화하고 이윤을 극대화하기 위해 이미 시장에서 상품성을 인정받은 요소를 되풀이하여 사용한다. 여기서 대중문화의 상투성과 통속성이 발생한다. 예를 들어 대중음악의 노랫말이 대부분 사랑과 이별에 대한 내용에 머물러 있다든지, 텔레비전 드라마나 영화에서 삼각관계, 출생의 비밀, 기억 상실 같은 요소가 빈번하게 등장하는 것은 이런 통속적인 내용들이 일정한 이윤을 보장한다는 경험적 믿음이 있기 때문이다.

다 현대인들이 흔히 당연하게 받아들이는 사회적 가치들은 광고, 신문, 라디오 등 다양한 매체를 통해 사람들에게 유포된다. 그러나 그것은 당연한 것이 아니라 사회의 지배적 이데올로기를 반영한 것이다. 대중문화는 생산자의 의도와 이데올로기를 담고 있으며, 대중문화의 수용자들은 그러한 이데올로기적 조작에 쉽게 영향을 받을 수 있다. 예를 들어 많은 드라마와 광고들은 자본주의적 가치관을 드러내고, 이런 문화 상품을 반복적으로 접하면서 대중의 의식과 정서는 그런 기성의 가치관에 젖어 든다는 것이다.

12 다음 중 윗글의 내용과 일치하지 않는 것은?

① 대중문화 상품의 생산을 결정하는 것은 자본가이다.
② 대중문화는 이윤을 창출하기 위한 목적으로 상품화된다.
③ 대중문화에는 사회의 지배적 이데올로기가 반영되어 있다.
④ 대중문화는 세대 간 문화 교류 형성에 부정적 영향을 준다.
⑤ 대중문화의 생산자들은 이윤을 극대화하기 위해 통속적이고 상투적인 소재들을 활용한다.

13 윗글을 참고하여 다음 기사문을 감상한 내용으로 적절한 것은?

> 전문가들은 외모 강박이나 외모 지상주의가 생겨난 원인으로 대중 매체나 사회 관계망 서비스, 언론·광고 등의 영향을 꼽는다. ㄱ씨는 "TV에 나오는 연예인을 볼 때마다 스스로 부족하다는 생각에서 벗어날 수 없었다."라고 말했다. 이에 대하여 정○○ 대중문화 평론가는 "외모 지상주의의 가장 큰 문제는 외모에 대한 기준점을 제시하는 것"이라며 "기준이 생기면 기준 바깥의 것은 다 잘못된 것이 돼 버린다. 미디어는 기준적인 외모를 보여 줌으로써 기준을 제시하는 데 앞장서 왔다."라고 말했다.
>
> –《경향신문》, 2020년 4월 6일 자에서

① 청소년들이 대중문화에 열광하는 이유를 비판적으로 이해해야 한다.
② 대중문화를 통해 창출되는 이윤이 산업에 미치는 부정적 영향을 살펴본다.
③ 대중문화를 향유할 수 있는 매체가 다양하게 보급되고 있는지 고려해야 한다.
④ 대중문화가 특정 계층을 위해서만 생산되고 있는 것은 아닌지 심층적으로 분석해야 한다.
⑤ 대중문화에 담긴 획일적 메시지를 비판적으로 인식하여 주체적으로 향유할 수 있도록 한다.

14 다음 자료에서 밑줄 친 부분의 표기 방식의 공통점을 〈조건〉에 따라 서술하시오.

	ㅣ현대어 풀이ㅣ
善化公主主<u>隱</u>	선화 공주님은
他密只嫁良置<u>古</u>	남 몰래 결혼하고
薯童房<u>乙</u>	맛둥서방을
夜<u>矣</u>夘乙抱<u>遣</u>去如	밤에 몰래 안고 가다.

– 《삼국유사(三國遺事)》 권 제2에서

조건
- 한자를 어떠한 방식으로 빌려 쓰고 있는지 그 기능을 밝힐 것.
- 40자 내외로 서술할 것.

15 다음 사례를 통해 알 수 있는 중세 국어 문법의 특징으로 알맞은 것은?

> 불가(붉-+-아), 블거(븕-+-어)

① 된소리 현상이 발달하였다.
② 고유어가 한자어로 대체되었다.
③ 모음 조화를 반영한 표기가 사용되었다.
④ 방점을 사용하여 음의 높낮이를 나타내었다.
⑤ 겹자음이 모두 발음되는 어두 자음군이 사용되었다.

16 ㉠에 나타난 중세 국어의 표기상 특징을 현대 국어와 비교하여 〈조건〉에 따라 서술하시오.

> ㉠ <u>:ᄉᆡ·미 기·픈 ·므·른</u> ·ᄀᆞᄆᆞ·래 아·니 그츨·ᄊᆡ
>
> ㅣ현대어 풀이ㅣ
>
> 샘이 깊은 물은 가뭄에도 끊어지지 않으므로
>
> – 《용비어천가(龍飛御天歌)》(1445)에서

조건
- 다음 예를 참고하여 중세 국어와 현대 국어의 표기 형태를 밝힐 것.
  예 님+을 → 니믈(중세 국어) / 님을(현대 국어)
- 표기 방식이 적용되는 환경을 밝힐 것.
- 60자 내외로 서술할 것.

17 다음 중 근대 국어의 특징으로 적절하지 않은 것은?

① ‘니ᅀᅥ> 니어’와 같이 ‘ㅿ’이 사라졌다.
② ‘믈> 물’과 같이 원순 모음화 현상이 나타났다.
③ ‘지다> 디다’와 같이 구개음화 현상이 사라졌다.
④ 이중 모음이던 ‘ㅐ’와 ‘ㅔ’가 단모음으로 변하였다.
⑤ ‘모ᄅᆞ-> 모르-’와 같이 모음에서 ‘ㆍ’가 점차 소실되었다.

18 다음 상황에 나타난 전문어에 대한 설명으로 적절하지 않은 것은?

볼프파킨스화이트증후군 현상으로
부정맥에 이상이 생겼기 때문에,
전극도자절제술이 필요합니다.
?

① 일반인들의 일상 어휘로 사용되는 경향이 적다.
② 의미의 다의성을 갖는 경우가 많아 맥락을 고려해야 한다.
③ 한자어나 외국어로부터 차용된 어휘들이 많이 사용된다.
④ 전문 분야 종사자들이 일의 효율성을 높이기 위해 사용한다.
⑤ 현대 사회가 급속도로 변화하면서 새로운 전문어가 활발하게 생성되고 있다.

19 다음 대화에서 매체 자료 생산과 관련하여 고려한 사항으로 적절하지 않은 것은?

> 진후: 얘들아, 곧 있을 학교 축제 홍보물을 제작해야 해.
> 서윤: 축제 프로그램을 소개하고 모두가 참여할 수 있도록 독려하자.
> 소민: 이번에 홍보 대상을 학부모님까지 확대하는 게 어때? 홍보 영상을 만들어서 학부모님에게도 보내자.
> 진후: 좋아! 이번에는 대략 200명 정도가 홍보물을 보고 참여한다고 생각하면 될 것 같아.
> 서윤: 작년에 보니까 축제에 참여한 분들 중에 수익금이 어디에 쓰이는지 궁금해하던 분들이 있었어.
> 소민: 수익금이 쓰이는 곳을 홍보물에 밝혀 주자.
> 서윤: 내가 홍보 영상 기획을 해 볼게. 영상에 사용할 배경 음악이나 사진 자료에 대한 의견을 보내 줘.

① 매체 자료 생산의 목적은 무엇인가?
② 매체 자료 수용자의 규모는 어떠한가?
③ 매체 자료 수용자의 관심사는 무엇인가?
④ 매체 자료 수용자가 선호하는 매체는 무엇인가?
⑤ 매체 자료의 의미 실현 방식을 고려하고 있는가?

20 바람직한 언어문화 및 매체 문화 조성을 위해 필요한 태도로 적절하지 않은 것은?

① 타인을 차별하거나 비하하는 표현을 사용하지 않는다.
② 다른 사람의 말을 경청하며 상대방의 감정을 이해하는 표현을 사용한다.
③ 가상 공간에서는 정확한 사실로 확인되지 않은 내용을 언급하지 않도록 한다.
④ 과도한 줄임말 사용을 지양하고 타인이 쉽게 이해할 수 있는 표현을 사용한다.
⑤ 인터넷에서 자료를 검색하여 찾고, 자유롭게 편집하여 자신의 것으로 재생산한다.

7일 기말고사 기본 테스트 2회

1 다음 중 ㉠에 해당하는 문장으로 적절한 것은?

> 서술어의 자릿수란 서술어가 반드시 갖추어야 하는 문장 성분의 수를 의미한다. 서술어는 성격에 따라서 필요로 하는 문장 성분들의 개수가 다르다.
> - 한 자리 서술어 ㉾ 꽃이 피었다.
> - 두 자리 서술어 ㉾ 그는 영화를 보았다.
> - ㉠세 자리 서술어 ㉾ 할머니께서 우리에게 용돈을 주셨다.

① 새가 높이 난다.
② 나는 너와 다르다.
③ 친구가 기다리다 방금 갔다.
④ 고양이가 잽싸게 쥐를 잡았다.
⑤ 동생이 봉투에 우표를 붙였다.

2 다음 선생님의 설명을 참고할 때 밑줄 친 부사어의 종류가 나머지와 다른 하나는?

> 부사어는 주로 용언을 수식하거나 문장 전체를 수식하는 문장 성분입니다. 부사어는 수식하는 범위에 따라 특정한 문장 성분을 수식하는 성분 부사어와 문장 전체를 수식하는 문장 부사어로 나뉩니다.

① 시간이 매우 빠르게 지나간다.
② 비가 온 뒤에 하늘이 꽤나 맑다.
③ 친구는 아주 새 물건을 좋아한다.
④ 여기에 앉아서 함께 과제를 논의하자.
⑤ 부디 이번 모임에는 참석해 주었으면 한다.

3 ㉠을 ㉡으로 바꿀 때 나타나는 변화를 〈조건〉에 따라 서술하시오.

> 동연이는 아버지께 ㉠"제가 하겠습니다."라고 말씀드렸다.
>
> ⬇
>
> 동연이는 아버지께 ㉡자기가 하겠다고 말씀드렸다.

조건
- ㉠에서 ㉡으로 바꿀 때, 서술어의 높임 표현의 차이를 밝힐 것.
- 50자 내외로 서술할 것.

4 다음 밑줄 친 부분이 ㉠에 해당하지 않는 것은?

> 관형절은 문장에 안겨 관형어 역할을 하는 절을 의미한다. 관형절은 관형사형 어미 '-(으)ㄴ', '-는', '-(으)ㄹ', '-던'이 붙어서 만들어지는데, ㉠하나의 문장이 관형절로 다른 문장에 안길 때 원래 있던 문장 성분이 생략되는 경우가 있다.
> 예를 들어, '그녀는 빨간 모자를 샀다.'에서 관형절인 '빨간'은 '모자가 빨갛다'가 관형절로 안기면서 주어인 '모자가'가 생략된 경우에 해당한다.

① 나는 놀이터에 가는 동생을 만났다.
② 이 음악은 내가 즐겨 듣던 음악이다.
③ 한 시간 뒤에 우리가 먹을 음식이 도착한다.
④ 형이 시험에 합격했다는 소식을 방금 들었다.
⑤ 도서관에서 빌린 책을 내일까지 반납해야 한다.

정답과 해설 45쪽

5 다음 문장의 짜임을 분석한 내용으로 적절하지 않은 것은?

> ㉠ 나는 빵을 먹었고, 오빠는 비빔밥을 먹었다.
> ㉡ 이미 여러 번 통화를 해서, 목소리가 익숙하다.
> ㉢ 할머니께서는 인정이 많으시다.

① ㉠~㉢은 모두 겹문장의 짜임 구조를 갖고 있다.
② ㉠은 앞 절과 뒤 절이 '나열'의 의미 관계를 갖고 있다.
③ ㉡은 앞 절과 뒤 절이 '원인'의 의미 관계를 갖고 있다.
④ ㉠과 ㉡은 앞 절과 뒤 절의 순서를 바꾸어도 의미가 달라지지 않는다.
⑤ ㉢은 ㉠, ㉡과 달리 연결 어미가 없으며, 절 자체가 서술어 역할을 하고 있다.

6 ㉠~㉤을 높임법의 유형에 따라 알맞게 분류한 것은?

> ㉠ 친구가 우리 부모님께 인사를 드렸다.
> ㉡ 할머니께서 편찮으셔서 병원에 계신다.
> ㉢ 엄마, 학교에 다녀오겠습니다.
> ㉣ 누나가 할머니를 모시고 먼저 집에 들어갔다.
> ㉤ 선생님께서 교무실로 오라고 하셨어.

	주체 높임	객체 높임	상대 높임
①	㉡	㉠, ㉤	㉢, ㉣
②	㉢	㉡, ㉤	㉠, ㉣
③	㉡, ㉤	㉠, ㉣	㉢
④	㉡, ㉤	㉠	㉢, ㉣
⑤	㉢, ㉤	㉠	㉡, ㉣

7 ㉠, ㉡에 나타난 선어말 어미를 찾고, 각각의 쓰임을 〈조건〉에 따라 서술하시오.

> ㉠ 물가 상승으로 계란값이 많이 올랐다.
> ㉡ 나는 쇼핑하는 것을 좋아했었다.

조건
- ㉠, ㉡에 사용된 선어말 어미를 각각 밝힐 것.
- 선어말 어미의 형태와 의미를 비교하여 서술할 것.
- 100자 내외로 서술할 것.

8 ㉠~㉤ 중 〈조건〉을 모두 만족시키는 문장을 골라 묶은 것은?

> ㉠ 내일이 시험인데 공부를 안 했다.
> ㉡ 이제 다시는 그 사람을 안 만나겠다.
> ㉢ 위가 좋지 않아 밀가루로 만든 음식을 못 먹는다.
> ㉣ 환경을 위해 플라스틱 용기를 쓰지 마라.
> ㉤ 우리 가족들은 규칙적으로 운동을 하지는 않는다.

조건
- 용언의 앞에 부정 부사를 사용할 것.
- 행동 주체의 의지에 의한 부정의 의미가 표현될 것.

① ㉠, ㉡　② ㉠, ㉢　③ ㉡, ㉣
④ ㉢, ㉤　⑤ ㉠, ㉡, ㉤

7일

9 다음은 피동 표현과 사동 표현을 탐구한 활동 자료이다. ㉠과 ㉡의 예로 적절하지 않은 것은?

> 1. ㉠피동 표현: 주어가 다른 주체에 의해 동작을 당하는 것을 나타내는 표현.
> 2. ㉡사동 표현: 주어가 다른 대상에게 동작을 시키는 것을 나타내는 표현.
>
> ※ 피동 표현과 사동 표현의 구별 방법
> - 의미상 '당하는' 것이라면 피동, '시키는' 것이라면 사동임.
> - 대체적으로 목적어가 없으면 피동, 목적어가 있으면 사동으로 볼 수 있음.

① ㉠: 사람들의 발길에 꽃이 꺾였다.
② ㉠: 선생님의 칭찬에 기분이 풀렸다.
③ ㉡: 오늘은 택시가 잘 잡히지 않는다.
④ ㉡: 따스한 햇살이 고드름을 녹였다.
⑤ ㉡: 어머니께서 동생의 머리를 감겼다.

10 다음 담화 자료를 이해한 내용으로 적절하지 않은 것은?

> (약속 시간에 늦은 친구에게)
> 지환: ㉠지금 몇 신 줄 알아?
> 영수: (해맑은 표정으로) ㉡응, 3시 30분이야.
> 지환: 내일은 절대 늦지 마. ㉢거기서 만나면 되지?
> 영수: 아! ㉣우리 야구 경기장에 가기로 했지? 그런데 ㉤내일 할아버지 제사인 걸 깜빡했어. 미안해.

① ㉠: 형식은 의문문이지만 늦게 온 친구를 나무라는 의도를 담고 있다.
② ㉡: 상황 맥락을 고려하여 지환의 발화 의도를 이해하려고 하였다.
③ ㉢: 언어적 맥락을 고려할 때 '야구 경기장'을 가리킨다.
④ ㉣: 발화 참여자인 지환과 영수를 모두 포함한다.
⑤ ㉤: 사회·문화적 맥락을 고려하지 않으면 영수의 발화 의도를 이해하기 어렵다.

11 다음 자료에 대한 설명으로 적절하지 않은 것은?

> **제38회 ○○문화제 개최 안내**
>
> 학부모님 댁내 평안하십니까?
>
> 20○○학년도 제38회 ○○문화제를 아래와 같이 개최함을 알려 드립니다. 자녀들이 동아리 활동 등을 통해 갈고닦은 재능을 발표하는 자리이니 많은 관심 부탁드립니다.
>
> 1. 일시: 20○○년 9월 30일(금) 08:30 ~ 17:30
> 2. 장소: ○○고등학교 강당 및 1 ~ 2학년 교실, 특별실
> 3. 주요 일정

구분	시간	장소
관현악반 사전 축하 연주	08:30 ~ 08:40	중앙 현관 내부
개막식	08:40 ~ 09:00	강당
- 하략 -		

> 20○○. 9. 25.
> ○○고등학교장

① 학교 행사 관련 정보를 전달하는 자료이다.
② 주요 내용을 항목화하여 간결하게 제시하였다.
③ 공고문과 관련한 문의 사항 정보를 안내하였다.
④ 행사 프로그램을 시간의 순서에 따라 제시하였다.
⑤ 학부모가 대상임을 고려하여 높임법을 사용하였다.

12 다음은 인터넷 기사문이다. 매체 자료와 관련된 설명으로 적절하지 않은 것은?

한국 영화의 쾌거! 작품성과 흥행 모두 잡다

영화 ○○○이 탄탄한 이야기와 배우들의 열연으로 해외 영화제에서 각종 수상을 거두며 호평을 받고 있다. 국내에서도 많은 관객들의 관심으로 흥행을 이어 나가고 있으며 ○○○을 통해 우리 사회의 약자들의 인권에 대하여 다시 한번 관심을 갖게 되는 계기를 마련하였다.

관련 기사 링크: 영화 ○○○이 호평을 받을 수밖에 없는 이유!

[댓글]
댓글 1: 배우들의 열연이 기대 이상이었습니다.
댓글 2: 인권 사각지대에 놓인 우리 사회의 약자들을 위해 할 수 있는 일이 무엇인지 생각해 보았습니다.
댓글 3: 시나리오의 개연성이 조금 약했습니다. 기대가 컸는데 좀 아쉽습니다.

① 대량 전달력을 지니고 있어 매체 파급 효과가 크다.
② 하이퍼링크를 통해 관련된 정보를 추가로 확인할 수 있다.
③ 매체 수용자들이 시간에 구애받지 않고 정보를 접할 수 있다.
④ 댓글들은 작품의 현실 반영에 초점을 맞추어 의견을 드러내고 있다.
⑤ 인쇄 매체보다 매체 생산자와 수용자 간의 상호 작용이 활발하게 이루어질 수 있다.

13 〈보기〉의 사례와 관련한 대중문화의 현상을 〈조건〉에 따라 서술하시오.

보기
- 음악 프로그램의 주요 장르가 아이돌 음악에 편향되어 있음.
- 드라마에 과도한 간접 광고(PPL)를 노출하는 사례가 늘어나고 있음.
- 한 방송사에서 특정 프로그램이 인기를 얻으면, 유사한 프로그램이 다른 방송사에서도 제작됨.

조건
- 〈보기〉에서 알 수 있는 대중문화의 부정적인 측면을 밝힐 것.
- 대중문화의 올바른 수용 태도를 밝힐 것.
- 60자 내외로 서술할 것.

14 다음 자료에서 밑줄 친 부분의 표기 방식에 대한 설명으로 적절한 것은?

> 素那(或云金川) 白城郡蛇山人也
>
> **| 현대어 풀이 |**
>
> 소나(혹은 금천이라고 한다)는 백성군 사산 사람이다.
>
> – 《삼국사기(三國史記)》 권 제47에서

① 국어 어순에 맞게 한문을 변형하여 표기하였다.
② 한자의 소리를 빌려 우리말의 조사나 어미를 표기하였다.
③ 한문 어구 사이에 우리말 조사나 어미를 덧붙여 표기하였다.
④ 한자의 음이나 뜻을 빌려 우리말의 고유 명사를 표기하였다.
⑤ 어휘적인 의미를 나타내는 부분은 한자의 뜻을 빌려 표기하였다.

15 ㉠~㉤에서 확인할 수 있는 중세 국어의 특징을 설명한 내용으로 적절하지 않은 것은?

> ㉠불·휘기·픈㉡남·ᄀᆞᆫᄇᆞᄅᆞ·매아·니:뮐·ᄊᆡ곶:됴·코여·름·하ᄂᆞ·니
>
> :ᄉᆡ·미㉢기·픈㉣·므·른·ᄀᆞᄆᆞ·래아·니그츨·ᄊᆡ㉤:내·히이·러바·ᄅᆞ·래·가ᄂᆞ·니
>
> **| 현대어 풀이 |**
>
> 뿌리가 깊은 나무는 바람에 흔들리지 않으므로, 꽃이 좋게 피고 열매가 많습니다.
>
> 샘이 깊은 물은 가뭄에도 끊어지지 않으므로, 냇물이 되어 바다로 흘러갑니다. 〈제2장〉
>
> – 《용비어천가(龍飛御天歌)》(1445)에서

① ㉠: 주격 조사 ‘ㅣ’가 결합되었다.
② ㉡: 모음 조화 현상을 반영하여 조사가 사용되었다.
③ ㉢: 이어 적기 방식이 일반적이었다.
④ ㉣: 원순 모음화 현상이 나타나지 않는다.
⑤ ㉤: ㅎ 종성 체언이 조사 ‘이’와 결합하여 나타난다.

16 ⓐ에서 알 수 있는 중세 국어 높임법의 특징을 현대 국어와 비교하여 〈조건〉에 맞게 서술하시오.

> 海東六龍·이ⓐᄂᆞᄅᆞ·샤:일:마다天福·이시·니
>
> **| 현대어 풀이 |**
>
> 우리나라의 여섯 용이 나시어 하는 일마다 모두 하늘이 내리신 복이십니다.

조건

- 높임법의 종류와 높임의 의미를 실현하는 형태를 밝힐 것.
- 중세 국어와 현대 국어를 비교하여 서술할 것.
- 80자 내외로 서술할 것.

17 〈보기〉에서 근대 국어의 특징에 해당되는 것끼리 바르게 묶은 것은?

보기

ㄱ. ‘ㅿ’이 종성에서만 실현되며 쓰임이 축소되었다.
ㄴ. 주격 조사 ‘가’가 출현하여 ‘이’와 구별되어 쓰였다.
ㄷ. 겹자음이 모두 발음되는 어두 자음군이 등장하였다.
ㄹ. 객체 높임 선어말 어미 ‘-숩/줍/숩-’이 점차 쓰이지 않게 되었다.

① ㄱ, ㄴ ② ㄱ, ㄷ ③ ㄴ, ㄷ
④ ㄴ, ㄹ ⑤ ㄷ, ㄹ

18 다음 대화를 통해 알 수 있는 언어 사용 양상의 차이로 가장 적절한 것은?

> 아빠: 딸, 내일이 정월 대보름이구나.
> 딸: 정월 대보름? 그게 무슨 말이에요?
> 아빠: 정월 대보름을 몰라? 새해 첫 보름날로 건강을 기원하기 위해 오곡밥을 먹는 날이란다.
> 딸: 아하! 이제 알았어요.
> 아빠: 우리 딸 책 좀 읽어야겠네.
> 딸: 책 읽는 거 노잼이에요.
> 아빠: 노잼은 무슨 말이니?

① 연령이나 세대 간에 사용하는 어휘의 차이가 나타난다.
② 화자가 처해 있는 상황에 따라 어휘 사용 양상에 차이가 나타난다.
③ 성별에 따라 사용하는 문장 종결 표현 방식에서 차이가 발생한다.
④ 방언을 사용함으로써 지역에 따라 사용하는 어휘의 의미 차이가 나타난다.
⑤ 일반인이 이해하기 어려운 전문어를 사용하여 의사소통에 어려움이 나타난다.

19 다음 대화를 바탕으로 매체 자료를 생산할 때 고려해야 할 사항으로 적절하지 않은 것은?

플라스틱 쓰레기가 넘쳐 나고 있어.

환경 보호를 위해 플라스틱 사용을 줄이자는 공익 광고 영상을 만드는 게 어때?

좋아! 그러면 공익 광고 영상을 어떻게 제작할지 계획을 세워 볼까?

① 설득을 목적으로 전달하고자 하는 주장이 잘 드러나도록 한다.
② 이미지 자료와 배경 음악을 효과적으로 활용할 방안을 고려한다.
③ 공익 광고를 많은 사람이 공유할 수 있도록 누리 소통망을 적극 활용한다.
④ 사람들이 플라스틱 쓰레기의 유해성에 대해 얼마나 알고 있는지 고려한다.
⑤ 친근감 있게 내용을 전달하기 위해 최근에 유행하는 줄임말, 은어를 적극 사용한다.

20 다음 자료에 제시된 사례와 관련하여 매체 문화 발전을 위해 필요한 태도로 적절한 것은?

> **이럴 때 저작권 침해!**
> • 인터넷에서 떠도는 글, 그림, 사진 등을 내 누리집에 옮기기.
> • 공유 사이트, 웹 하드 등에서 자료 주고받기.
> • 영화·음악 파일을 게시판 자료로 올리기.
> • 컴퓨터 프로그램을 복제하여 친구들에게 나눠 주기.
> • 내가 가진 음악 파일을 개인 누리집이나 블로그에 대가 없이 배경 음악으로 쓰기.
>
> – 한국저작권위원회, 〈이럴 때 저작권 침해〉에서

① 매체의 이면에 숨겨진 의도를 파악하고 허위 자료를 분별하도록 한다.
② 매체의 다양한 복합 양식성을 이해하고 이를 적절하게 활용할 수 있도록 한다.
③ 매체 자료에 다른 사람을 인신공격하는 언어가 사용되지 않도록 주의한다.
④ 자신이 사용하는 매체 자료가 저작권 윤리에 위배되는 것은 아닌지 살펴보도록 한다.
⑤ 동일한 관심사를 갖는 사람들끼리 정보를 자유롭게 공유할 수 있도록 매체를 활용한다.

Memo

핵심 정리 01 문장 성분

[관련 단원] Ⅳ - 1 - (1) 문장의 짜임

○ 주성분

주어	동작 또는 상태나 성질의 주체가 되는 문장 성분
서술어	주어의 동작, 상태, 성질 따위를 풀이하는 기능을 하는 문장 성분
목적어	서술어의 동작 대상이 되는 문장 성분
❶ㅂㅇ	서술어 '되다', '아니다'가 필요로 하는 문장 성분 중에서 주어를 제외한 문장 성분

○ 부속 성분

관형어	체언을 수식하는 문장 성분
❷ㅂㅅㅇ	용언이나 문장 전체를 수식하는 문장 성분

○ 독립 성분

❸ㄷㄹㅇ	문장의 어느 성분과도 직접적인 관련이 없는 문장 성분

답 ❶ 보어 ❷ 부사어 ❸ 독립어

핵심 정리 02 문장의 짜임

[관련 단원] Ⅳ - 1 - (1) 문장의 짜임

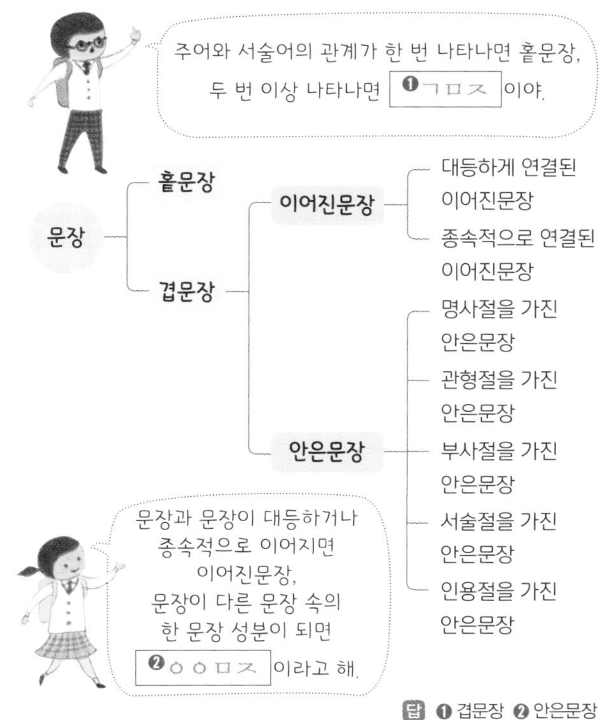

답 ❶ 겹문장 ❷ 안은문장

핵심 정리 03 문법 요소 – 높임 표현

[관련 단원] Ⅳ - 1 - (2) 문법 요소

높임 표현은 말하는이가 어떤 대상이나 상대에게 어떻게 대우할 것인가를 언어적으로 구별하여 표현하는 방식이야.

❶ㅅㄷ 높임법
- 말하는이가 듣는이에게 높이거나 낮추어 말하는 방법
- 종결 표현으로 실현되며, 격식체와 비격식체로 나뉨.

주체 높임법
- 서술의 주체를 높이는 방법
- 선어말 어미 '-(으)시-', 주격 조사 '께서' 사용

객체 높임법
- 서술의 ❷ㄱㅊ 인 목적어나 부사어가 지시하는 대상을 높이는 방법
- 부사격 조사 '께', 특수 어휘 '드리다, 모시다, 여쭈다' 등 사용

답 ❶ 상대 ❷ 객체

핵심 정리 04 문법 요소 – 시간 표현

[관련 단원] Ⅳ - 1 - (2) 문법 요소

○ 시제

과거 시제	사건시	>	발화시
현재 시제	사건시	=	발화시
미래 시제	사건시	<	발화시

발화시는 말하는이가 말하는 시점이고, ❶ㅅㄱㅅ 는 동작이나 상태가 일어나는 시점이야.

○ 동작상

진행상	동작의 지속. 주로 '-고 있다'의 형태
❷ㅇㄹㅅ	동작의 완료. 주로 '-아/어 있다', '-아/어 버리다' 형태

답 ❶ 사건시 ❷ 완료상

01 [관련 단원] Ⅳ - 1 - (1) 문장의 짜임

이것만은 꼭! 주성분의 예시

나는 채소를 좋아해.
주어 목적어 서술어

나는 고등학생이 되었다.
주어 ❶ㅂㅇ 서술어

이것만은 꼭! 서술어의 자릿수

한 자리 서술어	주어 하나만 필요한 서술어 예 꽃이 예쁘다.
두 자리 서술어	주어 이외에 목적어나 부사어, 보어 등이 더 필요한 서술어 예 그는 영화를 보았다.
세 자리 서술어	주어와 목적어, 부사어가 필요한 서술어 예 엄마가 우리에게 용돈을 주셨다.

이것만은 꼭! 부속 성분의 예시

소녀가 예쁜 옷을 입었다.
❷ㄱㅎㅇ - 체언 '옷' 수식

음식이 참 맛있다.
❸ㅂㅅㅇ - 용언 '맛있다' 수식

답 ❶ 보어 ❷ 관형어 ❸ 부사어

02 [관련 단원] Ⅳ - 1 - (1) 문장의 짜임

이것만은 꼭! 이어진문장의 예시

• 아침에는 빵을 먹고, 점심에는 비빔밥을 먹었다.
→ ❶ㄷㄷㅎㄱ 연결된 이어진문장(나열)

• 등산을 하려고, 아침부터 일찍 일어났다.
→ 종속적으로 연결된 이어진문장(의도)

이것만은 꼭! 안은문장의 예시

• 나는 네 행동이 옳았음을 뒤늦게 깨달았다.
→ ❷ㅁㅅㅈ을 가진 안은문장

• 이 음반은 내가 {들은/듣는/들을/듣던} 음반이다.
→ 관형절을 가진 안은문장

• 비가 소리 없이 내린다. → 부사절을 가진 안은문장

• 민희는 마음이 예쁘다. → ❸ㅅㅅㅈ을 가진 안은문장

• 엄마가 "무슨 일이니?"라고 물으셨다. → 직접 인용절

• 엄마가 무슨 일이냐고 물으셨다. → 간접 인용절

답 ❶ 대등하게 ❷ 명사절 ❸ 서술절

03 [관련 단원] Ⅳ - 1 - (2) 문법 요소

이것만은 꼭! 상대 높임법의 체계

		평서법	의문법	명령법	청유법	감탄법
격식체	하십시오체	가십니다	가십니까?	가십시오	(가시지요)	-
격식체	❶ㅎㅇㅊ	가(시오)	가(시)오?	가(시)오, 가구려	갑시다	가는구려
격식체	하게체	가네, 감세	가는가?, 가나?	가게	가세	가는구먼
격식체	해라체	간다	가냐?, 가니?	가(거)라, 가렴, 가려무나	가자	가는구나
비격식체	해요체	가요	가요?	가(세/셔)요	가(세/셔)요	가(세/셔)요
비격식체	❷ㅎㅊ	가, 가지	가?, 가지?	가, 가지	가, 가지	가, 가지

답 ❶ 하오체 ❷ 해체

04 [관련 단원] Ⅳ - 1 - (2) 문법 요소

이것만은 꼭! 시간 표현의 예시

예시	시제
민규는 창문을 다 열고서 청소를 시작했다.	과거 시제
영희가 어제 서점에 있더라.	❶ㄱㄱ 시제
나는 숙제를 한다.	현재 시제
우리는 지금 운동을 한다.	❷ㅎㅈ 시제
그녀는 내일 올 거야.	미래 시제
내일 비가 오겠다.	미래 시제(추측)
그 약속은 꼭 지키겠습니다.	❸ㅁㄹ 시제(의지)

답 ❶ 과거 ❷ 현재 ❸ 미래

자르는 선

핵심 정리 05 문법 요소 – 피동·사동 표현

[관련 단원] Ⅳ – 1 – (2) 문법 요소

○ 능동 표현과 피동 표현

능동 표현	주어가 동작을 제힘으로 하는 것
❶ㅍㄷ 표현	주어가 다른 주체에 의해서 어떤 동작을 당하게 되는 것

능동 경찰이 도둑을 잡았다.

피동 도둑이 경찰에게 잡혔다.

○ 주동 표현과 사동 표현

주동 표현	주어가 동작이나 행위를 직접 하는 것
❷ㅅㄷ 표현	주어가 다른 사람에게 동작이나 행위를 하도록 시키는 것

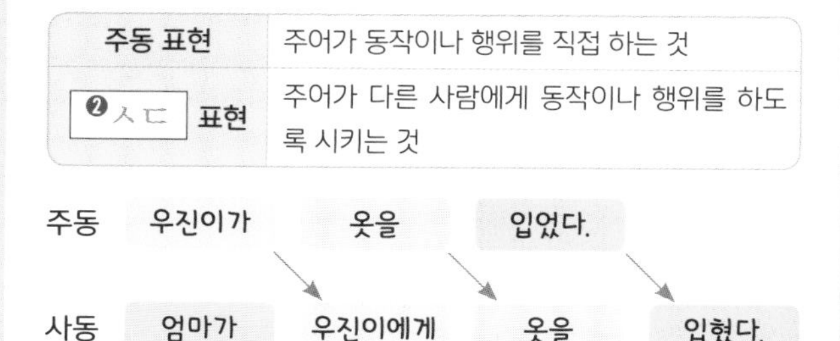
주동 우진이가 옷을 입었다.
사동 엄마가 우진이에게 옷을 입혔다.

답 ❶ 피동 ❷ 사동

핵심 정리 06 문법 요소 – 인용·부정 표현

[관련 단원] Ⅳ – 1 – (2) 문법 요소

○ 인용 표현

직접 인용	인용한 부분을 인용 부호(큰따옴표)로 표시하고 격 조사 '라고'를 붙여 씀. 예 민수는 경희에게 "밥 먹으러 가자."라고 말했다.
간접 인용	인용 부호를 사용하지 않으며 격 조사 '❶ㄱ'를 붙여 씀. 예 민수는 경희에게 밥 먹으러 가자고 말했다.

○ 부정 표현

'❷ㅇ' 부정문	'안, 아니하다'를 사용한 부정문 – 의지 부정 예 건강 검진이 있어서 아침을 {안 먹었다. / 먹지 않았다.}
'못' 부정문	'못, 못하다'를 사용한 부정문 – 능력 부정 예 늦잠을 자서 아침을 {못 먹었다. / 먹지 못했다.}

답 ❶ 고 ❷ 안

핵심 정리 07 담화의 개념과 특성

[관련 단원] Ⅳ – 2 – (1) 담화의 개념과 특성

○ 담화: 하나 이상의 발화나 문장이 연속되어 이루어지는 말의 단위

○ 담화의 구성 요소

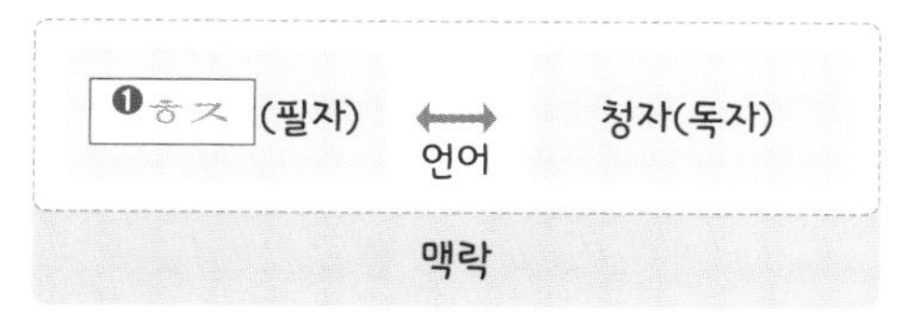
❶ㅎㅈ(필자)
언어
청자(독자)
맥락

→ 화자(필자), 청자(독자), 언어, 맥락의 네 요소가 종합적으로 작용하여 담화의 의미가 결정됨.

○ 담화의 맥락

언어적 맥락	앞이나 뒤에 놓인 언어의 한 부분을 통해 파악할 수 있는 맥락	
비언어적 맥락	상황 맥락	화자, 청자, 시간, 공간 등
	❷ㅅㅎㅁㅎㅈ 맥락	제도, 계층, 역사적·사회적 맥락, 이념 등

답 ❶ 화자 ❷ 사회·문화적

핵심 정리 08 국어 자료의 다양한 갈래

[관련 단원] Ⅳ – 2 – (2) 국어 자료의 다양한 갈래

○ 구체적 갈래에 따른 국어 자료

- 기사문
  - 표제, 부제, 전문, 본문, 해설로 구성됨.
  - 인용 표현, 피동 표현이 많이 사용됨.
- ❶ㅂㄷㅁ
  - 도입부, 중반부, 후반부로 구성됨.
  - 현재 시제를 많이 활용함.
- 공고문
  - 제목, 일시, 공고 내용 등 구체적인 사항을 포함하고 있어야 함.
  - 명사형 종결 표현이 많이 사용됨.
- ❷ㄱㄱㅁ
  - 목적에 따라 상업·공익·기업 광고, 매체에 따라 인쇄·방송·라디오 광고 등으로 나뉨.
  - 축약적이고 재미있는 표현이 많이 사용됨.

답 ❶ 보도문 ❷ 광고문

자르는 선

06 [관련 단원] Ⅳ－1－(2) 문법 요소

이것만은 꼭! 인용 표현의 쓰임 탐구

> 한 학생은 보고서에서 "나한테 도움 된다든가 흥미가 있는 내용의 기사만 보고, 기사를 클릭하기 전에 댓글을 먼저 본다. 댓글로 기사 내용을 요약해서 써 놓거나 자기 생각을 썼으니 이걸 먼저 보고 '아, 볼만하구나.' 생각이 들면 기사를 보는 것 같다"고 말했다.
>
> －《경인일보》, 2017년 6월 5일 자에서

직접 인용이므로 '❶ㄹㄱ 말했다'로 고쳐 쓰는 것이 적절함.

이것만은 꼭! 길이에 따른 부정 표현

❷ㅉㅇ 부정문	부정 부사 '안, 못'을 사용한 부정문
긴 부정문	부정 용언 '아니하다, 못하다'를 사용한 부정문

답 ❶라고 ❷짧은

05 [관련 단원] Ⅳ－1－(2) 문법 요소

이것만은 꼭! 피동 표현의 실현 방법

- 동사의 어근 ＋ 피동 접미사 '－이－, －히－, －리－, －기－'
  예 하늘이 곧 갤 것처럼 보인다.
- 피동 접미사 '－❶ㄷㄷ'
  예 수익금 전체가 문화 사업에 사용되다.
- －어지다 예 새로운 사실이 밝혀졌다.

이것만은 꼭! 사동 표현의 실현 방법

- 주동사의 어근 ＋ 사동 접미사 '－❷ㅇ－, －히－, －리－, －기－, －우－, －구－, －추－'
  예 동생이 밥을 먹었다. → 형이 동생에게 밥을 먹였다.
- 사동 접미사 '－시키다' 예 버스를 정지시켰다.
- －게 하다 예 버스를 정지하게 했다.

답 ❶되다 ❷이

08 [관련 단원] Ⅳ－2－(2) 국어 자료의 다양한 갈래

이것만은 꼭! 기사문의 구성

❶ㅍㅈ	내용 전체를 간결하게 나타내는 제목
부제	내용을 구체적으로 알리는 작은 제목
전문	기사 내용을 육하원칙에 따라 요약한 부분
본문	기사의 구체적인 내용을 서술한 부분
해설	기사의 참고 사항이나 설명을 덧붙이는 부분

이것만은 꼭! 보도문의 구성

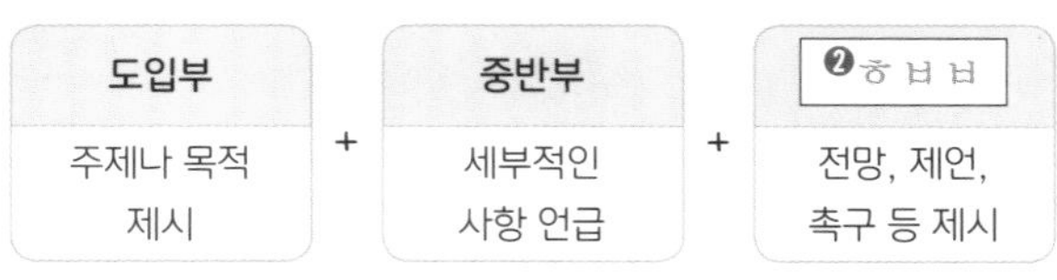
도입부
주제나 목적 제시
+
중반부
세부적인 사항 언급
+
❷ㅎㅂㅂ
전망, 제언, 촉구 등 제시

답 ❶표제 ❷후반부

07 [관련 단원] Ⅳ－2－(1) 담화의 개념과 특성

이것만은 꼭! 상황에 나타난 담화의 구성 요소 파악

가
아이고, 싱크대에 설거지할 그릇들이 쌓여 있네.
저 이제 공부 다 끝났어요.
나
아이고, 싱크대에 설거지할 그릇들이 쌓여 있네.
오늘 아빠 순서 아니에요?

	(가)	(나)
화자와 청자의 관계	아빠와 ❶ㅇㄷ	
❷ㅁㄹ	❸ㅈㅇ이라는 공간에서 아빠가 집안일을 열심히 하며 설거짓거리에 대해 발화하는 상황	집안이라는 공간에서 아빠가 편안하게 소파에 누워 설거짓거리에 대해 발화하는 상황

답 ❶아들 ❷맥락 ❸집안

자르는 선

핵심 정리 09 매체 자료의 비판적 수용

[관련 단원] Ⅳ - 3 - (1) 매체 자료의 비판적 수용

매체 자료에 반영된 특정한 관점과 가치

 ❶ㅌㄹㅂㅈ, 신문	• 특정 사건이나 쟁점에 관심을 두고 집중 보도함. → 매체 자료 생산 주체의 관점과 가치가 작용함. • 사건과 관련된 다양한 정보 중 특정 정보를 부각하거나 누락하기도 함.
❷ㅇㅌㄴ 기반의 매체	• 개인이 매체 자료를 생산하기 쉬움. → 개인의 다양한 관점과 가치가 담김. • 생산자와 수용자 간의 상호 작용이 활발함. → 생산자의 글과 수용자의 댓글에 관점과 가치의 차이가 드러남.

답 ❶ 텔레비전 ❷ 인터넷

핵심 정리 10 매체 문화의 향유

[관련 단원] Ⅳ - 3 - (2) 매체 문화의 향유

대중문화: 대중이 즐기는 문화

대중문화는 주로 텔레비전, 영화, 인터넷, 라디오 등과 같은 ❶ㄷㅈ ㅁㅊ를 통해 형성되고 전달되지.

대중문화의 특성과 영향

긍정적 영향	• 청소년의 여가와 또래 문화에서 큰 비중을 차지함. • 대중의 욕망이나 심리 구조, 독서 습관, 문화 수용 태도의 형성에 영향을 끼침.
부정적 영향	• 경제적 가치와 이윤 추구 → 통속적, 선정적, 자극적 내용으로 일관함. • 대중이 선호하는 문화 강조 → 문화의 ❷ㅎㅇㅅ이 심화됨. • 사회의 지배적 가치나 이념 반영

답 ❶ 대중 매체 ❷ 획일성

핵심 정리 11 고대 국어 / 중세 국어 - 음운, 표기

[관련 단원] Ⅴ - 1 - (1) 국어의 역사

고대 국어의 특징: ❶ㅎㅈ를 빌려 다양한 방식으로 차자 표기를 함. 예 고유 명사의 표기, 서기체 표기, 이두, 구결, 향찰

중세 국어의 음운과 표기상 특징

된소리 발달	된소리가 전기 중세 국어 시기에 등장하여 점차 발달함.
음운의 사용	오늘날 쓰이지 않는 'ㅸ, ㅿ, ㆆ, ㆁ, ㆍ'가 사용됨.
어두 자음군	겹자음이 모두 발음되는 어두 자음군이 있었음.
모음 조화	모음 조화가 비교적 잘 지켜짐.
성조 표시	❷ㅂㅈ을 사용하여 성조를 표시함.
이어 적기	이어 적기 방식이 일반적이었음.
받침의 표기	받침에는 'ㄱ, ㄴ, ❸ㄷ, ㄹ, ㅁ, ㅂ, ㅅ, ㆁ'의 초성자로만 적게 함.

답 ❶ 한자 ❷ 방점 ❸ ㄷ

핵심 정리 12 중세 국어 - 문법, 어휘

[관련 단원] Ⅴ - 1 - (1) 국어의 역사

중세 국어의 문법상 특징

- 주격 조사는 '❶ㅇ'만 쓰였고, 환경에 따라 다른 형태로 실현됨.
- 체언이 조사와 결합할 때 형태가 바뀌는 경우가 있었음.
- 명사형 어미는 '-옴/움'이 사용됨.
- 주체 높임법, 객체 높임법, 상대 높임법이 있었음.

중세 국어의 어휘상 특징

❷ㄱㅇㅇ 사용	예 뫼[山], ᄀᆞᄅᆞᆷ[江], 슈룹[雨傘], 온[百], 즈믄[千]
한자어 증가	예 文字(문자), 百姓(백성), 爲(위)하다, 便安(편안)
중국어 귀화	예 붇[筆], 먹[墨], 사탕[砂糖]
외래어 존재	예 투먼[豆漫]

답 ❶ 이 ❷ 고유어

자르는 선

10

[관련 단원] Ⅳ - 3 - (2) 매체 문화의 향유

이것만은 꼭! 대중문화의 ❶ㅇㅁㅅ 과 주체적 수용

긍정적 요소	부정적 요소
• 즐거움, 정서적 유대감 형성 • 풍요로운 여가 생활	• 상업성과 통속성 • 지배적인 가치나 이념 반영

↓

• 대중문화의 주체적 향유
• 대중문화의 장단점을 인식하고, 대중문화의 긍정적 가치를 찾음과 동시에 문제점을 ❷ㅂㅍㅈ 으로 인식해야 함.

답 ❶ 양면성 ❷ 비판적

09

[관련 단원] Ⅳ - 3 - (1) 매체 자료의 비판적 수용

이것만은 꼭! 매체 자료 수용 시 고려해야 할 점

• 매체 자료의 ❶ㅊㅊ 는 어디이며, 생산자는 누구인가?
• 매체 자료의 내용은 객관적인 사실에 근거하고 있는가?
• 생산자가 대상이나 사건을 바라보는 ❷ㄱㅈ 은 무엇인가?
• 강조하거나 드러내려 하는 정보는 무엇이고, 누락된 정보는 무엇인가?
• 매체 자료의 내용은 누구의 ❸ㅇㅎㄱㄱ 와 관련되어 있는가?

답 ❶ 출처 ❷ 관점 ❸ 이해관계

12

[관련 단원] Ⅴ - 1 - (1) 국어의 역사

이것만은 꼭! 중세 국어의 주격 조사

주격 조사의 형태	환경	예
이	자음 뒤	ᄉᆡ미(ᄉᆡᆷ+이)
❶ㅣ	‘ㅣ’와 반모음 ‘ĭ’를 제외한 나머지 모음 뒤	부톄(부텨+ㅣ)
실현되지 않음.	‘ㅣ’와 반모음 ‘ĭ’ 뒤	ᄃᆞ리(ᄃᆞ리+ϕ)

이것만은 꼭! 중세 국어의 높임법

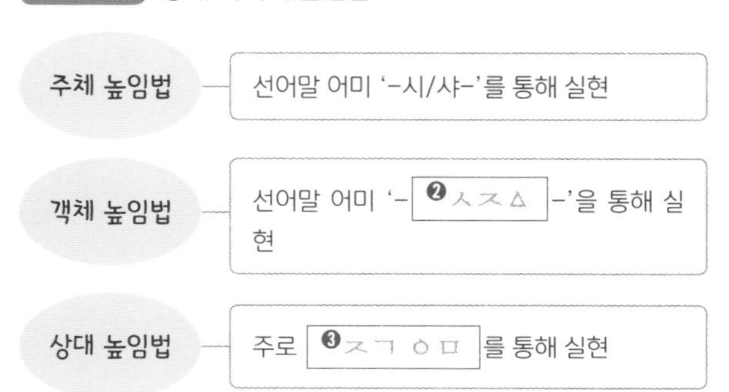

주체 높임법
선어말 어미 ‘-시/샤-’를 통해 실현
객체 높임법
선어말 어미 ‘-❷ㅅㅈㅿ-’을 통해 실현
상대 높임법
주로 ❸ㅈㄱ ㅇㅁ 를 통해 실현

답 ❶ ㅣ ❷ ᄉᆞᆸ/ᄌᆞᆸ/ᅀᆞᆸ ❸ 종결 어미

11

[관련 단원] Ⅴ - 1 - (1) 국어의 역사

이것만은 꼭! 《서동요》를 통한 향찰의 표기 방식 탐구

한자의 ❶ㄸ 을 빌려 표기함.

善	化	公	主	主	隱
착할 선	될 화	공 공	임금 주	임금 주	숨을 은

한자의 음을 빌려 표기함. 보조사

이것만은 꼭! 《용비어천가》를 통한 중세 국어의 특징 파악

:ᄉᆡ·미 기·픈 ·므·른

→ 방점으로 성조를 표시함.
→ ❷ㅇㅇ ㅈㄱ 방식을 사용함.

답 ❶ 뜻 ❷ 이어 적기

자르는 선

부록 핵심 정리 총집합

핵심 정리 13 근대 국어 – 음운, 표기

[관련 단원] V – 1 – (1) 국어의 역사

근대 국어의 음운과 표기상 특징

성조 소실	성조와 방점이 사라짐.
음운의 소실 및 변화	• 'ㅿ'은 17세기에 소실, 'ㆁ'은 종성에서만 실현되고 'ㅇ'으로 글꼴이 변함. • 'ㆍ'가 16세기부터 둘째 음절 이하에서는 주로 'ㅡ'로, 18세기에는 첫째 음절에서 주로 '❶ㅏ'로 변함.
어두 자음군 소멸	'ㅴ, ㅵ'과 같은 어두 자음군이 소멸함.
단모음화	이중 모음 'ㅐ, ㅔ'가 단모음으로 변함.
원순 모음화	순음 밑의 'ㅡ'가 원순 모음 'ㅜ'로 바뀜.
두음 법칙	어두의 'ㄴ'이 탈락되기 시작함.
구개음화	17~18세기에 점진적으로 나타남.
❷ㄱㄷ ㅈㄱ	중세의 이어 적기 방식이 현대의 끊어 적기 방식으로 가는 과도기적 현상으로 거듭 적기 방식이 나타남.
받침의 표기	종성에 'ㄱ, ㄴ, ㄹ, ㅁ, ㅂ, ❸ㅅ, ㅇ'의 일곱 자를 사용함.

답 ❶ ㅏ ❷ 거듭 적기 ❸ ㅅ

핵심 정리 14 근대 국어 – 문법, 어휘

[관련 단원] V – 1 – (1) 국어의 역사

근대 국어의 문법상 특징

주격 조사	주격 조사 '❶ㄱ'가 '이'와 구별되어 쓰임.
높임법의 변화	객체 높임 선어말 어미 '-숩/줍/숩-'이 점차 쓰이지 않게 됨.
명사형 어미의 변화	명사형 어미 '-옴/움'이 '-❷ㅇ'으로 변하고 '-기'가 활발히 쓰임.

근대 국어의 어휘상 특징

❸ㄱㅇㅇ가 한자어로 대체됨.	예 뫼 > 산, ᄀᆞ룸 > 강, 아숨 > 친척
근대 문물어 차용	예 천리경(千里鏡), 자명종(自鳴鐘)
어휘의 의미 변화	예 어엿브다(불쌍하다 > 아름답다), 어리다(어리석다 > 나이가 어리다)

답 ❶ 가 ❷ 음 ❸ 고유어

핵심 정리 15 언어 사용 양상의 차이

[관련 단원] V – 1 – (2) 국어와 사회

언어 사용 양상의 차이

❶ㅈㅇ	• 같은 언어라 하더라도 지역에 따라 차이가 있음. • 우리나라의 경우 '중부, 동북, 동남, 서북, 서남, 제주'의 여섯 개의 방언 구획으로 구분함.
연령·세대	• 특정 연령이 되면 사용하는 언어가 달라짐. 예 엄마 → 어머니 • 세대에 따라 사용하는 언어가 달라짐. 예 노년층: 옛말, 한자어 / 청소년: 외래어, 속어
❷ㅅㅂ	성별에 따라 사용하는 언어에 차이가 생기기도 함. 예 여성: 동의를 구하는 부가 의문문, 감탄사, '해요체' 사용 / 남성: '하십시오체' 사용
직업·전문 분야	새로운 직업과 전문 분야가 생기며 이에 따른 언어 차이가 커지고, 특히 어휘 차원에서 두드러짐.
❸ㅁㅎ	같은 언어를 사용해도 문화에 따라 어휘, 문장 구조, 담화 구성 방식이 다를 수 있음.

답 ❶ 지역 ❷ 성별 ❸ 문화

핵심 정리 16 언어와 매체의 생산과 발전

[관련 단원] V – 2. 언어와 매체의 생산과 발전

매체 자료의 생산

목적을 고려하여 매체 자료 생산하기

↓

❶ㅅㅇㅈ를 고려하여 매체 자료 생산하기

↓

매체 특성을 고려하여 매체 자료 생산하기

언어문화와 매체 문화의 발전

다른 사람을 존중하고 ❷ㅂㄹ하는 마음을 바탕으로 바르고 품격 있는 언어를 사용해야 해.

건전한 매체 자료를 생산하고 ❸ㅈㅊㅈ·비판적 태도로 매체 자료를 수용해야 해.

답 ❶ 수용자 ❷ 배려 ❸ 주체적

자르는 선

13

이것만은 꼭! 《노걸대언해》를 통한 근대 국어의 특징 파악

《번역노걸대》(16세기 초)	《노걸대언해》(1670)	근대 국어의 특징
네 어버ᅀᅵ 너·를 ·ᄒᆞ·야	네 어버이 널로 ᄒᆞ야	'❶ㅿ' 소멸
설·흔다·ᄉᆞ·시·라	셜흔다ᄉᆞᆺ시라	거듭 적기 방식 사용

이것만은 꼭! 근대 국어의 어휘 변화 탐구

15세기 국어	현대 국어	변화
ᄆᆞᅀᆞᆯ	마을	'ㅿ', 'ㆍ' 소멸 및 형태 변화
말ᄊᆞᆷ	말씀	'❷ㆍ' 소멸 및 형태 변화

답 ❶ ㅿ ❷ ㆍ

14

이것만은 꼭! 《노걸대언해》를 통한 근대 국어의 특징 파악

《번역노걸대》(16세기 초)	《노걸대언해》(1670)	근대 국어의 특징
·또 :엇·디 漢語 닐·오·미 잘·ᄒᆞ·ᄂᆞ·뇨	또 엇디 漢語 니롬을 잘ᄒᆞᄂᆞ뇨	❶ㅁㅅㅎ 어미 '-(으)ㅁ' 사용
스승·님·씌 ·글 듣즙·고	스승님씌 글 ᄇᆡ호고	❷ㄱㅊ 높임 선어말 어미가 사용되지 않음.

답 ❶ 명사형 ❷ 객체

15

이것만은 꼭! ❶ㅅㄷ에 따른 언어 차이 사례

이것만은 꼭! ❷ㅈㅇ 또는 전문 분야에 따른 언어 차이 사례

답 ❶ 세대 ❷ 직업

16

이것만은 꼭! 소통 목적을 고려한 매체 자료 생산

- ❶ㅈㅂ ㅈㄷ
- 설득
- 심미적 정서 표현
- 사회적 상호 작용

이것만은 꼭! 수용자를 고려한 매체 자료 생산

- 수용자의 연령과 성
- 수용자의 규모
- 수용자의 ❷ㄱㅅㅅ
- 수용자의 배경지식

이것만은 꼭! ❸ㅁㅊ 특성을 고려한 매체 자료 생산

- 매체별 의미 실현 방식 고려
- 대량 전달이 가능한 매체의 파급력 고려
- 매체의 상호 소통 방식 고려

답 ❶ 정보 전달 ❷ 관심사 ❸ 매체

자르는 선

book.chunjae.co.kr

교재 내용 문의 ······················ 교재 홈페이지 ▸ 고등 ▸ 교재상담
교재 내용 외 문의 ···················· 교재 홈페이지 ▸ 고객센터 ▸ 1:1문의
발간 후 발견되는 오류 ················ 교재 홈페이지 ▸ 고등 ▸ 학습지원 ▸ 학습자료실

7일 끝

중간고사 기말고사

7일 끝으로 끝내자!

고등 언어와 매체

민현식 교과서

BOOK 3

정답과 해설

천재교육

7일 끝으로 끝내자!

7일 끝으로 끝내자!

고등 언어와 매체

BOOK 3

정답과 해설

이 책의 차례

중간고사 대비

기말고사 대비

중간고사 대비

정답과 해설

정답과 해설 활용 안내

- 정답 박스로 **빠르게 정답 확인하기!**
- 정답과 오답의 이유, **한 번 더 짚고 넘어가기!**
- **서술형** 답안의 **평가 요소**는 직접 **체크**해 보며, **주관식** 문제 꼼꼼히 **대비하기!**

7일 끝! 중간 대비

1일 기초 확인 문제 9~11쪽

• I단원 1. 언어와 국어 ~ 2. 매체와 매체 언어

1 ⓐ: 언어, ⓑ: 사고 **2** (1) O (2) X (3) X (4) O **3** ② **4** ⑤
5 ① **6** (1) O (2) X (3) X (4) O **7** ⓐ: 뉴 미디어, ⓑ: 실시간
8 ⑤ **9** 인터넷

1 무지개를 빨주노초파남보의 일곱 가지 색으로 중얼거리는 것은 '언어'에 해당하고, 무지개의 색을 일곱 가지로 구분하여 이해하는 것은 사람의 인식, 즉 '사고'에 해당한다. 따라서 제시된 사례는 언어가 사고에 영향을 미친 경우라고 할 수 있다.

2 (1) 국어는 /ㄱ, ㄲ, ㅋ/, /ㄷ, ㄸ, ㅌ/, /ㅂ, ㅃ, ㅍ/, /ㅈ, ㅉ, ㅊ/과 같이 예사소리, 된소리, 거센소리가 대립하거나 /ㅅ, ㅆ/처럼 예사소리와 된소리가 대립하기도 한다.
(2) 모음 조화 현상은 양성 모음은 양성 모음끼리, 음성 모음은 음성 모음끼리 결합하는 현상을 말한다.
(3) 국어에서 색채어, 의성어, 의태어가 크게 발달한 것은 한자어 계열이 아니라 고유어 계열이다.
(4) 국어에서는 '-(으)시-'와 같은 선어말 어미, '-습니다'와 같은 어말 어미, '진지'와 같이 특별히 높임을 나타내는 단어 등을 통해 다양하게 높임 표현을 실현한다.

3 국어는 조사와 어미가 크게 발달하여 대부분의 문법적 기능이 조사와 어미에 의해 실현되므로 〈보기〉와 같이 어순을 바꾸어도 문장의 의미가 크게 변하지 않는다.

4 대화에서는 어원어에서 1년을 6계절로 나누어 부르는 이유를 어원어를 사용하는 사람들의 자연환경에서 찾고 있다. 이를 통해 언어에는 그 언어를 사용하는 사회의 문화가 반영되어 있음을 알 수 있다. 이를 통해 언어에는 그 언어를 사용하는 사회의 문화가 반영되어 있음을 알 수 있다.

5 신문은 방송 매체가 아니라 인쇄 매체이다.

6 (1) 의사소통과 정보 전달의 다양한 수단을 '매체'라고 하며, 신문, 잡지, 텔레비전 등이 매체에 해당한다.
(2) 라디오는 '통신 매체'가 아니라 '방송 매체'이다. '통신 매체'에는 휴대 전화와 인터넷 등이 있다.
(3) 뉴 미디어는 음성, 문자, 몸짓, 그림 등 다양한 요소들이 복합적으로 작용하여 의미를 구성하는 복합 양식성이 두드러지게 나타난다.
(4) 매체 언어의 내용을 효과적으로 이해하기 위해서는 의미를 구성하는 다양한 요소들의 개별 특성과 상호 관련성을 이해해야 한다.

7 최근 전자 기술의 발전에 따라 새롭게 등장한 매체를 '뉴 미디어'라고 부른다. '뉴 미디어'는 기존의 독립적 매체들을 새로운 기술과 결합하여 서로 연결하여 여러 가지 매체의 속성이 하나로 통합된 멀티미디어적 성격을 지니고 있으며, 실시간 상호 작용이 가능하다는 것이 특징이다.

8 뉴 미디어 시대의 다양한 매체들은 여러 가지 요소가 복합적으로 사용되어 의미를 구성하는 경향이 강한데, 여러 요소가 복합적으로 관여하면서 의미를 구성하는 성질을 '복합 양식성'이라고 한다.

오답 풀이
① 지속성은 '어떤 상태를 오래 계속하는 성질.'을 의미하므로 제시된 설명과 관련이 없다.
② 단일성은 '다른 것이 섞여 있지 않고, 단 하나로 되어 있는 성질.'을 의미하므로 제시된 설명과 관련이 없다.
③ 불변성은 '변하지 아니하는 성질.'을 의미하므로 제시된 설명과 관련이 없다.
④ 시의성은 '당시의 상황이나 사정과 딱 들어맞는 성질.'을 의미하므로 제시된 설명과 관련이 없다.

9 인터넷은 매체의 확장을 넘어 현대 사회의 변화를 이끈 매체로 평가받고 있다. 동영상이나 사진 자료를 수록하는 데 한계가 있었던 신문이나 잡지 등의 인쇄 매체들은 인터넷을 통해 그 한계를 극복하고 관련 누리집을 통해 동영상, 사진, 음성 등 다양한 형태의 자료를 게시할 수 있게 되었다.

1일 교과서 기출 베스트 12~15쪽

• I단원 1. 언어와 국어 ~ 2. 매체와 매체 언어

1 ② **2** ② **3** 한국어와 영어의 혼용으로 인해 국어 파괴와 혼란이 나타나고 있다. **4** ① **5** ② **6** ③ **7** ③ **8** ④ **9** ③
10 해시태그로 내용을 검색할 수 있으므로 〈보기〉의 매체는 쉽게 접근이 가능하다.

1 (가)의 1문단에서 실제 무지개의 색과 상관없이 무지개의 색을 일곱 가지로 구분하여 인식한 것으로 보아 언어를 통해 사

고했음을 알 수 있다. 또한 (가)의 3문단을 통해 사고가 언어에 영향을 미치기도 한다는 것을 알 수 있다. 따라서 언어와 사고는 서로 영향을 주고받는 상호 보완적인 관계라는 설명이 적절하다.

2 (나)에서 우리나라의 농경 문화와 이누이트의 자연환경이 각 사회의 언어에 반영되어 있음을 알 수 있다. 따라서 (나)를 통해 '언어는 그 사회의 문화를 반영한다.'라는 언어의 특성을 파악할 수 있다.

3 ⓐ와 ⓑ는 한국어와 영어를 혼용하고 있으며, 특히 ⓑ는 국어의 로마자화까지 나타나고 있다. 즉 외국어의 범람으로 인해 국어 파괴와 혼란이 나타나고 있는 것이다.

평가 요소	확인 ☑
〈보기〉에 나타난 한국어 위기 현상을 적절하게 서술하였다.	
ⓐ와 ⓑ의 특징을 적절하게 언급하였다.	
30자 내외로 서술하였다.	

4 ㉠은 국어에 음운 대립이 있어 예사소리, 된소리, 거센소리가 대립한다는 것을 나타낸다.

5 (가)를 통해 아시아 대륙에 가장 많은 세종학당이 설립되어 있음을 알 수 있다. 따라서 우리나라와 멀리 있는 나라일수록 한국어를 배우려는 인구가 많다고 이해한 것은 적절하지 않다.

6 (가)에서 컴퓨터를 매개로 하는 사이버 공간에서 새로운 화법과 문자 사용 방식으로 의사소통을 하게 되었음을 알 수 있고, (나)에서 이동 통신의 문자 메시지로 기호나 그림말을 사용하는 등 새로운 언어 표현 방식을 사용하게 되었음을 알 수 있다. 따라서 컴퓨터 통신과 휴대 전화라는 매체에 따라 의사소통 방식이 달라지고 있음을 알 수 있다.

오답 풀이

① 이 글에서 매체의 발달에 따른 언어 발전과 관련된 내용은 찾을 수 없다.

② 이 글에서 사회 구성원의 동의를 통해 매체 언어가 성립된다는 내용은 찾을 수 없다.

④ 이 글에서 매체의 변화에 따른 인간의 의식 변화와 관련된 내용은 찾을 수 없다.

⑤ (나)에서 문자 메시지를 보낼 때 제한된 자수 때문에 가능한 한 띄어쓰기를 하지 않거나 줄임말을 사용하고 웬만한 오타는 그냥 넘어가는 것이 일상이라고 하였으므로 매체가 발달하면 맞춤법을 더 엄격하게 지키게 된다는 내용은 적절하지 않다.

7 제시된 문자 메시지를 보낸 사람은 자신이 내일 바쁘기 때문에 만나기 어렵다고 직설적으로 말하고 있다. 또한 돌려 말할 경우 직설적으로 표현할 때보다 문장이 더 길어지기 때문에 휴대 전화 문자 메시지의 특징으로도 적절하지 않다.

8 (가)는 공익 광고 영상이고 (나)는 신문으로, (가)와 (나) 모두 일대다 의사소통 방식을 취한다.

오답 풀이

② (가)는 영상 등의 시각 요소뿐만 아니라 소리 효과 등의 청각 요소를 함께 사용하여 '바른 말 고운 말을 쓰자.'라는 주제를 드러내고 있다. (나)는 문자 요소와, 사진과 같은 시각 요소를 함께 사용하여 '올바른 언어생활'이라는 주제를 드러내고 있다.

③ (가)는 공익 광고 영상이고, (나)는 신문 기사이다. 두 자료 모두 올바른 언어생활을 하자는 동일한 주제를 담고 있지만, 주제를 표현하는 방법이 각각 동영상과 신문 기사로 다르게 나타나고 있다. 따라서 두 자료를 통해 매체에 따라 주제를 표현하는 방법이 다를 수 있음을 알 수 있다.

9 '복합 양식성'이란 매체에서 언어 요소, 청각 요소, 시각 요소 등의 여러 가지 요소가 복합적으로 작용하여 의미를 구성하는 성질을 말한다. (나)는 '글'이라는 언어 요소와 '사진'이라는 시각 요소를 복합적으로 결합하여 의미를 구성하고 있다.

10 제시된 매체의 내용을 보면 '#일상 #전주' 등의 해시태그가 달려 있는데, 해시태그를 달면 지인을 포함한 불특정 다수가 해시태그를 검색하여 해당 내용을 볼 수 있다. 따라서 〈보기〉의 매체는 쉽게 접근할 수 있다는 특성을 지니고 있음을 알 수 있다. (단, 설정에 따라 접근할 수 없는 경우도 있다.)

평가 요소	확인 ☑
해시태그로 내용을 검색할 수 있다는 점을 언급하였다.	
〈보기〉의 매체가 쉽게 접근이 가능하다는 특성을 지니고 있음을 언급하였다.	
45자 내외로 서술하였다.	

정답

2일 기초 확인 문제 19~21쪽

•II단원 1. 단어와 국어 생활

1 ⓐ: 어근, ⓑ: 합성어 **2** (1) X (2) O (3) X (4) X **3** ② **4** ⑤ **5** 체언 **6** ㉠-ⓐ, ㉡-ⓑ, ㉢-ⓓ, ㉣-ⓒ **7** (1) O (2) X (3) X **8** ② **9** ③

1 '회'는 단일어로서 하나의 어근으로 이루어진 말이다. '덮밥'은 용언의 어간 '덮-'에 명사 '밥'이 결합한 것으로, 국어의 일반적인 통사적 구성 방법과 다른 방식으로 형성된 비통사적 합성어이다.

2 (1) 단어는 형성 방식에 따라 단일어와 복합어로 나뉘고, 복합어는 다시 합성어와 파생어로 나뉜다.
(2) '놀이'와 '먹보'는 각각 어근 '놀-', '먹-' 뒤에 접미사 '-이', '-보'가 붙어 만들어진 접미 파생어이다.
(3) 자립하여 쓸 수 있는 말 중 가장 작은 단위는 '단어'이다. 형태소는 일정한 뜻을 가진 가장 작은 말의 단위이다.
(4) '텔레비전'은 새로운 사물이 들어왔을 때 외국말을 그대로 빌려서 쓴 경우에 해당한다.

3 '누리집'은 차용된 외국말인 '홈페이지'를 순화하여 만든 새말이다.

4 '네티켓'은 '네티즌'과 '에티켓'을 모두 절단한 후 '네티'와 '켓'을 결합하여 만든 새말이다.

5 문장에서 주어나 목적어 등의 기능을 하는 명사, 대명사, 수사를 통틀어 '체언'이라고 한다.

6 '그것'은 대상의 이름을 대신하여 가리키는 대명사이고, '하나'는 사물의 수량을 나타내는 수사이다. '빠르다'는 사람이나 사물의 성질이나 상태를 나타내는 형용사이며, '솟다'는 사람이나 사물의 동작이나 작용을 나타내는 동사이다.

7 (1) 용언이 활용할 때 변하지 않는 부분을 '어간'이라고 하고, 어간에 결합하여 여러 가지 문법적 의미를 더해 주는 요소를 '어미'라고 한다.
(2) 의미적 관련성이 있는 여러 의미를 지닌 단어는 '동음이의어'가 아니라 '다의어'이다. 동음이의어는 소리는 같지만 뜻이 다른 단어이다.
(3) '척추동물'과 '포유류'는 상하 관계를 이루며, 이때 상의어는 '척추동물', 하의어는 '포유류'이다.

8 ㉠은 용언이 활용할 때 변하지 않는 부분으로 '어간'이고, ㉡은 어간에 결합하여 여러 가지 문법적 의미를 더해 주는 '어미'이다.

9 '크다 : 작다'는 정도나 등급을 나타내는 반의어인 '등급 반의어'에 해당한다.

2일 교과서 기출 베스트 22~25쪽

•II단원 1. 단어와 국어 생활

1 ② **2** ③ **3** '접칼'은 어미의 개입 없이 용언의 어간 '접-'과 명사 '칼'이 직접 결합한 단어로 국어의 일반적인 통사적 구성 방법과 다른 방식이므로 비통사적 합성어이다. **4** ④ **5** ③ **6** ⓐ: 명사, ⓑ: 부사 **7** ③ **8** ① **9** ⓐ의 '에서'는 앞말이 주어임을 나타내고 있고, ⓑ의 '에서'는 앞말이 부사어임을 나타내고 있다. **10** ⑤ **11** ④ **12** ④

1 복합어는 합성어와 파생어로 나뉘는데, 이 중 합성어는 둘 이상의 어근으로 이루어진다. 그러나 어근과 파생 접사로 이루어지는 파생어는 하나의 어근에 접사가 붙어 만들어질 수 있으므로 ②는 적절하지 않다.

오답 풀이

① '크다'의 어근은 '크-', '먹다'의 어근은 '먹-'이므로 두 단어 모두 어근이 하나만 존재한다.
③ '민낯'에서 '민-'은 '꾸미거나 딸린 것이 없는'의 뜻을 더하는 접두사로, '낯'의 의미를 제한하는 역할을 하고 있다.
④ '나란히'는 '나란하다'의 어근 '나란-'에 접미사 '-히'가 붙은 접미 파생어이다.
⑤ '맨눈'은 '다른 것이 없는'의 뜻을 더하는 접두사 '맨-'이 '눈'과 결합한 접두 파생어이다.

2 '울보'는 어근 '울-'에 접미사 '-보'가 결합한 접미 파생어, '풋나물'은 접두사 '풋-'과 어근 '나물'이 결합한 접두 파생어, '걱정스럽다'는 어근 '걱정'에 접미사 '-스럽다'가 결합한 접미 파생어이다.

오답 풀이

'찬밥'은 용언 '차다'의 관형사형 '찬'과 명사 '밥'이 결합한 통사적 합성어이다.

3 용언의 어간과 명사가 직접 결합하는 것은 국어의 일반적인 통사적 구성 방법과 다른 방식이다. 따라서 '용언의 어간+명사'의 형태로 이루어진 '접칼'은 비통사적 합성어에 해당한다.

평가 요소	확인 ☑
단어 '접칼'의 짜임 방식을 구체적으로 밝혔다.	
〈보기〉를 활용하여 단어 '접칼'이 비통사적 합성어인 이유를 적절하게 서술하였다.	
90자 내외로 서술하였다.	

4 '책대화'는 어근 '책'과 어근 '대화'를 결합하여 만든 새말로, 둘 이상의 어근을 결합하는 방식으로 만든 합성어이다.

5 '범죄, 질병, 죽음, 배설' 등 불길하거나 불쾌한 것을 나타내어서 사람들이 피하는 말을 금기어라고 한다. 이러한 말을 꼭 해야 하는 상황에서 완곡어를 사용하면 금기어를 썼을 때의 불쾌감을 피할 수 있다. 예를 들어 용변을 보는 곳을 가리켜 '변소'라고 하지 않고 '화장실'이라고 하는 경우가 이에 해당한다.

오답 풀이

① '이 - 치아'는 각각 고유어와 한자어로, 유의 관계에 있는 단어이다.
② '부추 - 정구지'는 각각 표준어와 방언으로, 유의 관계에 있는 단어이다.
④ '알리다 - 고지하다'는 각각 고유어와 한자어로, 유의 관계에 있는 단어이다.
⑤ '소금 - 염화 나트륨'은 각각 일반어와 전문어로, 유의 관계에 있는 단어이다.

6 ⓐ의 '내일'은 주격 조사 '이'가 결합하여 주어의 기능을 하고 있으므로 '명사'이다. ⓑ의 '내일'은 '일어나다'라는 용언을 수식하고 있으므로 '부사'이다.

7 ㉢은 부사로 용언이나 문장을 수식하는 기능을 한다. 체언 앞에 놓여 체언을 꾸며 주는 역할을 하는 것은 관형사이다.

오답 풀이

㉠은 조사, ㉡은 수사, ㉣은 대명사, ㉤은 감탄사이다.

8 명사는 사용 범위에 따라 고유 명사와 보통 명사로 나눌 수 있다. 고유 명사는 '낙동강, 백두산'과 같이 특정한 하나의 개체를 다른 것과 구별하기 위해 붙인 이름이고, 보통 명사는 '나무, 책상'과 같이 어떤 속성을 지닌 대상에 두루 쓰이는 이름이다. 따라서 '공연'은 보통 명사이면서 자립 명사이다.

9 ⓐ에서 '정부'는 교육비를 지원해 주는 주체이므로, 여기서 쓰인 '에서'는 주격 조사이다. 그러나 ⓑ에서 '무대'는 가수가 열창을 하는 장소를 나타내므로, '무대에서'는 부사어이고 여기서 쓰인 '에서'는 부사격 조사이다.

평가 요소	확인 ☑
ⓐ와 ⓑ에 사용된 조사 '에서'의 기능을 각각 적절하게 서술하였다.	
50자 내외로 서술하였다.	

10 〈보기〉의 '당신'은 앞에서 이미 말하였거나 나온 바 있는 사람을 도로 가리키는 재귀칭 대명사인 '자기'를 아주 높여 이르는 말로, 여기서 '당신'이 가리키는 대상은 '할아버지'이다. ⑤의 '당신'은 앞에서 이미 나온 '어머니'를 도로 가리키고 있으므로 〈보기〉의 '당신'과 그 의미가 유사하다.

오답 풀이

① '당신'은 맞서 싸울 때 상대편을 낮잡아 이르는 이인칭 대명사로 쓰였다.
② '당신'은 듣는 이를 가리키는 이인칭 대명사로 쓰였다.
③ '당신'은 문어체에서, 상대편을 높여 이르는 이인칭 대명사로 쓰였다.
④ '당신'은 부부 사이에서, 상대편을 높여 이르는 이인칭 대명사로 쓰였다.

11 〈보기〉의 '맑구나'를 통해 형용사에도 종결 어미 '-구나'가 결합한다는 것을 알 수 있다. '먹는구나'와 '맑구나'는 현재 시제 선어말 어미 '-는'의 결합 여부에 따른 차이가 있을 뿐, 종결 어미 '-구나'와는 모두 결합할 수 있다.

12 제시된 국어사전에서 '발[3]'은 명사이고 '발[9]'는 의존 명사라는 것을 확인할 수 있다. 따라서 '발[3]'은 다른 말의 도움 없이 단독으로 쓰일 수 있고, '발[9]'는 단독으로 쓰일 수 없다.

정답

3일 기초 확인 문제 29~31쪽

• II단원 2. 매체의 정보 구성과 창의적 표현

1 적고, 낮은 **2** (1) X (2) O (3) O (4) O **3** ⑤ **4** ⑤ **5** (1) O (2) X (3) O **6** ④ **7** ⓐ: 뜻, ⓑ: 발음 **8** ⑤

1 '책'은 다른 매체에 비해 분량의 제약이 적기 때문에 전문적인 내용을 깊게 다룰 수 있다. 또한 책을 구매하거나 빌린 사람만 정보를 확인할 수 있으므로 다른 매체에 비해 정보 제공의 개방성이 낮은 편이다.

2 (1) 종이 신문이나 책은 구매하거나 빌린 사람에게만 정보가 제공되지만, 라디오는 일단 틀어 놓으면 정보가 계속 제공된다. 따라서 라디오는 종이 신문이나 책에 비해 정보 제공의 개방성이 상대적으로 높은 편이다.
(2) 신문은 1면에 다양한 분야의 주요 내용들을 종합적으로 배치하고, 표제와 전문을 통해 전반적 내용을 파악할 수 있도록 되어 있다.
(3) 책은 앞부분에 제시된 목차에 따라 정보가 장, 절 등으로 나뉘어 배치되는 것이 일반적이다.
(4) 최근 인터넷을 중심으로 매체가 통합되는 양상을 보이면서, 신문이나 텔레비전의 정보도 쌍방향으로 소통할 수 있게 되었다.

3 텔레비전은 생생한 정보를 실시간으로 전달할 수 있으므로 시의성 있는 정보를 다루는 경향이 있고, 음성 언어, 영상, 음향 등을 복합적으로 활용할 수 있는 매체이다.

4 휴대 전화는 다양한 유형의 정보가 쌍방향으로 빠르게 소통된다는 특징이 있다. 따라서 휴대 전화의 정보 제공의 속도가 느리다는 설명은 적절하지 않다.

5 (1) 동음이의어, 발음의 유사성, 대구와 비유 등을 활용하여 매체 언어를 창의적으로 표현할 수 있다.
(2) 언어, 그림, 음향 등의 상호 작용을 통해 창의적 의미가 구성될 수 있으므로, 매체의 복합 양식성을 고려할 때 매체 언어의 창의적 표현이 가능함을 알 수 있다.
(3) 매체 언어의 창의적 표현이 주제와 잘 어우러질 때 보는 이로 하여금 아름다움을 느끼고 감동을 받게 한다. 또한 이를 통해 심미적 가치를 느낄 수 있다.

6 제시된 광고는 "괜찮아, 안전해.", '방심이라는 거짓말에 속지 마세요. 안전사고는 나를 속이는 작은 거짓말에서 시작됩니다.'라는 언어 표현과, 전봇대에 박힌 나사가 거짓말 때문에 길어진 아이의 코를 표현하는 그림이 상호 작용하여, 우리 사회에 만연해 있는 안전 불감증의 문제를 효과적으로 나타내고 있다. 그러나, 붉은색의 기둥이 안전하다는 것을 알려 준다고 보기는 어렵다.

7 〈보기〉의 광고 문구는 잠시 쉰다는 뜻의 한자 '휴(休)'와 '휴대 전화'의 첫 말인 '휴(携)'가 뜻은 다르지만 발음이 같다는 점을 활용한 창의적 표현 방법임을 확인할 수 있다.

8 블로그의 두 번째 사진은 학생들이 책을 읽고 있는 모습을 인상적으로 나타낸 것이지, 독서에 대한 거부감을 나타낸 것이 아니다.

3일 교과서 기출 베스트 32~35쪽

• II단원 2. 매체의 정보 구성과 창의적 표현

1 ⑤ **2** ③ **3** (가)에서는 행복시가 올린 도로 상황 정보에 대해 시민들이 실시간 댓글로 도로 정보를 전달하는 쌍방향 의사소통이 일어나고 있다. **4** 휴대 전화 **5** ④ **6** ④ **7** 서로 다른 주제의 그림을 위아래로 배치하여 '층간 소음으로 인한 고통'이라는 주제를 표현하였다. **8** ① **9** ① **10** ② **11** '동갑'의 사전적 의미는 '나이가 같은 사람.'이지만, 이 광고에서는 '모두가 갑'이라는 새로운 의미로 사용되었다.

1 (가)~(다) 중 쌍방향 정보 소통이 가장 어려운 것은 (다)이다. (가)는 다른 매체보다 쌍방향으로 정보 소통이 활발하게 이루어지는 편이다. (나)는 인터넷만큼 활발한 정보 교환이 이루어진다고 보기는 어렵지만, 최근 방송 매체가 인터넷과 결합함에 따라 인터넷 댓글 등을 통해 정보의 쌍방향 소통이 일어나는 경향이 있다.

2 (가)와 (나) 모두 시각 정보를 활용하여 폭설 상황을 생생하게 전달하고 있다.

3 (가)는 행복시의 누리 소통망(SNS)에 폭설 상황을 게시하여 시민들과 소통하는 장면을 보여 주는 자료이다. (가)에서 행복시와 시민들은 폭설로 인한 도로 상황에 대해 실시간으로 정보를 제공하며 쌍방향으로 소통하고 있다.

평가 요소	확인 ☑
(가)에 나타난 의사소통의 특징을 바르게 언급하였다.	
(가)의 의사소통이 쌍방향으로 이루어졌음을 설명하였다.	
75자 내외로 서술하였다.	

4 휴대 전화는 처음에는 음성 통화와 문자 메시지 전달만 가능했지만, 최근에는 여러 매체의 기능을 통합함으로써 다양한 유형의 정보를 쌍방향으로 빠르게 소통할 수 있게 되었다.

5 마지막 장면에서 여학생은 누리 소통망에 공약을 올릴 때 글과 동영상을 함께 올릴 것을 제안하고 있다. 남학생 역시 글과 영상을 재미있게 만들면 좋겠다고 하였다. 따라서 글 대신에 동영상 자료를 올려 학생들의 흥미를 유발해야 한다는 내용은 이 토의에서 학생들이 고려한 사항으로 적절하지 않다.

6 (가)는 사람들에게 잘 알려진 명화와 문구를 통해 층간 소음 문제를 표현하면서 이웃을 이해하고 배려하는 생각으로 문제를 해결하자고 제안하고 있다. (나)는 와이파이(WiFi) 그림과 문구를 통해 직접적인 소통이 줄어드는 문제 상황을 표현하면서, 한 번의 만남을 통해 서로에게 가깝게 다가가자고 제안하고 있다. 따라서 (가)와 (나) 모두 그림과 문구를 통해 문제 상황과 해결 방안을 제시하고 있음을 알 수 있다.

7 (가)는 위층에는 음악을 연주하는 그림을, 아래층에는 고통으로 절규하는 그림을 배치하고 있다. 이렇게 (가)는 서로 다른 주제를 가진 그림을 위층과 아래층에 배치하여 '층간 소음'이라는 새로운 관점에서 두 작품을 연계해서 이해할 수 있도록 한 점이 창의적이다.

평가 요소	확인 ☑
(가)에서 서로 다른 주제를 가진 그림을 배치한 방식과 관련하여 서술하였다.	
60자 내외로 서술하였다.	

8 '우물을 보면'과 '유물이 보인다'는 유사한 형식의 구절을 나열한 것이므로 대구에 해당한다. 또한 '우물'과 '유물'은 위치도 비슷하고 발음도 유사하다. 따라서 대구와 발음의 유사성을 활용해 표제를 구성하고 있음을 알 수 있다.

오답 풀이

② 제시된 기사문에서 독자가 댓글을 다는 등의 쌍방향 의사소통은 이루어지지 않고 있으며, 독자의 참여를 유도하는 내용도 나타나지 않는다.

③ 기사에 제시된 사진은 우물의 깊이에 따라 발굴되는 유물의 종류를 구분하여 보여 주는 것이다. 제시하는 정보를 효과적으로 보여 주는 시각적인 자료이지만, 유물 발굴 현장을 생생하게 보여 주는 자료로 보기는 어렵다.

④ 제시된 기사문에는 연못, 우물, 저수 시설 등에서 보물이 잔뜩 나오기 때문에 요즘엔 물이 고여 있는 유적을 일부러 찾아서 파헤치기도 한다는 학계 전문가들의 의견을 소개하고 있다. 최근의 유물 발굴 경향을 설명하는 것으로 유물 발굴의 위험성을 강조하는 것은 아니다.

⑤ 제시된 기사문은 종이 신문에 실린 것으로 지면의 제약으로 인해 많은 내용을 전달하는 것에 어려움이 있을 수 있다. 그렇지만 추가 정보의 검색 방법을 기사에서 제시하고 있지는 않다.

9 이 광고는 '갑(甲)질 문화'를 소재로 하여 '갑'도 '을'도 없이 차별 없는 평등한 사회를 만들자는 내용을 담고 있다. 특히 다섯 번째 장면과 여섯 번째 장면에서 높낮이의 차별 없이 평등할 때 비로소 함께 웃는 대한민국이 된다고 말하며 차별 없는 평등한 사회를 만들자는 주제 의식을 드러내고 있다.

10 이 광고에서 '해설'은 인물에 대한 정보를 전달하고, 광고의 주제 의식을 전달하는 역할을 한다. 해설을 통해 인물들의 대화를 제시하고 있지는 않다.

오답 풀이

① '우리는 동갑입니다.'라는 표현을 소리와 자막을 통해 반복하여 제시하여 강조하고 있다.

③ 나이가 다른 두 사람이 함께 있는 영상과 '우리는 동갑입니다'라는 문구를 동시에 제시하여 궁금증을 유발하고 있다.

④, ⑤ 두 사람씩 짝을 지어 제시하여 두 인물의 관계에 집중하도록 하고, 두 인물이 악수하는 모습과 '높낮이의 차별 없이 평등할 때 비로소, 함께 웃는 대한민국이 됩니다.'라는 음성을 제시하여 광고의 주제를 드러내고 있다.

11 '동갑(同甲)'은 육십갑자가 같다는 뜻으로, '같은 나이를 이르는 말. 또는 나이가 같은 사람.'을 의미한다. 그런데 이 광고에서는 '동갑'에 '모두가 갑'이라는 새로운 의미를 부여함으로써 '차별 없는 평등한 사회를 만들자.'라는 주제를 효과적으로 드러내고 있다.

평가 요소	확인 ☑
'동갑'의 사전적 의미를 밝혔다.	
'동갑'이 광고에서 사용된 의미를 사전적 의미와 비교하였다.	
70자 내외로 서술하였다.	

정답

4일 기초 확인 문제 39~41쪽

•III단원 1. 국어의 음운과 표준 발음

1 음운 **2** (1) X (2) O (3) X (4) O **3** ④ **4** (1) ⓜ (2) ⓒ (3) ㉠ (4) ⓛ (5) ⓡ **5** (1) 여덜 (2) 시러 (3) 한녀름 (4) 구피다 **6** ⑤ **7** ④ **8** (1) ㉠: 자음군 단순화, ㉡: 박따 (2) ㉢: 'ㄴ' 첨가, ㉣: 망닐 (3) ㉤: 축약, ㉥: 오탄벌 **9** 표준어

1 음운은 말의 뜻을 구별해 주는 소리의 가장 작은 단위이다. '공'과 '콩'의 뜻을 구별해 주는 음운은 'ㄱ'과 'ㅋ'이다.

2 (1) 모음은 목청을 통과한 공기의 흐름이 아무런 방해 없이 발음 기관을 통과하면서 만들어지는 소리이다.
(2) 발음할 때 입술이나 혀의 위치가 달라지는 이중 모음과 달리, 단모음은 발음 도중 입술이나 혀가 움직이지 않는다.
(3) 자음은 조음 위치와 조음 방법에 따라 여러 가지 소리로 나뉜다. 혀의 높이와 혀의 앞뒤 위치는 단모음 분류의 기준이다.
(4) '춤'에서 음절의 첫소리는 'ㅊ', 가운뎃소리는 'ㅜ', 끝소리는 'ㅁ'이다.

3 '꽃을[꼬츨]'은 어떤 음운이 다른 음운으로 바뀌는 음운의 변동이 일어난 것이 아니라, 첫음절의 끝소리인 'ㅊ'이 다음 음절의 첫소리로 이어져 발음된 것이다.

4 (1) 'ㅌ'이 모음 'ㅣ' 앞에서 구개음 [ㅊ]으로 바뀌었다.
(2) 'ㄱ'이 비음 'ㅁ' 앞에서 비음 [ㅇ]으로 바뀌었다.
(3) 음절 끝의 'ㅋ'이 [ㄱ]으로 바뀌었다.
(4) 예사소리 'ㅈ'이 된소리인 [ㅉ]으로 바뀌었다.
(5) 'ㄴ'이 유음 'ㄹ' 앞에서 유음인 [ㄹ]로 바뀌었다.

5 (1) '여덟'은 자음군이 음절의 끝소리에 놓이면 둘 중 하나만 남고 나머지 하나는 탈락하는 자음군 단순화가 일어나 [여덜]로 발음한다.
(2) '싫어'는 어간의 'ㅀ'이 모음으로 시작하는 어미와 결합하여 'ㅎ'이 탈락하고, 'ㄹ'을 연음하여 [시러]로 발음한다.
(3) '한여름'은 자음으로 끝나는 형태소 뒤에 반모음 'ǐ'로 시작하는 형태소가 올 때 'ㄴ'이 첨가되는 'ㄴ' 첨가 현상에 따라 [한녀름]으로 발음한다.
(4) '굽히다'는 '굽-'의 받침 'ㅂ'과 '-히다'의 'ㅎ'이 만나 [ㅍ]으로 축약되어 [구피다]로 발음한다.

6 ㉠ '많다'는 겹받침 중 뒤 자음 'ㅎ'이 뒤 음절 첫소리 'ㄷ'과 결합하여 [ㅌ]으로 축약되는 음운 축약 현상이 나타나 [만:타]로 발음한다. ㉡ '가서'는 '가-+-아서'의 결합으로, 모음 'ㅏ'로 끝나는 용언 어간이 'ㅏ'로 시작하는 어미와 결합할 때 'ㅏ'가 탈락하여 [가서]로 발음한다. ㉢ '식용유'는 자음으로 끝나는 형태소 뒤에 반모음 'ǐ'로 시작하는 형태소가 결합한 것으로, 'ㄴ'이 첨가되어 [시굥뉴]로 발음한다. 따라서 ㉠은 축약, ㉡은 탈락, ㉢은 첨가 현상이 일어난 것이다.

7 ①, ②, ③, ⑤는 모두 음운 축약 현상이 일어났지만, ④는 'ㅎ' 탈락이 일어났다.

오답 풀이
①, ⑤ 'ㅂ'과 'ㅎ'이 결합하여 [ㅍ]으로 발음된다.
②, ③ 'ㅎ'과 'ㄷ'이 결합하여 [ㅌ]으로 발음된다.

8 (1) '밝다'는 자음군 단순화와 된소리되기 현상이 나타나 [박따]로 발음된다.
(2) '막일'은 'ㄴ' 첨가와 비음화 현상이 나타나 [망닐]로 발음된다.
(3) '옷 한 벌'은 음절의 끝소리 규칙과 축약 현상이 나타나 [오탄벌]로 발음된다.

9 표준 발음법은 개별적인 발음의 차이 때문에 발생하는 혼란을 막기 위하여 표준어의 올바른 발음을 규정해 놓은 어문 규범이다.

4일 교과서 기출 베스트 42~45쪽

•III단원 1. 국어의 음운과 표준 발음

1 ① **2** ④ **3** ① **4** ④ **5** ② **6** ③ **7** ⑤ **8** 둘째 음절 이하에 오면 짧게 발음되는 **9** ② **10** ① **11** 비음화에 따라 [삼님]으로 발음한다. **12** ③ **13** ① **14** ④ **15** ⑤

1 음운은 말의 뜻을 구별해 주는 소리의 가장 단위이다. 그 자체로 뜻을 지니고 있는 것은 아니다.

2 'ㅣ, ㅡ, ㅓ, ㅐ'는 평순 모음이고, 'ㅚ'는 원순 모음에 해당한다.

3 'ㅔ'는 중모음, 'ㅣ'는 고모음이므로, '에이'를 발음할 때 둘째 음절에서 혀의 높이가 높아진다.

오답 풀이

② 'ㅚ'는 전설 모음, 'ㅓ'는 후설 모음이므로 발음할 때 둘째 음절에서 혀의 위치가 뒤로 이동한다.
③ 'ㅏ'는 평순 모음, 'ㅜ'는 원순 모음이므로 발음할 때 둘째 음절에서 입술의 모양이 둥글게 바뀐다.
④ 'ㅜ'는 후설 모음, 'ㅟ'는 전설 모음이므로 발음할 때 둘째 음절에서 혀의 위치가 앞으로 이동한다.
⑤ 'ㅗ'는 원순 모음, 'ㅣ'는 평순 모음이므로 발음할 때 둘째 음절에서 입술의 모양이 평평하게 바뀐다.

4 'ㅅ'은 'ㄱ'처럼 짝을 이루는 된소리인 'ㅆ'이 있다. 하지만 'ㄱ'과 달리 짝을 이루는 거센소리는 없다.

오답 풀이

① 'ㄷ'과 'ㄱ'은 파열음으로, 조음 방법이 같은 자음이다.
② 'ㅂ'과 'ㅁ'은 입술소리(양순음)로, 같은 위치에서 소리가 나는 자음이다.
③ 'ㅁ'과 'ㅇ'은 비음으로, 조음 방법이 같은 자음이다.
⑤ 'ㅎ'은 목청에서 소리가 만들어지는 목청소리(후음)이며 이에 해당하는 자음은 'ㅎ'뿐이다.

5 혀끝이 윗잇몸에 닿아서 나는 소리, 즉 잇몸소리에 해당하는 자음은 'ㄷ', 'ㄸ', 'ㅌ', 'ㅅ', 'ㅆ', 'ㄴ', 'ㄹ'이며, 이 중에서 파열음에 해당하는 거센소리는 'ㅌ'이다.

6 '귀띔'에서 '띔'은 '제5항'의 '다만 3'에 따라 [띰]으로 발음해야 한다.

7 〈보기〉에서는 '고기'를 예로 들며 한국어 화자는 영어권 화자와 달리 무성음과 유성음을 같은 소리로 인식한다고 하였다.

8 제시된 '자료 분석' 내용을 통해 '눈[雪]'은 길게 발음해야 하는 단어이지만, 둘째 음절 이하에서는 짧게 발음된다는 것을 알 수 있다.

평가 요소	확인 ☑
비분절 음운인 '소리의 길이'의 특성을 이해하였다.	
'자료 분석'의 내용을 바탕으로 적절한 결과를 도출하였다.	
20자 내외로 서술하였다.	

9 '받고[받꼬]'는 어간의 끝소리가 'ㄷ'이기 때문에 ㉠의 예에 해당한다.

10 ㉠은 자음군 단순화가 일어나 'ㄹ'이 탈락하였고, ㉡은 'ㄴ'으로 시작하는 어미 앞에서 어간의 'ㄹ'이 탈락하였다. ㉢은 모음으로 시작하는 어미 앞에서 어간의 'ㅎ'이, ㉣은 모음 'ㅓ' 앞에서 어간의 'ㅡ'가 탈락하였다.

11 'ㄴ'과 'ㄹ'이 만나면 'ㄴ'을 [ㄹ]로 발음하는 유음화에 따라 '산림'은 [살림]으로 발음하지만, 한자어에서 받침 'ㅁ, ㅇ' 뒤에 결합하는 'ㄹ'은 [ㄴ]으로 발음하는 비음화가 일어나기 때문에 '삼림'은 [삼님]으로 발음한다.

평가 요소	확인 ☑
비음화를 바르게 이해하였다.	
20자 내외로 서술하였다.	

12 '빛이[비치]'는 '빛'의 끝소리인 'ㅊ'이 다음 음절로 넘어가서 발음되는 것으로 〈보기〉에서 설명하는 구개음화에 해당하지 않는다.

오답 풀이

①, ②, ④, ⑤ '붙이고', '해돋이', '등받이', '끝이'는 구개음화가 일어나 각각 [부치고], [해도지], [등바지], [끄치]로 발음된다.

13 표준 발음법 제13항에서는 홑받침이 모음으로 시작된 조사와 결합되는 경우에는 제 음가대로 뒤 음절 첫소리로 옮겨 발음한다고 규정하고 있다. 따라서 ㉠은 [대수페서]로 발음해야 한다.

14 자료를 통해서 겹받침이 들어간 단어를 정확하게 발음하지 못하는 사람이 많다는 것을 확인할 수 있다.

15 ㉠은 자음군 단순화와 비음화가 일어나 [밤ː는다], ㉡은 자음군 단순화와 된소리되기, 비음화가 일어나 [익씀니다], ㉢은 자음군 단순화와 유음화가 일어나 [훌른]으로 발음된다.

정답

5일 기초 확인 문제 49~51쪽

• III단원 2. 국어 규범과 국어 생활 ~ 3. 매체 언어의 영향과 성찰

1 ③ **2** (1) O (2) X (3) X (4) O **3** ⓐ: 현대, ⓑ: 서울말 **4** ④ **5** (1) O (2) X (3) X (4) O **6** ② **7** 추억을 되새기게 한다. / 친구의 소식을 알 수 있다. **8** ②

1 '지붕[지붕]'은 표준어를 소리대로 적은 것이고, '샛별[샏ː뼐/새ː뼐]', '햇빛[핻삗/해삗]', '먹구름[먹꾸름]', '보름달[보름딸]'은 어법에 맞도록 적은 것이다.

2 (1) 한글 맞춤법의 '형태에 관한 것'에 해당하며 그 예로는 '먹고', '먹어서' 등이 있다.
(2) 조사는 하나의 단어로 다루어지고 있으나 홀로 쓰일 수 없으므로 그 앞의 단어에 붙여 쓴다.
(3) 어원이 분명하지 않거나 본래의 의미에서 멀어진 말은 소리대로 적는다.
(4) 한글 맞춤법의 '소리에 관한 것'에 해당하며, 그 예로는 '어깨', '잔뜩' 등이 있다.

3 표준어는 교양 있는 사람들이 두루 쓰는 현대 서울말로 정함을 원칙으로 하였다.

4 우리말과 외국어는 음운 구조나 체계가 달라 사람마다 다르게 적을 가능성이 있다. 이러한 혼란을 막기 위해 외래어 표기를 하나로 통일한 외래어 표기법을 제정한 것이다.

5 (1) 매체 언어를 활용한 의사소통은 다차원적으로 개방되어 있기 때문에 여러 사람과 동시에 소통할 수 있다.
(2) 매체 언어에 의한 의사소통의 비중이 높아지면서 직접 만나 대화를 나누고 친분을 쌓는 기회가 상대적으로 줄어들게 되었다.
(3) 매체 언어의 발달로 그림말, 사진, 음악 등 시청각 요소를 활용하여 자신의 감정을 다양하고 효과적으로 표현할 수 있게 되었다.
(4) 매체 언어를 활용한 의사소통은 시·공간의 제약 없이 연락을 주고받을 수 있다.

6 〈보기〉는 매체가 다양한 교육 정보화 사업에 활용되어 풍부한 지식과 정보의 언어를 생산 및 공급함으로써 교육 기회의 평등화에 기여하는 사례에 해당한다.

7 미은의 말을 통해 누리 소통망이 추억을 되새기게 한다는 것을, 수영의 말을 통해 오랫동안 연락을 못 한 친구의 최근 근황을 알게 해 준다는 것을 확인할 수 있다.

8 정보의 양이 많고 적은 것은 매체 언어 사용 시 고려해야 하는 '맥락', '목적', '대상' 중 어디에도 해당하지 않는다.

5일 교과서 기출 베스트 52~55쪽

• III단원 2. 국어 규범과 국어 생활 ~ 3. 매체 언어의 영향과 성찰

1 기본 형태를 밝혀 의미를 쉽게 파악하도록 **2** ④ **3** ③ **4** ④ **5** ③ **6** ③ **7** 제2항에 따라 'f'는 'ㅍ'으로 적어야 하기 때문이다. **8** ④ **9** ⑤ **10** ② **11** ⑤

1 모든 말을 소리대로 적을 경우 의미를 파악하는 데 불편이 생기므로 가독성을 높이기 위해 '어법에 맞도록 함'을 원칙으로 정한 것이다.

평가 요소	확인 ☑
한글 맞춤법의 원칙을 이해하였다.	
20자 내외로 서술하였다.	

2 'ㄱ' 받침 뒤에서 나는 된소리는 같은 음절이나 비슷한 음절이 겹쳐 나는 경우가 아니면 된소리로 적지 않는다고 하였으므로, '깍두기'가 올바른 표기이다.

3 ⓒ에서 '어찌하다'는 형용사, '바'는 의존 명사, '를'은 조사이다. 따라서 '어찌할 바를'과 같이 띄어 써야 한다.

오답 풀이
① '부터'는 조사이므로 앞말에 붙여 써야 한다.
② '띠게'의 본말은 '띠다'이다. '띠다'는 '띠나 끈 따위를 두르다. / 용무나 직책, 사명 따위를 지니다. / 빛깔이나 색채 따위를 가지다.' 등을 의미하는 동사이다. 그런데 제시된 글에서 ⓒ에는 '눈에 보이다'라는 의미의 단어가 들어가야 하므로 '뜨이다'가 들어가야 한다. 이때 '뜨이다'의 준말은 '띄다'이므로 ⓒ은 '띄게'로 적어야 한다.
④ '들어나(들어나다)'에서 '들어'는 '들다'라는 본뜻에서 멀어졌기 때문에 원형을 밝히지 않고 '드러나'라고 적어야 한다.
⑤ 각 단어는 띄어 씀을 원칙으로 하며 '수'는 의존 명사이므로 띄어 써야 한다.

4 형태는 다르지만 의미가 동일한 단어가 있을 때 그중 어느 하나가 압도적으로 널리 쓰이면, 그 단어만을 표준어로 삼는다. '우려먹다'는 표준어, '울궈먹다'는 비표준어에 해당한다.

5 'camera'의 발음은 '캐머러'에 가깝지만 '카메라'라는 형태가 이미 굳어져서 널리 쓰이기 때문에 '카메라'로 적는다.

6 '합정[합쩡]'은 된소리되기가 일어나는 단어이지만, [붙임]에서 된소리되기는 표기에 반영하지 않는다고 하였으므로 'Hapjeong'으로 표기해야 한다.

오답 풀이
① 'ㄴ, ㄹ'이 덧나는 경우 음운 변화의 결과를 표기에 반영한다고 하였으므로 '알약[알략]'은 'allyak'으로 적는다.
② 체언에서 'ㄱ, ㄷ, ㅂ' 뒤에 'ㅎ'이 따를 때에는 'ㅎ'을 밝혀 적는다고 하였으므로 '묵호[무코]'는 'Mukho'로 적는다.
④ 구개음화가 되는 경우 표기에 반영한다고 하였으므로 '해돋이[해도지]'는 'haedoji'로 적는다.
⑤ 자음 사이에서 동화 작용이 일어나는 경우 표기에 반영한다고 하였으므로 '왕십리[왕심니]'는 'Wangsimni'로 적는다.

7 외래어의 1 음운은 1 기호로 적는 것이 원칙이기 때문에 'f'는 'ㅍ'으로 통일하여 적어야 한다.

평가 요소	확인 ☑
외래어 표기법의 원칙을 이해하였다.	
20자 내외로 서술하였다.	

8 이 글에서는 인터넷 악성 댓글은 접근에 제한이 없는 온라인 공간의 특성으로 인해 불특정 다수의 사람에게 노출된다는 점에서 피해가 심각하다고 하였다. 따라서 온라인 공간에 접근 가능한 사람이 따로 있어서 문제의 심각성을 키웠다는 이해는 적절하지 않다.

오답 풀이
①, ② 온라인 공간에서는 인터넷 악성 댓글이 불특정 다수의 사람에게 노출될 수 있으므로 당사자에게 큰 피해를 줄 수 있다.
③ 자신을 밝히지 않아도 되는 온라인 공간의 특성인 익명성은 사이버 언어폭력의 한 원인으로 분석될 수 있다.
⑤ 제시된 글에는 온라인 폭력 문제의 심각성을 인식하고 자신의 행위를 책임지는 성숙한 의식이 필요하다는 점을 드러내고 있다.

9 온라인 언어폭력도 신체적 폭력만큼이나 상대에게 큰 피해를 입힐 수 있음을 인지하고 모욕적인 표현이나 욕설을 자제하는 것은 온라인 언어폭력 문제를 해결하기 위한 개인적 차원의 노력에 해당한다.

10 (가)에서는 봉사활동 인원을 파악하기 위한 목적과 관련 없는 내용들이 대부분을 차지하고 있으며, (나)는 동아리 활동 감상문에 가깝기 때문에 '동아리 활동 보고'라는 목적에 충실한 글이라고 보기 어렵다.

11 (가)에서는 '낼', 'ㅋㅋ, ㄱㄱ, ㄴㄴ' 등, (나)에서는 '비담', '최애', 'ㅋㅋㅋ, ㅎㅎㅎ' 등과 같은 줄임말과 비규범적 언어를 사용하고 있다.

6일 누구나 100점 테스트 1회

56~59쪽

• I. 언어와 매체 언어 ~ II. 단어의 특성과 매체 언어의 표현

1 ② **2** ② **3** ⑤ **4** ④ **5** ④ **6** '행복하다'의 품사는 형용사이기 때문에 명령형으로 사용할 수 없다. 따라서 '행복하시기 바랍니다.'로 고쳐야 한다. **7** ③ **8** ① **9** ⑤ **10** ㉠은 문구와 그림의 상호 작용을 통해 창의적 의미를 구성하고 있다.

1 영어의 'yellow'라는 단어를 국어에서는 '노랗다, 노릇하다, 노르스름하다' 등으로 표현하는 것으로 보아, 국어는 색채어가 크게 발달했다는 것을 알 수 있다.

2 매체는 신문과 잡지 같은 인쇄 매체, 라디오와 텔레비전 같은 방송 매체, 휴대 전화와 인터넷 같은 통신 매체 등으로 구분할 수 있다. 전기·전자·통신 기술의 발전에 따라 나타난 대표적인 통신 매체는 휴대 전화와 인터넷이다.

3 제시된 자료는 일대일로 대화를 주고받는 메신저에 해당하므로 대화 참여자가 아닌 외부인은 접근할 수 없다. 따라서 접근 가능성이 높아 누구나 내용을 쉽게 확인할 수 있다는 설명은 적절하지 않다.

4 ㉠에는 어근의 앞이나 뒤에 파생 접사가 붙어 만들어진 단어, 즉 파생어가 들어가야 한다. 따라서 ㉠에 들어갈 적절한 단어는 접두사 '헛-'과 어근 '수고'가 결합한 '헛수고'이다.

오답 풀이
①, ② '땅'과 '나무'는 하나의 어근으로만 이루어진 단일어이다.
③, ⑤ '봄비'와 '알아듣다'는 어근과 어근이 결합한 합성어이므로 ㉡에 들어가야 한다.

5 '라볶이'는 '라면'의 '라'와 '떡볶이'의 '볶이'를 결합하는 방식으로 만들어졌다. 따라서 두 단어를 각각 절단한 후 각 부분을 결합하는 방식이 사용되었다.

6 '행복하다'는 '생활에서 충분한 만족과 기쁨을 느끼어 흐뭇하다.'라는 뜻을 가진 형용사이다. 형용사는 명령형 어미와 결합할 수 없으므로 '행복하세요.'는 '행복하시기 바랍니다.' 정도로 고쳐야 한다.

평가 요소	확인 ☑
'행복하다'의 품사를 적절하게 밝혔다.	
밑줄 친 단어의 사용이 적절하지 않은 이유를 밝히고, 이를 적절한 표현으로 고쳤다.	
60자 내외로 서술하였다.	

7 (나)는 음성 언어를 통해 폭설에 따른 도로 상황을 상세하게

설명하고 있다. 기상 특보임을 알리는 것에 문자 언어가 활용되었지만, 구체적인 상황 설명은 음성 언어를 통해 전달하고 있으므로 문자 언어를 통해 상황을 상세히 설명하고 있다는 이해는 적절하지 않다.

8 〈보기〉에 따르면 축제에 대한 정보를 제공할 뿐만 아니라, 이에 대한 시민들의 의견을 수렴해야 한다. 따라서 쌍방향 의사소통을 통해 의견을 수렴할 수 있는 매체인 (가)를 활용하는 것이 가장 적절하다.

9 3문단에서 매체 언어는 그림, 음향 등과의 상호 작용을 통해 창의적 의미가 구성되는 경우가 많기 때문에 복합 양식성을 고려해야 한다고 하였다.

오답 풀이

① 신문 기사 제목에서는 '고고(高高)'와 '고고(苦苦)'의 동음이의 관계를 활용하고 있다.
② 휴대 전화 광고 문구에서는 '휴대(携帶) 전화'의 '휴(携)'와 쉰다는 의미의 '휴(休)'의 동음이의 관계를 활용하고 있다.
③ 안전 관련 광고에서는 언어 표현과 함께 그림이 상호 작용하여 창의적 의미를 구성하고 있다.
④ 3문단의 '언어 그 자체의 특성을 통해 창의성이 실현되는 경우도 있지만~'을 통해 확인할 수 있다.

10 매체 언어는 언어 자체의 특성을 통해 창의성이 실현되는 경우도 있지만, 그림이나 음향 등과의 상호 작용을 통해 창의적 의미가 구성되는 경우가 많다. ㉠의 광고는 "괜찮아, 안전해."라는 문구와 전봇대에 박힌 나사가 거짓말 때문에 길어진 코를 나타낸 그림의 상호 작용을 통해 안전 불감증의 문제를 효과적으로 표현하고 있다.

평가 요소	확인 ☑
㉠의 광고가 창의적인 이유를 적절하게 서술하였다.	
㉠에 사용된 두 가지 표현 요소를 쓰고, '상호 작용'이라는 단어를 포함하였다.	
35자 내외로 서술하였다.	

6일 누구나 100점 테스트 2회 60~63쪽

• III. 국어의 규범과 매체 언어의 성찰

1 ④ **2** ④ **3** ⑤ **4** 법학, 놓다 **5** [벼치참조쿠나] **6** 표준어 **7** ③ **8** ③ **9** ③ **10** (1) 주목 경쟁(타인의 관심을 끌고 이를 통해 자존감을 세우려는 심리) (2) 확고한 법적 근거를 토대로 제재를 가해야 한다.

1 'ㅓ'와 'ㅏ'는 모두 발음할 때 입술을 둥글게 오므리지 않고 발음하는 평순 모음이다. 또한 'ㅓ'는 중모음, 'ㅏ'는 저모음이므로 '너'를 발음할 때는 '나'를 발음할 때보다 혀의 높이를 높여야 한다.

2 'ㅂ'과 'ㄱ'은 조음 방법이 같지만 조음 위치는 다르다. 또한 잇몸소리이면서 비음인 자음은 'ㄴ'뿐이다. 그리고 'ㅁ, ㄴ, ㅇ'은 코로 공기를 내보내면서 소리를 내는 비음이기 때문에, 코가 막힐 경우 이들 자음을 발음하는 것이 어려울 수 있다.

3 '국물'은 'ㄱ'이 비음 'ㅁ' 앞에서 비음인 [ㅇ]으로 바뀌어 [궁물]로 발음되고, '담력'은 'ㄹ'이 비음 'ㅁ' 뒤에서 비음인 [ㄴ]으로 바뀌어 [담ː녁]으로 발음된다. '공룡'은 'ㄹ'이 비음 'ㅇ' 뒤에서 비음인 [ㄴ]으로 바뀌어 [공ː뇽]으로 발음된다. 따라서 세 단어 모두 비음이 아닌 자음이 비음을 만나 비음으로 바뀌는 비음화가 일어난 것이다.

4 '법학[버팍]'은 'ㅂ'과 'ㅎ'이 만나 축약되어 거센소리 [ㅍ]으로 발음된다. '놓다[노타]'는 'ㅎ'과 'ㄷ'이 만나 축약되어 거센소리 [ㅌ]으로 발음된다.

오답 풀이

'김치[김치]'와 '간호[간호]'에서는 음운 변동이 나타나지 않으며, '좋아[조ː아]'에서는 'ㅎ'이 탈락되는 현상이 나타난다.

5 '볕이'는 받침 'ㅌ'이 조사의 모음 'ㅣ'와 결합되는 경우이므로 표준 발음법 제17항에 따라 'ㅌ'을 [ㅊ]으로 바꾸어 뒤 음절의 첫소리로 옮겨 발음한다. 또한 '좋구나'는 'ㅎ' 뒤에 'ㄱ'이 결합되는 경우이므로 제12항에 따라 [ㅋ]으로 발음한다. 따라서 제시된 문장은 [벼치참조쿠나]로 발음해야 한다.

6 한글 맞춤법과 표준 발음법은 표준어를 바탕으로 하여 제정되었으며, 표준어는 교양 있는 사람들이 두루 쓰는 현대 서울말로 정함을 원칙으로 한다.

7 외래어 표기법 제3항에서는 외래어를 한글로 적을 때 받침에 'ㄱ, ㄴ, ㄹ, ㅁ, ㅂ, ㅅ, ㅇ'만을 써야 한다고 하였다. 따라서 'rocket'은 '로켙'이 아니라 '로켓'으로 써야 한다. 이는 외래어를 한글로 적을 때의 받침 사용을 보여 주는 단어이므로 제3항의 사례로 적절하다.

오답 풀이

①, ② 'cafe', 'Paris'를 '까페', '빠리'가 아닌 '카페', '파리'로 적는 것은 파열음 표기에는 된소리를 쓰지 않는다는 원칙(제4항)에 해당한다.
④ 'radio'를 '라디오'로 적는 것은 이미 굳어진 외래어는 관용을 존중한다는 원칙(제5항)에 해당한다.
⑤ 'fitness'를 '피트니스'로 적는 것은 외래어의 1 음운은 원칙적으로

1 기호로 적는다는 원칙(제2항)에 해당한다.

8 ‘ㅐ’는 ‘ae’, ‘ㅓ’는 ‘eo’로 표기해야 하므로 ‘대전’은 ‘Daejeon’으로 표기해야 한다.

9 매체 언어로 인해 일대일로만 이루어졌던 의사소통이 다차원적으로 개방되면서 여러 사람과 동시에 소통하는 일이 가능해졌을 뿐만 아니라 인터넷이 가능한 환경이면 시·공간의 제약 없이 언제 어디서든 연락을 주고받는 일이 가능해져 여러 사람과 비교적 쉽게 친밀한 관계를 형성할 수 있게 되었다.

10 이 교수는 주목 경쟁 때문에 악성 댓글 문제가 생긴 것으로 보고 있으며, 이를 해결하기 위해서는 확고한 법적 근거를 토대로 악성 댓글에 대한 제재를 가해야 한다고 하였다.

평가 요소	확인 ☑
매체 언어가 인간관계와 사회생활에 미치는 부정적 영향을 이해하였다.	
사이버 언어폭력의 원인과 해결 방안을 이해하였다.	

6일 창의·융합·코딩 서술형 테스트 64~67쪽

• I. 언어와 매체 언어 ~ III. 국어의 규범과 매체 언어의 성찰

1 중국어는 어순이 문장의 의미를 결정하기 때문에 어순을 바꾸면 의미가 달라진다. 반면에 국어는 조사가 격을 나타내기 때문에 어순을 바꾸어도 기본적인 의미는 변하지 않는다. 이는 ‘내가 그를 사랑한다.’라는 문장을 ‘그를 내가 사랑한다.’라고 바꾸어도 의미가 크게 변하지 않음을 통해 확인할 수 있다.

평가 요소	확인 ☑
중국어와는 다른 국어의 특징을 적절하게 서술하였다.	
‘문장의 어순’과 ‘의미’를 중심으로 파악하였다.	
30자 내외로 서술하였다.	

예시 답안
문장의 어순을 바꾸어도 의미가 크게 변하지 않는다.

2 이 자료는 언어 요소와 시각 요소를 복합적으로 제시하여 주제를 효과적으로 나타내고 있다. 언어 요소는 캠페인에 대한 기사문이며, 시각 요소는 종이비행기를 날리는 사진이다.

평가 요소	확인 ☑
주제를 효과적으로 나타내기 위해 사용한 방법을 적절하게 서술하였다.	
자료에 나타난 언어 요소와 시각 요소를 적절하게 언급하였다.	
30자 내외로 서술하였다.	

예시 답안
캠페인 기사문과 종이비행기를 날리는 사진을 함께 제시하였다.

3 ‘요린이’는 ‘요리’라는 단어와 ‘어린이’라는 단어의 일부분을 활용하여 만든 말로써, ‘요리’의 ‘요’와 ‘어린이’의 ‘린이’가 결합하였다. 따라서 두 단어를 모두 절단한 후 각 부분을 결합한 유형에 해당한다.

평가 요소	확인 ☑
‘요린이’라는 새말의 짜임에 대해 적절하게 서술하였다.	
‘요린이’를 구성하는 단어를 적절하게 언급하였다.	
30자 내외로 서술하였다.	

예시 답안
‘요리’와 ‘어린이’를 모두 절단한 후 이를 결합하였다.

4 ‘대궐만큼’에서 ‘대궐’은 명사이므로 체언에 해당한다. 제시된 국어사전에서 ‘만큼’이 체언 뒤에 올 때는 조사로 쓰인다는 것을 알 수 있으므로, ‘대궐만큼’에서 ‘만큼’은 앞말과 붙여 써야 한다.

평가 요소	확인 ☑
여학생의 질문에 대한 답과 그 이유를 적절하게 서술하였다.	
‘만큼’의 품사를 적절하게 제시하였다.	
30자 내외로 서술하였다.	

예시 답안
‘만큼’이 조사로 쓰였기 때문에 앞말에 붙여 써야 한다.

5 마지막 학생은 댓글 중 실효성이 있는 제안은 공약에 포함하겠다고 안내하여 소통하는 학생회를 지향한다는 점이 드러나도록 하자며 누리 소통망을 활용하는 방법을 언급하고 있다. 따라서 학생회는 댓글을 활용하여 쌍방향으로 소통하기 위해 누리 소통망에 정보를 올린 것임을 알 수 있다.

평가 요소	확인 ☑
학생회가 누리 소통망에 정보를 올린 이유를 적절하게 서술하였다.	
‘댓글’이라는 단어를 포함하였다.	
30자 내외로 서술하였다.	

예시 답안
댓글을 통해 쌍방향으로 소통할 수 있기 때문이다.

정답

6 '발목을 잡다'라는 표현은 '어떤 일에 꽉 잡혀서 벗어나지 못하게 하다.'라는 뜻의 관용적 표현이다. 이 광고에서는 잘못 건 112 신고 전화가 실제로 경찰의 발을 잡고 있는 상황을 연출하였다. 이는 관용적 표현의 문자 그대로의 의미를 시각적으로 연출하여 문제의 심각성을 새로운 방식으로 표현한 것이므로 창의적이라고 할 수 있다.

평가 요소	확인 ☑
광고가 창의적인 이유를 적절히 서술하였다.	
'발목을 잡는다.'라는 말이 시각적으로 표현되고 있다는 점을 언급하였다.	
30자 내외로 서술하였다.	

예시 답안

'발목을 잡는다.'라는 말을 시각적으로 표현하고 있기 때문이다.

7 '옷 한 벌'이 [온한벌]로 발음되는 과정에서는 'ㅅ'이 음절의 끝에서 [ㄷ]으로 발음되는 음절의 끝소리 규칙이 나타나며, [오탄벌]로 발음되는 과정에서는 'ㄷ'과 'ㅎ'이 결합하여 'ㅌ'으로 발음되는 축약이 나타난다.

평가 요소	확인 ☑
'옷 한 벌'이 발음되는 과정에서 나타나는 두 가지 음운 변동 현상을 모두 서술하였다.	
[온한벌]로 발음되는 과정과 [오탄벌]로 발음되는 과정을 각각 구분하여 서술하였다.	

예시 답안

[온한벌]로 발음되는 과정에서는 교체(음절의 끝소리 규칙)가 나타나며, [오탄벌]로 발음되는 과정에서는 축약(거센소리되기)이 나타난다.

8 '백마'는 비음화가 일어나 [뱅마]로 발음된다. 제시된 글에서 음운 변화가 일어날 때는 변화의 결과에 따라 적어야 한다고 했으므로 '백마'는 'Baengma'로 적어야 한다.

평가 요소	확인 ☑
'백마'를 로마자로 적절하게 표기하고, 그렇게 표기한 이유를 서술하였다.	
50자 내외로 서술하였다.	

예시 답안

'백마'는 비음화가 일어나 [뱅마]로 발음되기 때문에 'Baengma'로 적어야 한다.

9 제시된 자료처럼 '꽃'이라는 단어를 조사에 따라 각각 달리 적으면 그것이 무슨 말인지 알아보기 어려워진다. 따라서 한글 맞춤법에서는 동일한 단어의 형태를 하나로 고정하여 일관되게 적음으로써 의미를 쉽게 파악하도록 한 것이다.

평가 요소	확인 ☑
'어법에 맞도록 함'을 원칙으로 한 이유를 적절하게 서술하였다.	
'가독성'이라는 단어를 포함하였다.	
30자 내외로 서술하였다.	

예시 답안

가독성을 높여 의미를 빠르게 파악할 수 있기 때문이다.

10 '세젤멋'과 같은 줄임말, '꺄악, ㅋㅋㅋ, ㅎㅎㅎ'과 같은 비규범적 언어는 공적인 맥락을 전제로 한 글에 적합하지 않은 표현들이다. 이는 교내 신문의 독자가 학교 구성원 전체라는 것을 감안할 때, 의사소통 수용자를 고려하지 않은 표현이라 할 수 있다.

평가 요소	확인 ☑
빈칸에 들어갈 내용을 적절히 서술하였다.	
제시된 매체의 의사소통 수용자가 누구인지 적절하게 서술하였다.	
40자 내외로 서술하였다.	

예시 답안

매체의 수용자가 학교 구성원 전체라는 점을 고려하지 않고 비규범적 언어를 사용하였다.

7일 중간고사 기본 테스트 1회 68~73쪽

● I단원 언어와 매체 언어 ~ III단원 국어의 규범과 매체 언어의 성찰

1 ⑤ **2** ② **3** ④ **4** ④ **5** ① **6** 온라인 매체는 양방향성을 지니고 있어 독자의 즉각적인 반응을 확인할 수 있기 때문이다. **7** ⑤ **8** ③ **9** ② **10** 건강하게 지내라. **11** ① **12** ④ **13** 토끼 **14** ④ **15** ② **16** 서울이 지역적으로 정치, 경제, 사회, 문화의 중심지이기 때문이야. **17** ③ **18** ④ **19** ③ **20** ②

1 〈보기〉의 사례는 언어가 그 언어를 사용하는 사회·문화와 긴밀하게 연관되어 있음을 보여 준다.

2 이 대화에서는 상대방의 칭찬에 대해 '아니야.'라는 거절 표현과 '부족한 점이 많은데' 등의 표현을 통해 겸손한 태도를 드러내고 있다.

3 자료를 통해 해방 이후 정치, 경제, 문화 의식의 변화와 사회의 격변으로 인해 새로운 단어나 어구가 생겨나거나 잘 사용하지 않던 단어가 활발히 사용되었음을 알 수 있다. 즉 시대에 따라 널리 사용하는 단어가 다르기 때문에 세대 간 의사소통에 문제가 발생하는 것이다.

4 ㉣은 문자를 중심으로 한 기사를 통해 정보를 전달하므로 문어적 성격이 강하고, ㉡, ㉢은 다른 매체에 비해 구어적 성격이 강하다.

오답 풀이

① ㉠은 데이터의 형태로 기록된 다양한 정보를 찾아볼 수 있는 특성을 지닌다. 하지만 누구나 쉽게 정보를 올릴 수 있으므로 정보의 신뢰성에 유의해야 한다.
② ㉡은 음성뿐만 아니라 문자 메시지 등의 기능을 통해서도 쌍방향 의사소통이 활발하게 이루어지지만, ㉣은 인터넷 같은 통신 매체를 바탕으로 한 매체와 비교할 때 의사소통이 일방향으로 이루어진다.
③ ㉢은 의사소통이 일대일로 이루어지고, ㉣, ㉤은 일대다로 이루어진다.
⑤ ㉣과 ㉤은 즉각적인 피드백이 불가능했으나 최근에는 ㉠과 연계하여 이러한 한계에서 벗어나고 있다.

5 뉴 미디어의 대표적인 기능은 실시간으로 상호 작용이 가능하다는 점이다. 이를 바탕으로 뉴 미디어는 사람들 사이의 물리적·사회적 거리를 줄어들게 하여 세계화의 촉매제 역할을 한다.

6 〈보기〉에서 온라인 매체가 우리에게 글을 쓰도록 유혹하는 것은 기존의 아날로그 방식과 달리 양방향성을 특징으로 하기 때문이라고 했다. 독자의 즉각적인 반응이 글쓰기에 영향을 미친다는 것이다. 따라서 매체의 양방향성이 21세기 초기 글쓰기가 유행이 된 원인이라고 볼 수 있다.

평가 요소	확인 ☑
온라인 매체의 의사소통 방식이 양방향성을 지님을 이해하였다.	
독자의 반응이 글쓰기에 영향을 미침을 밝혔다.	
제시된 문장 형식에 맞추어 50자 내외로 서술하였다.	

7 '갈아입다'는 '갈다'와 '입다'가 결합할 때 연결 어미 '-아'를 연결하여 결합한 것이므로 통사적 합성어에 해당한다.

오답 풀이

① 어미의 개입 없이 용언의 어간과 명사가 직접 결합한 비통사적 합성어이다.
②, ③, ④ 어미의 개입 없이 용언의 어간과 어간이 직접 결합한 비통사적 합성어이다.

8 선생님이 설명한 조건을 모두 만족시키는 품사는 동사이며, 제시된 단어 중 동사에 해당하는 것은 '오르다'이다. '야구'는 명사, '여러분'은 대명사, '그러나'는 부사, '아름답다'는 형용사이다.

9 '믿다'는 활용할 때 '믿어, 믿으니'와 같이 어간과 어미의 형태가 규칙적으로 나타나므로 규칙 활용에 해당한다.

오답 풀이

① '줍다'는 어간의 끝 'ㅂ'이 모음 어미 앞에서 '오/우'로 변하는 ㅂ 불규칙 활용을 한다.
③ '긋다'는 어간의 끝 'ㅅ'이 모음 어미 앞에서 탈락하는 ㅅ 불규칙 활용을 한다.
④ '하다'는 어간이 '하-'로 끝나는 용언 뒤에서 모음 어미 '-아'가 '-여'로 바뀌는 여 불규칙 활용을 한다.
⑤ '흐르다'는 어간의 '르'가 모음 어미 앞에서 'ㄹㄹ'로 변하는 르 불규칙 활용을 한다.

10 '건강하다'의 품사는 형용사이다. 〈보기〉에서 형용사는 활용할 때 명령형 어미 '-아라/어라'와 청유형 어미 '-자'와 결합할 수 없다고 하였다. 따라서 '건강해라.'는 명령형 어미 '-아라'가 직접 결합한 표현이므로 적절한 표현이 아니다. '건강하게 지내라.'와 같이 써야 한다.

평가 요소	확인 ☑
품사의 특성에 맞게 올바른 표현으로 고쳐 썼다.	

11 '생물'과 '동물'은 상하 관계로, '생물'이 상의어, '동물'이 하의어이다. '꽃'과 '개나리'도 상하 관계를 이루며 '꽃'이 상의어, '개나리'가 하의어이다.

오답 풀이

②, ⑤는 반의 관계, ③, ④는 유의 관계에 해당한다.

정답

12 구독을 신청한 사람에게만 정보가 제공되는 것은 (가)이다. (나)는 공익을 위한 광고로서 불특정 다수가 그 내용을 볼 수 있다.

13 폐에서 나오는 공기를 막았다가 터뜨리면서 내는 소리는 파열음이고, 이 중 조음 위치가 잇몸인 것은 'ㄷ, ㄸ, ㅌ'이다. 이 중에서 거센소리에 해당하는 것은 'ㅌ'이다. 입술을 둥글게 오므려 발음하는 모음은 원순 모음으로 'ㅟ, ㅚ, ㅜ, ㅗ'가 있다. 따라서 제시된 조건을 모두 충족하는 단어는 '토끼'이다.

14 '논밭을'은 받침으로 끝나는 말 다음에 모음으로 시작하는 형식 형태소가 온 경우로, [논바틀]로 연음하여 발음한다. 연음 현상은 음운 변동에 해당하지 않는다.

오답 풀이
① '집안일[지반닐]'은 'ㄴ' 첨가가 나타난다.
② '좋은[조ː은]'은 'ㅎ' 탈락이 나타난다.
③ '식물[싱물]'은 비음화가 일어나는데, 이는 교체에 해당한다.
⑤ '독학[도칵]'은 거센소리되기가 일어나는데, 이는 축약에 해당한다.

15 표준어를 소리대로 적는다는 것은 표준어를 적을 때 발음에 따라 적는다는 뜻이다. '순두부'는 [순두부]로 발음하므로 소리 나는 대로 적은 단어의 예에 해당한다.

오답 풀이
① '늙고'는 [늘꼬]로 발음하지만, 어간의 본모양인 '늙-'을 살려 '늙고'로 적는다.
③, ④ '꽃놀이'는 [꼰노리]로 발음하고, '꽃다발'은 [꼳따발]로 발음한다. '꽃'이라는 단어가 뒤에 결합하는 단어에 따라 다르게 소리 나는 것이다. 이처럼 의미가 같은 하나의 말을 여러 가지 형태로 적으면 그것이 무슨 말인지 알아보기 쉽지 않으므로, 본모양을 살려 '꽃놀이', '꽃다발'로 적는다.
⑤ '비빔밥'은 [비빔빱]으로 발음하지만, 형태소의 본모양을 살려 '비빔밥'으로 적는다.

16 서울말을 표준어로 삼은 것은 서울말이 다른 지역의 방언보다 언어적으로 뛰어나기 때문이 아니라, 서울이 지역적으로 정치, 경제, 사회, 문화의 중심지라는 데 힘입은 결과이다.

평가 요소	확인 ☑
표준어 규정의 총칙을 이해하였다.	
40자 내외로 서술하였다.	

17 〈보기〉에 따르면 각 단어는 띄어 쓰고, 조사는 앞말에 붙여 쓰고, 단위를 나타내는 명사는 띄어 써야 하므로 '천냥빚도'는 '천 냥 빚도'와 같이 써야 한다.

오답 풀이
① '지'는 의존 명사이고 '가'는 조사이므로 '떠난 지가'는 적절하다.
② '리'는 의존 명사이므로 '천 리'는 적절하다.
④ '까지'와 '나'는 모두 조사로, 조사가 둘 이상 연속될 때에도 그 앞말에 붙여 쓴다. 따라서 '어디까지나'는 적절하다.
⑤ '낮말'은 하나의 단어이므로 붙여 쓰고 '은'은 조사이므로 '낮말은'은 적절하다.

18 ㉢에 나타난 유음화는 로마자 표기에 반영되었지만, ㉡에 나타난 된소리되기는 표기에 반영되지 않았다. 따라서 국어의 음운 변동이 모두 로마자 표기에 반영된다는 것은 적절하지 않다.

19 외래어는 원어 발음을 존중하되 국어의 음운 체계에 맞춰 표기한다. 또한 외래어 표기에는 받침에 'ㄱ, ㄴ, ㄹ, ㅁ, ㅂ, ㅅ, ㅇ'만을 사용한다.

20 소외 지역을 위한 온라인 교육, 무료 어학 학습 사이트, 사이버 평생 교육 등 무료 온라인 교육을 확대하는 것은 교육 기회의 평등화에 기여하는 것이다.

7일 중간고사 기본 테스트 2회 74~79쪽

● I단원 언어와 매체 언어 ~ III단원 국어의 규범과 매체 언어의 성찰

1 언어와 사고는 긴밀한 관련을 맺고 있다. **2** ④ **3** ② **4** ⑤ **5** ① **6** ③ **7** ③ **8** ④ **9** 알맞은 / '알맞다'는 형용사로 관형사형 어미 '-는'과 결합할 수 없기 때문이다. **10** ③ **11** ① **12** ⑤ **13** (나)는 일단 틀어 놓으면 정보가 계속 제공된다는 점에서 책이나 신문보다 정보 제공의 개방성이 높은 편이다. **14** ③ **15** ① **16** ② **17** ② **18** 사람들에게 널리 쓰이는 단어를 표준어로 삼는다. **19** ⑤ **20** ⑤

1 이 글에서 사임은 언어가 사람들의 사고에 영향을 미친다고 보고 어휘의 수를 줄이는 것이 사람들의 사고의 폭을 좁히는 데 기여한다고 생각하고 있다. 이는 언어와 사고가 긴밀한 관련을 맺고 있음을 보여 준다.

평가 요소	확인 ☑
언어와 사고의 관계를 정확하게 이해하였다.	
25자 내외로 서술하였다.	

2 사임은 어휘의 수를 줄여서 사람들의 사고의 폭을 좁히기 위해 《신어사전》을 만들려 하고 있다.

3 중국어는 어순이 문법적으로 주요한 기능을 담당하지만, 국어는 교착어로, 대부분의 문법적 기능이 조사와 어미에 의해 실현된다. 따라서 국어는 어순을 바꾸어도 문장의 기본적인 의미가 크게 변하지 않는다.

4 휴대 전화는 공간의 제약을 넘어 의사소통을 가능하게 하는 매체로 최근에는 인터넷의 기능을 갖추면서 그 활용 범위가 넓어졌다.

5 (가)는 휴대 전화 메신저 애플리케이션으로 주로 일대일로 소통이 이루어진다. (나)는 누리 소통망으로 주로 일대다로 소통이 이루어지며, 설정에 따라서 일부의 특정인들과 소통하기도 한다.

6 인쇄 매체인 종이 신문은 독자들의 반응을 즉각적으로 확인하기 어렵다.

7 이 문장에서 '어제'는 '보았다'를 꾸며 주는 기능을 하는 부사이다.

8 '꽃미남'은 어근 '꽃'과 어근 '미남'이 결합한 합성어이며, '엄지족'은 어근 '엄지'와 파생 접사 '-족'이 결합한 파생어이다.

9 '알맞다'는 사람이나 사물의 성질이나 상태를 나타내는 형용사이다. 형용사는 관형어로 쓰일 때 어미 '-(으)ㄴ'과 결합한다.

10 'ㅎ'으로 끝나는 어간에 '-아/어'가 오면, 어간의 일부인 'ㅎ'이 탈락하고 어미도 변하는 ㅎ 불규칙 활용이 일어난다. '빨갛-+-아 → 빨개'는 어간의 일부인 'ㅎ'이 탈락하고 어미도 변하는 경우에 해당한다.

오답 풀이

①, ② '짓-+-어 → 지어'에서는 어간의 끝 'ㅅ'이 모음 어미 앞에서 탈락하는 ㅅ 불규칙 활용이 일어나고, '듣-+-어 → 들어'에서는 어간의 끝 'ㄷ'이 모음 어미 앞에서 'ㄹ'로 변하는 ㄷ 불규칙 활용이 일어난다. 이는 모두 어간이 변하는 경우에 해당한다.

④, ⑤ '이르-+-어 → 이르러'에서는 어간이 '르'로 끝나는 용언 뒤에서 모음 어미 '-어'가 '-러'로 바뀌는 러 불규칙 활용이 일어나고, '착하-+-아 → 착하여'에서는 어간이 '하-'로 끝나는 용언 뒤에서 모음 어미 '-아'가 '-여'로 바뀌는 여 불규칙 활용이 일어난다. 이는 모두 어미가 변하는 경우에 해당한다.

11 '손01'과 '손02'는 서로 동음이의 관계에 있다.

12 (가)에서 현재 도로 상황에 대한 '시민 1'과 '시민 2'의 의견이 실시간으로 올라오고 있으므로 (나)에 비해 (가)에서 정보의 생산과 수용이 쌍방향으로 활발하게 이루어진다고 할 수 있다.

13 텔레비전은 종이로 인쇄된 책이나 신문에 비하여 정보 제공의 개방성이 높은 편이다. 책은 구매하거나 대여한 사람, 신문은 구매하거나 구독한 사람에게만 정보가 제공되지만 텔레비전은 일단 틀어 놓으면 해당 정보를 계속 시청할 수 있어 정보의 개방성이 높은 편이라고 할 수 있다.

평가 요소	확인☑
매체에 따른 정보 유통 방식을 이해하였다.	
제시된 문장 형식에 맞추어 60자 내외로 서술하였다.	

14 '고모음, 후설 모음, 원순 모음'에 해당하는 모음은 'ㅜ', '중모음, 전설 모음, 평순 모음'에 해당하는 모음은 'ㅔ', '저모음, 후설 모음, 평순 모음'에 해당하는 모음은 'ㅏ'이다.

15 '값[갑]'의 경우 'ㅂ'과 'ㅅ'이 연결된 자음군이 음절의 끝소리에 놓여 'ㅂ'만 남고 'ㅅ'이 탈락한 자음군 단순화에 해당한다.

16 '읽지'의 올바른 발음은 [익찌]이다. 자음군 단순화와 된소리되기가 일어난다.

17 '-아리'는 '-이' 이외의 모음으로 시작된 접미사에 해당하므로 원형을 밝히어 적지 않는다. 따라서 '이파리'로 표기해야 한다.

18 방언이던 단어가 표준어보다 널리 쓰이면 방언을 표준어로 삼는다. 또한, 비표준어라 하더라도 긴 시간 동안 사람들에게 널리 쓰이는 말은 표준어에 추가된다.

평가 요소	확인☑
표준어 규정을 정확하게 이해하였다.	
표준어가 되기 위한 요건을 이해하였다.	
30자 내외의 한 문장으로 서술하였다.	

19 외래어 표기법은 발음을 기준으로 표기를 규정한 것으로, 'placard[plækɑːd]'는 '플래카드'로 표기한다.

오답 풀이

①은 '케이크', ②는 '플래시', ③은 '배지', ④는 '메시지'가 외래어 표기법에 맞는 표기이다.

20 이 글은 학교 신문에 기고한 글이라는 점에서 공적인 맥락을 전제로 한 자료이다. 그런데 그림말(이모티콘), '비담', '최애', '세젤멋'과 같은 줄임말, '까악, ㅋㅋㅋ, ㅎㅎㅎ' 등의 비규범적 언어와 같이 공적인 맥락을 전제로 하는 글에 적합하지 않은 표현을 사용하고 있다는 점에서 문제가 있다.

Memo

중간고사 대비

필수 개념어 모아 보기

필수 개념어 모아 보기 활용 안내

- 쉽고 재미있는 문제로 **단원별 필수 개념어** 익히기!
- **교과서**에서 뽑은 예시 문장으로 **내용 학습**에, **개념 학습**까지 **한 번 더!**

1. 언어와 국어 2. 매체와 매체 언어

1 빈칸에 들어갈 말을 찾아, 바르게 연결하시오.

1 언어와 사고는 깊은 관계를 맺으며 서로에게 영향을 주는 ______ 관계이다. •

2 영어의 'yellow'에 해당하는 국어 어휘가 '노랗다, 노릇하다' 등과 같이 다양한 것에서 국어는 ______가 크게 발달했음을 알 수 있다. •

3 영어의 'rice'가 국어에서는 '쌀, 밥, 벼' 등으로 다양하게 나타나는 것으로 보아 언어에는 ______ 특성이 반영되어 있음을 알 수 있다. •

4 언어·청각·몸짓·시각 요소 등이 복합적으로 관여하면서 의미를 구성하는 특성을 ______이라고 한다. •

5 의사소통과 정보 전달의 다양한 수단을 매체라 하고, 다양한 매체를 통해 실현되는 언어를 ______라고 한다. •

• ㉠ 사회·문화적

• ㉡ 복합 양식성

• ㉢ 매체 언어

• ㉣ 상호 보완적

• ㉤ 색채어

2 빈칸에 들어갈 알맞은 내용을 골라 색칠하시오.

1 국어는 ______이기 때문에 조사와 어미가 발달했으며, 어순을 바꾸어도 문장의 의미가 크게 변하지 않는다. [굴절어 | 교착어]

2 국어에는 '동동/둥둥'과 같이 양성 모음은 양성 모음끼리, 음성 모음은 음성 모음끼리 결합하는 ______ 현상이 나타난다. [모음 조화 | 구개음화]

3 라디오와 텔레비전은 20세기에는 ______ 의사소통 방식으로 즉각적인 피드백이 불가능했으나 최근에는 이러한 한계에서 벗어나고 있다. [일대다(一對多) | 다대다(多對多)]

4 ______은 매체의 확장을 넘어 현대 사회의 변화를 이끈 동력으로, 다양한 주제를 다룰 수 있는 소통 수단으로 평가받고 있다. [신문 | 인터넷]

5 ______는 기존의 독립적 매체들이 새로운 기술과 결합하여 서로 연결된 것으로, 인터넷, 온라인 신문, 블로그 등을 예로 들 수 있다. [뉴 미디어 | 인쇄 매체]

정답 1 1 ㉣ 2 ㉤ 3 ㉠ 4 ㉡ 5 ㉢ 2 1 교착어 2 모음 조화 3 일대다 4 인터넷 5 뉴 미디어

1. 단어와 국어 생활

1 빈칸에 들어갈 알맞은 내용을 골라 색칠하시오.

1 어근은 실질적인 의미를 나타내는 중심 부분이고, ________ 는 어근에 붙어 그 뜻을 제한하는 주변 부분이다. ㉠ 접사: 군-, 헛-, 풋-, -이, -보, -스럽다 등

접사 | 형태소

2 ________ 을 만드는 방식에는 둘 이상의 어근을 결합하는 방식과, 어근과 파생 접사를 결합하는 방식 등이 사용된다.

㉠ 꽃미남(둘 이상의 어근 결합), 엄지족(어근에 파생 접사 결합)

문장 | 새말

3 ________ 는 대상의 이름을 대신하여 가리키는 단어로, 지시 대명사와 인칭 대명사로 나뉜다. ㉠ 지시 대명사: 이것, 그것, 저것 / 인칭 대명사: 나, 너, 그, 저희, 누구, 아무 등

명사 | 대명사

4 ________ 는 체언 앞에 놓여 체언을 꾸며 주는 단어로, 지시 관형사, 성상 관형사, 수 관형사로 나뉜다.

㉠ 지시 관형사: 이, 그, 저 / 성상 관형사: 새, 헌, 옛 / 수 관형사: 한, 두, 여러 등

관형사 | 부사

5 용언이 활용할 때 어간과 어미의 형태가 규칙적으로 나타나는 것을 용언의 ________ 이라고 한다. ㉠ 뽑다 – 뽑아, 뽑아서

규칙 활용 | 불규칙 활용

6 소리는 같지만 뜻이 다른 단어를 ________ 라고 한다.

㉠ 손[手](사람의 팔목 끝에 달린 부분) – 손[客](다른 곳에서 찾아온 사람)

다의어 | 동음이의어

2 풀이된 뜻에 해당하는 내용을 빈칸에 적고, 적절한 예시를 골라 연결하시오.

1 ________ 관계: 비슷한 의미를 가진 둘 이상의 단어가 맺는 의미 관계 •

2 ________ 관계: 둘 이상의 단어가 서로 짝을 이루어 대립하는 의미 관계 •

3 ________ 관계: 한 단어가 의미상 다른 단어를 포함하거나 다른 단어에 포함되는 관계 •

• ㉠ 오르다 – 내리다

• ㉡ 만들다 – 제작하다

• ㉢ 꽃 – 해바라기

정답 1 1 접사 2 새말 3 대명사 4 관형사 5 규칙 활용 6 동음이의어 2 1 유의 – ㉡ 2 반의 – ㉠ 3 상하 – ㉢

2. 매체의 정보 구성과 창의적 표현

1 빈칸에 들어갈 알맞은 내용을 <보기>에서 찾아 쓰시오.

보기

책　신문　라디오　텔레비전　인터넷　휴대 전화

1 ______ 은 분량의 제약이 적어 전문적인 내용을 깊이 있게 다룰 수 있다.

2 ______ 은 1면에 주요 내용을 종합 배치하고, 표제, 전문을 통해 전반적 내용을 파악할 수 있다.

3 ______ 은 다양한 주제의 정보를 확인할 수 있지만, 정보의 신뢰성을 반드시 확인해야 한다.

4 ______ 은 음성 언어, 영상, 음향 등을 복합적으로 활용하기 때문에 정보의 실재감이 높다.

2 빈칸에 들어갈 말을 찾아, 바르게 연결하시오.

1 매체에 따른 정보 구성 방식은 정보의 ______ 과 질, 정보의 배치 및 제시 방식 등을 기준으로 한다. •　　• ㉠ 창의적

2 매체를 통한 정보의 유통 방식은 정보 제공의 속도, 방식, ______ 정도 등을 기준으로 한다. •　　• ㉡ 방향성

3 정보 소통의 ______ 측면에서는 라디오와 인터넷이 다른 매체보다 쌍방향 의사소통이 활발하다. •　　• ㉢ 양

4 동음이의어, 발음의 유사성, 대구와 비유 등 다양한 방법을 활용하여 매체 언어를 ______ 으로 표현할 수 있다. •　　• ㉣ 복합 양식성

5 언어뿐만 아니라 그림, 음향 등과의 상호 작용, 즉 ______ 을 통해 매체 언어의 창의성을 실현할 수 있다. •　　• ㉤ 개방성

6 매체 언어의 창의적 표현은 주제를 효과적으로 전달하고, 보는 이에게 아름다움과 감동을 느끼게 하는 ______ 가치를 지니고 있다. •　　• ㉥ 심미적

정답 1 1 책 2 신문 3 인터넷 4 텔레비전 2 1 ㉢ 2 ㉤ 3 ㉡ 4 ㉠ 5 ㉣ 6 ㉥

1. 국어의 음운과 표준 발음

1 빈칸에 들어갈 말을 찾아, 바르게 연결하시오.

1 ______은 발음할 때 입술 모양이나 혀의 위치가 달라지며, 반모음과 단모음이 결합하여 만들어진다. 예 ㅑ, ㅕ, ㅛ, ㅠ, ㅒ, ㅖ, ㅘ, ㅝ, ㅙ, ㅞ, ㅢ •

2 자음은 ______에 따라 입술소리, 잇몸소리, 센입천장소리, 여린입천장소리, 목청소리로 나뉜다. •

3 자음은 ______에 따라 파열음, 파찰음, 마찰음, 비음, 유음으로 나뉜다. •

4 현대 국어에서 소리의 ______는 단어의 뜻을 구별하는 음운의 역할을 한다. 예 눈[眼]-눈[눈:][雪] •

• ㉠ 조음 방법

• ㉡ 이중 모음

• ㉢ 길이

• ㉣ 조음 위치

2 빈칸에 들어갈 알맞은 내용을 <보기>에서 찾아 쓰시오.

보기

음절의 끝소리 규칙	된소리되기	비음화	유음화	구개음화
자음군 단순화	'ㅡ' 탈락	'ㅎ' 탈락	'ㄴ' 첨가	거센소리되기

1 자음이 두 개 연결된 자음군이 음절의 끝소리에 놓이게 되면 둘 중 하나만 남고 나머지 하나는 탈락하는 현상을 ______라고 한다. 예 넋[넉], 값[갑], 맑다[막따], 넓다[널따]

2 국어에서 음절의 끝소리가 'ㄱ, ㄴ, ㄷ, ㄹ, ㅁ, ㅂ, ㅇ' 중 하나로 변하여 발음되는 현상을 ______이라고 한다. 예 밖[박], 부엌[부억], 밭[받], 낫[낟], 있다[읻따], 빚[빋], 꽃[꼳], 잎[입], 히읗[히읃]

3 '국내[궁내], 받는[반는], 밥물[밤물]'에서 나타나는 음운 변동 유형은 ______이다.
'ㄱ, ㄷ, ㅂ'이 비음 앞에서 비음으로 발음되는 현상

4 '놓고[노코], 낳다[나:타]'에 나타나는 음운 변동 유형은 ______이다.
'ㅎ'과 'ㄱ, ㄷ, ㅂ, ㅈ'이 만나 [ㅋ, ㅌ, ㅍ, ㅊ]와 같은 거센소리로 발음되는 현상

5 '맨입[맨닙], 한여름[한녀름]'에 나타나는 음운 변동 유형은 ______이다.
합성어 및 파생어에서 자음으로 끝나는 형태소 뒤에 단모음 'ㅣ'나 반모음 'ǐ'로 시작하는 형태소가 올 때 'ㄴ'이 첨가되는 현상

정답 1 1 ㉡ 2 ㉣ 3 ㉠ 4 ㉢ 2 1 자음군 단순화 2 음절의 끝소리 규칙 3 비음화 4 거센소리되기 5 'ㄴ' 첨가

2. 국어 규범과 국어 생활 3. 매체 언어의 영향과 성찰

1 빈칸에 들어갈 알맞은 말을 찾아, 바르게 연결하시오.

1 한글 맞춤법은 [   ]를 소리대로 적되, 어법에 맞도록 함을 원칙으로 한다. • • ㉠ 로마자

2 한글 맞춤법에 따르면 문장의 각 [   ]는 띄어 씀을 원칙으로 한다. • • ㉡ 단어

3 표준어는 교양 있는 사람들이 두루 쓰는 현대 [   ]로 정함을 원칙으로 한다. • • ㉢ 한글

4 외래어 표기법은 외국에서 들어온 말을 [   ]로 표기하는 방법으로, 국어의 현용 24 자모로만 적는다. • • ㉣ 표준어

5 국어의 로마자 표기법은 우리말을 [   ]로 표기하는 방법으로, 음운 변화가 일어날 때에는 변화의 결과에 따라 적는다. • • ㉤ 서울말

2 빈칸에 들어갈 알맞은 내용을 골라 색칠하시오.

1 일대일 의사소통이 다차원적으로 개방되며 여러 사람과 동시 소통이 가능해진 것은 매체 언어가 인간관계에 미치는 [   ] 영향이다. 긍정적 | 부정적

2 사생활 침해나 직접 만나 대화를 나누고 친분을 쌓는 기회가 줄어든 것은 매체 언어가 인간관계에 미치는 [   ] 영향이다. 긍정적 | 부정적

3 교육 기회의 평등화와 민주적 소통 문화의 형성에 기여하는 것은 매체 언어가 사회생활에 미치는 [   ] 영향이다. 긍정적 | 부정적

4 사회적 갈등의 심화, 은어나 비속어의 사용으로 계층 간 소통을 어렵게 하는 점 등은 매체 언어가 사회생활에 미치는 [   ] 영향이다. 긍정적 | 부정적

5 매체 언어를 통해 소통할 때에는 '맥락, [   ], 대상'에 유의해야 한다. 영향 | 목적

정답 ❶ 1 ㉣ 2 ㉡ 3 ㉤ 4 ㉢ 5 ㉠ ❷ 1 긍정적 2 부정적 3 긍정적 4 부정적 5 목적

기말고사 대비

정답과 해설

정답과 해설 활용 안내

- 정답 박스로 **빠르게 정답 확인하기!**
- 정답과 오답의 이유, **한 번 더 짚고 넘어가기!**
- **서술형** 답안의 **평가 요소**는 직접 **체크**해 보며, **주관식** 문제 꼼꼼히 **대비하기!**

1일 기초 확인 문제 7~11쪽

•IV단원 1. 문장의 짜임과 문법 요소

1 ③ **2** ⓐ: 관형어, ⓑ: 주어, ⓒ: 보어, ⓓ: 서술어 **3** (1) O (2) X (3) O **4** ② **5** 관형절 **6** ② **7** 상대 높임법 **8** (1) X (2) O (3) X (4) O **9** 께서 집에서 책을 읽으신다. **10** ④ **11** ㉠: 완료상, ㉡: 진행상 **12** 주형이는 나에게 배가 고파서 간식을 사러 가야겠다고 말했다. **13** ㉠: 토끼가 사냥꾼에게 쫓긴다., ㉡: 산등성이가 안개에 덮였다., ㉢: 마을이 태풍에 휩쓸렸다. **14** ⓐ: 주어, ⓑ: 부사어, ⓒ: 목적어 **15** ④ **16** (1) 안 (2) 못

1 문장을 구성하는 데 필수적으로 필요한 성분을 주성분이라고 한다. 주성분에는 '주어, 목적어, 보어, 서술어'가 있다. '관형어'는 '부사어'와 함께 부속 성분에 해당한다.

2 ⓐ는 뒤에 오는 체언 '동생'을 수식하는 문장 성분으로 관형어이다. ⓑ는 문장에서 동작 또는 상태나 성질의 주체가 되는 문장 성분인 주어이다. 문장에서 '누가, 무엇이'에 해당되는 것으로 조사 '이/가' 또는 '은/는'이 붙은 형태로 구현된다. ⓒ는 서술어 '되다', '아니다'가 필요로 하는 문장 성분 중에서 주어를 제외한 성분인 보어이며, 체언에 조사 '이/가'와 결합한다. ⓓ는 주어의 상태를 풀이하는 문장 성분인 서술어이다.

3 (1) 부사어는 용언이나 문장 전체를 수식하는 문장 성분으로 관형어와 함께 부속 성분에 해당한다.
(2) 앞 절과 뒤 절이 '나열, 대조'의 의미 관계를 보여 주는 것은 '대등하게 연결된 이어진문장'이다.
(3) 서술절은 절 전체가 서술어의 기능을 하는 것으로 한 문장에 주어가 두 개 있는 것처럼 보인다.

4 ②는 '가을(관형어), 하늘이(주어), 매우(부사어), 푸르다(서술어)'로 주어와 서술어의 관계가 한 번 나타나는 홑문장이다.

오답 풀이
① 서술절 '마음씨가 곱다'를 안고 있는 안은문장으로 겹문장이다.
③ 앞 절과 뒤 절이 종속적으로 연결된 이어진문장으로 겹문장이다.
④ 부사절 '소리 없이'를 안고 있는 안은문장으로 겹문장이다.
⑤ 앞 절과 뒤 절이 대등하게 연결된 이어진문장으로 겹문장이다.

5 어미 '-(으)ㄴ', '-는', '-(으)ㄹ', '-던'이 붙어서 만들어지는 절은 관형절이다. 관형사형 어미는 시간을 표현하는 데 사용된다.

6 〈보기〉의 문장은 연결 어미 '-려고'를 사용한 종속적으로 연결된 이어진문장이다. '-려고'는 어떤 행동을 할 의도나 욕망을 가지고 있음을 나타내는 연결 어미이다.

7 상대 높임법은 대화의 상대가 누구냐에 따라 상대를 높이거나 낮추어 표현하는 높임법이다. 상대 높임은 종결 표현으로 실현되며 크게 격식체와 비격식체로 나뉜다.

8 (1) 주체 높임법은 주격 조사 '께서'와 선어말 어미 '-(으)시-', 특수 어휘 등을 통해 실현된다. 조사 '께'를 통해 실현되는 것은 객체 높임법이다.
(2) 객체 높임법은 서술의 객체인 목적어나 부사어가 지시하는 대상을 높이는 방법으로 특수 어휘와 조사 '께'를 사용하여 실현된다.
(3) 동사는 현재 시제 선어말 어미 '-는/ㄴ-'을 사용하여 현재 시제를 나타낸다. 선어말 어미 없이 현재 시제를 나타내는 것은 형용사이다.
(4) 과거 시제는 사건시가 발화시보다 앞선 시제로, 과거 시제 선어말 어미 '-았/었-' 등이 주로 쓰인다.

9 서술의 주체가 형에서 어머니로 바뀌었으므로, 주체 높임법을 사용해서 문장을 바꿔 써야 한다. 서술의 주체를 높일 때는 주격 조사 '께서'와 선어말 어미 '-(으)시-'를 활용할 수 있다.

10 객체 높임법은 서술의 객체인 목적어나 부사어가 지시하는 대상을 높이는 방법으로, 부사격 조사 '께'와 특수 어휘 등을 사용하여 실현된다. ④는 주격 조사 '께서'와 선어말 어미 '-(으)시-'를 사용하여 서술의 주체인 '아버지'를 높인 주체 높임법이 실현되었다.

오답 풀이
① 부사격 조사 '께'와 특수 어휘 '드리다'를 사용하여 부사어가 지시하는 대상인 삼촌을 높이고 있다.
② 부사격 조사 '께'와 특수 어휘 '여쭈다'를 사용하여 부사어가 지시하는 대상인 선생님을 높이고 있다.
③ 특수 어휘 '뵈다'를 사용하여 목적어가 지시하는 대상인 할머니를 높이고 있다.
⑤ 특수 어휘 '드리다', '모시다'를 사용하여 목적어가 지시하는 대상인 부모님을 높이고 있다.

11 동작상에는 진행상, 완료상이 있는데 진행상은 '-고 있다', 완료상은 '-아/어 있다, -아/어 버리다' 등을 통해 실현된다. ㉠은 '-어 버리다'를 사용하여 음식을 먹는 동작이 완료된 것임을 나타내고 있고, ㉡은 '-고 있다'를 사용하여 눈이 내리는 동작이 진행되고 있음을 나타내고 있다.

12 직접 인용문은 인용 부호와 직접 인용의 격 조사 '라고'를 사용하지만, 간접 인용문은 인용 부호를 사용하지 않고, 간접 인용의 격 조사 '고'를 쓴다. 직접 인용문에 사용된 높임법은 간접 인용문에서는 사용하지 않는다.

13 〈보기〉에서 능동문을 피동문으로 바꿀 때에는 능동문의 주어가 피동문의 부사어로, 능동문의 목적어가 피동문의 주어로, 능동사를 피동 접미사가 결합된 피동사로 바꾼다는 것을 알 수 있다. 이를 ㉠~㉢에 적용하면 능동문의 주어와 목적어를 피동문의 부사어와 주어로 바꾸고, 피동 접미사 '-기-', '-이-', '-리-'를 각각 결합하여 피동사를 만들 수 있다.

14 〈보기〉에서 주동문과 사동문의 관계에서 주동문이 사동문으로 바뀔 때에는 동작을 시키는 새로운 주어가 추가된다는 것을 알 수 있다. 이때 주동문의 주어는 사동문의 부사어로, 주동사는 사동 접미사가 결합된 사동사로 바뀌지만 목적어는 형태가 그대로 유지됨을 확인할 수 있다.

15 사동 표현은 주어가 남에게 동작을 하게 시키는 것으로, 주동사의 어근에 사동 접미사 '-이-, -히-, -리-, -기-, -우-, -구-, -추-'가 결합하거나, 체언에 사동 접미사 '-시키다'가 결합하거나, '-게 하다'의 구성으로 실현된다. ④는 능동사 '보다'에 피동 접미사 '-이-'가 결합한 피동 표현이 사용되었다.

오답 풀이

① 주동사 '녹다'에 사동 접미사 '-이-'가 결합한 사동 표현이 사용되었다.
② 주동사 '차다'에 어미 '-게'와 보조 용언 '하다'가 붙은 '-게 하다'의 형태로 사동 표현이 실현되었다.
③ 주동사 '먹다'에 사동 접미사 '-이-'가 결합한 사동 표현이 사용되었다.
⑤ 주동사 '읽다'에 사동 접미사 '-히-'가 결합한 사동 표현이 사용되었다.

16 '안'은 '단순 부정'이나 주체의 의지에 의해 어떠한 행동을 하지 않는 '의지 부정'에 쓰이고, '못'은 주체의 능력이 부족하거나 다른 원인에 의해 어떠한 행동을 하지 못하는 '능력 부정'에 쓰인다. (1)은 배가 고프지 않아서 스스로의 의지로 아침을 먹지 않는 '의지 부정' 표현이 적절하고, (2)는 외부의 원인으로 아침을 먹지 못하는 '능력 부정'이 적절하다.

1일 교과서 기출 베스트 12~15쪽

• Ⅳ단원 1. 문장의 짜임과 문법 요소

1 ① **2** ② **3** ㉠은 종속적으로 연결된 이어진문장으로, 앞 절과 뒤 절이 조건의 의미 관계를 나타낸다. **4** ② **5** ⑤ **6** ③ **7** ㉠ • 잘못된 표현: 계시겠습니다 • 고친 표현: 있으시겠습니다/있겠습니다 ㉡ • 잘못된 표현: 나오셨습니다 • 고친 표현: 나왔습니다 **8** ③ **9** ⓐ: 현재, ⓑ: 완료(상) **10** ③ **11** ① **12** ㉠의 '-되다'와 ㉡의 '-어지다'는 피동 표현을 나타내며, 피동 표현을 사용하여 기사 내용이 객관적인 사실임을 강조하고 있다. **13** ⑤

1 문장 성분 중에서 주성분은 주어, 서술어, 목적어, 보어이다. ①은 '친구들은(주어)', '축구만(목적어)', '좋아한다(서술어)'로 구성되어 있다. 이 문장에서 주어와 목적어는 주격 주사, 목적격 조사가 생략되고 보조사가 사용되었다.

오답 풀이

② '유나가(주어)', '유명한(관형어)', '배우가(보어)', '되었다(서술어)'로 구성되어 있다.
③ '와(독립어)', '드디어(부사어)', '기다리던(관형어)', '날이(주어)', '왔다(서술어)'로 구성되어 있다.
④ '고양이가(주어)', '놀이터에서(부사어)', '뛰어논다(서술어)'로 구성되어 있다.
⑤ '아이의(관형어)', '눈동자가(주어)', '초롱초롱(부사어)', '빛난다(서술어)'로 구성되어 있다 .

2 문장은 주어와 서술어의 관계에 따라 홑문장과 겹문장으로 나뉜다. 제시된 문장 중에서 ②는 '마음이 예쁘다.'라는 서술절을 가진 안은문장으로 겹문장이지만, ①, ③, ④, ⑤는 모두 홑문장이다.

오답 풀이

① 엄마와(부사어), 나는(주어), 닮았다(서술어)로 구성된 홑문장이다.
③ 새(관형어), 핸드폰이(주어), 매우(부사어), 깨끗하다(서술어)로 구성된 홑문장이다.
④ 나는(주어), 실수로(부사어), 접시를(목적어), 깨뜨렸다(서술어)로 구성된 홑문장이다.
⑤ 동연이는(주어), 길에서(부사어), 우연히(부사어), 친구를(목적어), 만났다(서술어)로 구성된 홑문장이다.

3 이어진문장은 앞 절과 뒤 절의 의미 관계에 따라 대등하게 연결된 이어진문장 또는 종속적으로 연결된 이어진문장으로 구분할 수 있다. 이때 종속적으로 연결된 이어진문장은 앞 절과 뒤 절의 위치를 바꾸면 의미가 변하거나 비문이 된다. ㉠의 앞 절과 뒤 절의 위치를 바꾸어 보면 '우리가 영화관에 가면, 소민이가 숙제를 끝낼 것이다.'로 원래 문장과 의미가 같지 않다. 따라서 ㉠은 종속적으로 연결된 이어진문장임을 알 수 있다. 또한 조건을 나타내는 연결 어미 '-면'이 사용된 것으로 보아

앞 절과 뒤 절은 '조건'의 의미 관계를 나타냄을 알 수 있다.

평가 요소	확인 ☑
이어진문장 중 어떤 유형에 속하는지 밝혔다.	
앞 절과 뒤 절의 의미 관계를 밝혔다.	
문장 형식을 지켜, 50자 내외로 서술하였다.	

4 ㉡은 '날씨가 맑기'라는 명사절을 가진 안은문장으로, 안긴문장이 부사어의 기능을 하고 있다. 부사어는 부속 성분이므로 주성분 역할을 하고 있다는 이해는 적절하지 않다.

오답 풀이

① ㉠은 '내가 즐겨 읽던'이라는 관형절을 가진 안은문장으로, 안긴문장에는 과거의 어떤 상태를 표현하는 관형사형 어미 '-던'이 사용되었다.

③ ㉢은 '손에 땀이 나도록'이라는 부사절을 가진 안은문장으로 서술어 '긴장했다'를 수식하고 있다.

④ ㉣은 '키가 매우 크다'라는 서술절을 가진 안은문장으로 절 전체가 주어 '민희는'의 서술어 역할을 하고 있다.

⑤ ㉤은 직접 인용의 격 조사 '라고'가 사용된 것으로 보아 직접 인용절을 가진 안은문장이다. 이 문장을 간접 인용절을 안은문장의 형태로 바꾸면 '엄마는 놀란 목소리로 무슨 일이냐고 물으셨다.'가 되는데, 이때 직접 인용절의 종결 어미 '-니'가 아닌 '-냐'가 사용되었을 알 수 있다.

5 ⑤는 부사어가 지시하는 대상인 '선생님'을 높이기 위해 부사격 조사 '에서' 대신 '께'를 사용하고 있으며, 특수 어휘 '드리다'를 사용하여 객체 높임법을 실현하고 있다.

오답 풀이

①, ③ 높여야 할 주체인 '그분', '할머니'와 밀접한 관계를 맺고 있는 대상(살림, 눈)을 선어말 어미 '-(으)시-'를 사용하여 간접적으로 높이고 있다. 또한 ③은 주격 조사 '께서'를 사용하여 '할머니'를 높이고 있다.

② 종결 표현 '하십시오체'를 통해 상대 높임법을 실현하고 있다.

④ 주격 조사 '께서'와 선어말 어미 '-(으)시-', 특수 어휘 '주무시다'를 사용하여 주체인 '어머니'를 높이고 있다.

6 제시된 노랫말에 쓰인 상대 높임법은 '하오체'이다. '하오체'가 쓰인 문장은 ③이다.

오답 풀이

①에서는 '해라체', ②에서는 '하게체', ④에서는 '하십시오체', ⑤에서는 '해요체'가 사용되었다.

7 ㉠에서 '계시다'는 높임의 대상인 주어가 사람인 경우에 사용하는 표현이다. 여기에서는 교장 선생님의 '말씀'과 관련된 간접 높임의 표현으로 선어말 어미 '-(으)시-'를 사용하여, '있으시겠습니다'나 '있겠습니다'를 사용하는 것이 적절하다. ㉡은 청자를 존대하려는 의도로 문장의 주어인 사물을 높이는 잘못된 높임 표현을 사용하고 있다. 따라서 서술어를 '나왔습니다'라고 써야 한다.

8 형용사 '아름답다'는 선어말 어미 없이 현재 시제 의미를 나타내고 있다.

오답 풀이

① 시간 부사를 활용하여 시제를 나타내는 것은 ㉠(어제)과 ㉣(내일)이다.

② '회상'의 의미를 지니는 선어말 어미 '-더-'를 사용하여 과거 시제를 나타낸 것은 ㉠이다. ㉡은 현재 시제이다.

④ ㉢의 '떠날'은 관형사형 어미 '-(으)ㄹ'을 사용하여 미래 시제를 나타내고 있고, ㉣은 시간 부사 '내일'과 선어말 어미 '-겠-'을 사용하여 미래 시제를 나타내고 있다.

⑤ ㉣의 '-겠-'은 과거의 추측이 아닌 미래 시점의 추측을 나타내고 있다.

9 ㄱ과 ㄴ은 모두 시간 부사 '지금'을 활용하여 현재 시제를 나타낸다. 또한 ㄱ은 '-고 있다'를 통해 어떤 사건이 계속 일어나고 있음을 나타내는 '진행상'을 보여 주고, ㄴ은 '-아/어 버리다'를 통해 이미 버스가 출발하는 사건이 끝났음을 나타내는 '완료상'을 보여 주고 있다.

10 사동문에 대응하는 주동문은 사동문의 목적어나 부사어가 직접 행동이나 동작을 하는 형태로 의미가 바뀐다. 그러나 ③처럼 사동문과 주동문이 반드시 대응되지 않는 경우가 있다. ③의 경우 주동문의 형태로 만들면 '이삿짐이 방으로 옮았다.'라고 바꾸어야 하는데, 이삿짐이 스스로 옮는 행동을 할 수는 없으므로 문장이 성립하지 않는다.

오답 풀이

사동문에 대응하는 주동문은 각각 '동생이 밥을 먹었다.'(①), '철수가 집에 갔다.'(②), '학생들이 공을 찬다.'(④), '수업 시간에 학생들이 책을 읽는다.'(⑤)이다.

11 부정문은 의미에 따라 '안' 부정문과 '못' 부정문으로 나뉜다. 또한 '안' 부정문은 주체의 의지에 의해 어떠한 행동을 하지 않는 '의지 부정'과 단순하게 어떠한 상태나 성질이 그렇지 아니함을 나타내는 '단순 부정'으로 구분된다. ①은 단순 부정으로 ②~⑤의 의지 부정과 의미가 다르게 나타난다.

12 ㉠에서는 체언에 피동 접미사 '-되다'가 결합하여, ㉡에서는 '-어지다' 구성을 통해 피동 표현을 나타내고 있다. 피동 표현은 객관성을 높여 의미를 전달하고자 할 때 사용할 수 있는데, 이 글에서는 이러한 피동 표현을 사용하여 기사의 내용이 필자의 판단이 아니라 연구 결과라는 사실을 강조하는 효과를 얻고 있다.

평가 요소	확인 ☑
㉠과 ㉡에서 피동 표현을 실현하는 요소를 찾아 썼다.	
피동 표현을 사용한 효과를 바르게 서술하였다.	
70자 내외로 서술하였다.	

13 직접 인용은 인용한 부분을 인용 부호로 표시하고 직접 인용의 격 조사 '라고'를 붙여 쓴다. ㉢은 학생의 말을 큰따옴표로 표시하고 있으므로 '고' 대신에 격 조사 '라고'를 붙여 쓰는 것이 적절하다.

오답 풀이

① ㉠~㉢ 모두 과거 시제 선어말 어미 '-았/었-'을 사용하여 과거 시제를 나타내고 있다.
② 인용 부호와 인용격 조사를 모두 사용한 것은 ㉢이다.
③ ㉡의 인용절의 주어는 앞 문장을 통해 '중고생들'임을 확인할 수 있다.
④ ㉢은 작은따옴표를 활용하여 학생이 생각한 말을 구분하여 나타내고 있다.

2일 기초 확인 문제 19~21쪽

• Ⅳ단원 2. 담화의 다양한 갈래

1 ⑤ **2** (1) O (2) X (3) X (4) O **3** ② **4** 언어적 **5** (1) O (2) X (3) X (4) O **6** ③ **7** ⓑ 공익 광고 **8** ③ **9** 명사형

1 담화는 하나 이상의 발화나 문장이 연속되어 이루어지는 말의 단위로 화자, 청자, 언어, 맥락의 네 가지 구성 요소로 이루어진다.

2 (1) 담화란 하나 이상의 발화나 문장이 연속되어 이루어지는 말의 단위를 가리킨다.
(2) 담화의 의미는 화자(필자), 청자(독자), 언어, 맥락(언어적 맥락, 상황 맥락, 사회·문화적 맥락)의 네 요소가 종합적으로 작용하여 결정된다.
(3) 사회·문화적 맥락이란 제도, 계층, 역사적·사회적 맥락, 이념 등을 가리킨다. 화자, 청자, 시간, 공간 등은 상황 맥락이다.
(4) 정보 제공의 기능을 하는 담화의 유형으로 '뉴스, 보도, 강의 및 신문' 등이 있다.

3 제시된 발화에서 아빠는 '목이 마르다.'라는 의미의 평서문을 사용하고 있지만, 목이 마르니 아들에게 마실 물을 가져다 달라고 요청하는 의도를 간접적으로 표현한 것으로 볼 수 있다.

4 언어적 맥락은 앞이나 뒤에 놓인 언어의 한 부분을 통해 파악할 수 있는 맥락을 말한다. 이 대화에서 '거기'가 '운동장'을 의미한다는 것을 언어적 맥락을 통하여 알 수 있다.

5 (1) 국어 자료를 생산하는 목적에는 정보 전달, 설득, 사회적 상호 작용, 심미적 정서 표현 등이 있다.
(2) 기사문은 인용 표현과 피동 표현이 많이 사용되는 언어적 특성을 갖는다.
(3) 보도문은 도입부, 중반부, 후반부로 구성된다. 표제와 부제는 기사문의 구성 요소이다.
(4) 공고문은 보는 이가 빠르게 이해할 수 있도록 내용을 간결하게 작성하기 때문에 명사형 종결 표현이 많이 사용되는 언어적 특성을 갖는다.

6 기사문에서 '전문'은 기사의 내용을 육하원칙(누가, 언제, 어디서, 무엇을, 어떻게, 왜)에 따라 요약한 부분으로 표제의 내용을 요약문의 형식으로 구체화한 것이다.

7 '안전띠 착용의 중요성'은 대중의 안전과 관련된 내용이므로

정답

공익 광고의 소재로 활용될 수 있다. 상업 광고는 상품 판매를 위한 목적으로 제작되는 광고이고, 기업 광고는 기업 이미지 상승을 위한 목적으로 제작되는 광고이다.

8 보도문은 방송 매체를 통해 말로 전달되는데, 방송 매체는 속보성을 중시하는 특성이 있다.

오답 풀이
① 보도문은 주로 정보 전달을 목적으로 한다.
② 보도문은 도입부에서 주제나 목적을 제시하며, 후반부에서는 전망, 제언, 촉구 등을 제시한다.
④ 보도문을 사용하는 매체인 방송이 속보성을 중시하는 현재성 매체이므로, 신문 기사문보다 현재 시제를 많이 활용한다.
⑤ 보도문의 후반부에서 전망, 제언, 촉구 등을 제시한다.

9 공고문에서는 내용을 간결하게 작성하여 보는 이로 하여금 빠르게 내용을 이해할 수 있도록 명사형 종결 표현을 많이 사용한다.

2일 교과서 기출 베스트 22~25쪽

• IV단원 2. 담화의 다양한 갈래

1 ④ **2** 삼일절이 공휴일이어서 체육관이 문을 닫을 수도 있다는 것은 사회·문화적 맥락을 이해해야 파악할 수 있다. **3** ③ **4** ⑤ **5** ② **6** ④ **7** ② **8** ⓐ: 표제, ⓑ: 피동 **9** 상업 광고로서 허위 사실이나 과장된 표현이 없는지 비판적으로 수용해야 한다.(상업 광고로서 사실의 정확성과 주장의 타당성을 판단하며 수용하도록 한다.) **10** ④ **11** ③

1 4문단에서 화자, 청자, 시간, 공간을 가리키는 상황 맥락에 따라 동일한 담화 내용이 다르게 표현되거나 이해될 수 있다고 하였다.

오답 풀이
① 상황 맥락과 사회·문화적 맥락은 비언어적 맥락에 해당한다.
② 담화의 의미는 화자, 청자, 언어, 맥락의 네 가지 요소가 종합적으로 작용하여 결정된다고 하였다.
③ 담화는 하나 이상의 발화나 문장이 연속되어 이루어지는 말의 단위라고 하였다.
⑤ 제도, 계층, 이념은 사회·문화적 맥락에 속하는 것으로 원활한 의사소통을 위해 고려해야 할 요소이다.

2 대화 참여자는 삼일절이 국가에서 지정한 공휴일이라는 사회·문화적 맥락을 이해해야 삼일절에 체육관이 문을 닫을 수도 있다는 발화의 의미를 이해할 수 있다.

평가 요소	확인☑
발화의 내용과 관련된 맥락이 무엇인지 밝혔다.	
발화의 의미를 파악하였다.	
50자 내외로 서술하였다.	

3 (가)에서 아빠는 집안일을 하며 아들에게 설거짓거리에 대해 발화하고 있다. 발화의 표면적인 내용은 설거지할 그릇들이 쌓여 있다는 사실의 진술이지만, 맥락상 아들에게 설거지를 도와 달라는 의도를 담은 발화이다. 따라서 직접적으로 물어보고 있다는 내용은 적절하지 않다.

오답 풀이
① (가)와 (나) 모두 화자와 청자의 관계는 아빠와 아들이다.
② (가)에서는 아빠가 집안이라는 공간에서 집안일을 열심히 하며 발화를 하고 있고, (나)에서는 아빠가 같은 공간에서 편하게 소파에 누워 발화를 하고 있다.
④ (가)에서 아들은 자신이 집안일을 도울 수 있음을 간접적으로 드러내고 있다.
⑤ (나)에서 아들은 아빠가 설거지를 해야 할 차례임을 상기시킴으로써 아빠 대신 설거지를 하지 않겠다는 의도를 간접적으로 드러내고 있다.

4 〈보기〉에서는 '화자 1'과 '화자 2' 모두 자신의 역할을 내세우지 않고 낮춰 표현하는 겸양적 표현이 드러난다.

5 강의, 뉴스, 보고서, 안내문은 객관적인 정보를 제공하는 기능이 나타나는 정보 제공 담화에 속하지만, 연설은 상대방을 설득하는 기능이 나타나는 호소 담화에 속한다.

6 이 보도문은 전문가의 인터뷰를 인용하고 있지만, 통계 자료는 인용하고 있지 않다.

오답 풀이
①, ③ 이 보도문은 정보 전달을 위한 목적의 담화로서 속보성을 중시하는 현재성 매체의 특징을 지닌다.
② 이 보도문에서는 독자를 높이는 '하십시오체'의 상대 높임 표현을 쓰고 있다.
⑤ 이 보도문은 발굴된 미라의 보존과 관련된 현실 상황의 정보를 텔레비전 뉴스를 통해 알려 주고 있다. 따라서 예상 독자는 문화재 관련 분야 종사자부터 일반 대중까지 다양하다고 볼 수 있다.

7 뉴스 진행자는 보도 대상인 '미라'를 소개하며 미흡한 관리 실태를 지적하고 있다.

8 기사문은 '표제, 부제, 전문, 본문, 해설'로 구성된다. 이때 '표제'는 내용 전체를 간결하게 나타내는 핵심 제목으로서 독자의 흥미를 일으켜 기사를 읽게 유도하는 역할을 한다. 또한 기사문은 인용 표현과 피동 표현이 많이 사용되는 경향이 있다.

9 제시된 광고는 상품 판매를 목적으로 하는 상업 광고에 해당한다. 광고문은 홍보의 효과를 올리는 데 그 목적이 있으므로 허위 사실이나 과장된 표현이 없는지 판단하며 수용해야 한다.

평가 요소	확인 ☑
광고 내용의 특성을 고려하여 광고문의 종류를 밝혔다.	
올바른 광고문의 수용 태도를 이해하였다.	
40자 내외로 서술하였다.	

10 건의문은 상대방이 건의 내용을 수용하도록 제안하는 글로 설득의 목적을 담고 있다.

11 이 공고문은 예선 심사와 관련된 내용을 공지하고 있지만, 예선 심사의 평가 기준표는 제시하지 않았다.

오답 풀이

① 이 공고문에서는 토론 도서를 공지하고 있다.
②, ⑤ 이 공고문은 보는 이의 빠른 이해를 돕기 위해 중요한 내용을 항목화해 제시하고 있으며, 명사형 어미를 활용하여 간결하게 내용을 전달하고 있다.
④ 이 공고문에서는 토론 대회가 열리는 시간과 장소를 공지하고 있다.

3일 기초 확인 문제 29~31쪽

• Ⅳ단원 3. 매체의 수용과 향유

1 ⓐ: 매개체, ⓑ: 관점 **2** (1) X (2) O (3) O (4) X **3** ⑤ **4** ⓒ
5 ② **6** ③ **7** 양면성 **8** (1) X (2) X (3) O

1 '매체'는 사전적으로 '어떤 작용을 한쪽에서 다른 쪽으로 전달하는 물체나 수단'을 의미한다. 따라서 정보 전달 매체는 정보를 전달하는 수단이나 매개체라 할 수 있다. 그런데 매체를 통해 정보를 전달할 때 매체 특성에 따라서 여러 제약이 있기 때문에 정보 전달 주체의 의도, 관점, 가치관에 따라 정보가 선별되거나 가공되어 전달되는 경우가 많다는 점에 유의해야 한다.

2 (1) 텔레비전과 신문 매체는 비교적 일방적으로 정보를 전달한다는 특징이 있다.
(2) 인터넷 기반 매체들은 신문 등의 매체와 달리 실시간으로 정보를 전달하고, 생산자와 소비자가 쌍방향으로 의사소통할 수 있다는 특징이 있다.
(3) 신문이나 텔레비전 뉴스가 다루는 정보는 관점이나 가치에 따라 선별되어 어떤 정보는 부각하지만, 어떤 정보는 누락하기도 한다.
(4) 인터넷 기반 매체는 개인들도 쉽게 정보를 생산하고 전달할 수 있으므로, 개인의 다양한 관점과 가치가 나타난다. 따라서 특정한 관점이 반영되기 어렵다고 볼 수 없다.

3 그림에서 주목하는 부분에 따라 다른 모습이 보이듯 매체가 전달하는 정보 역시 관점이나 가치에 따라 같은 대상이라도 서로 다르게 전달할 수 있음에 유의하며 비판적으로 수용하는 태도가 필요하다. 하지만 매체의 정보 모두를 믿지 않고 스스로 정보를 찾아보는 것은 어려운 일이며, 얻을 수 있는 정보의 양도 매우 한정적이므로 이를 적절한 태도라 보기는 어렵다.

4 매체 자료를 수용할 때는 매체 자료에 특정한 관점과 가치가 담겨 있다는 점에 유의하며 비판적인 태도로 수용해야 한다. 하지만 ⓒ과 같이 매체 자료에 담긴 정보의 경제적 가치를 판단하는 것은 매체 자료를 비판적으로 수용하는 태도와는 거리가 멀다. 매체 자료의 비판적 수용은 매체 자료가 왜곡하고 있는 사실은 없는지, 정확한 정보인지, 매체 자료가 어떤 의도와 목적이 있는지 등을 살피는 것이지 그 정보가 지닌 경제적 가치를 따지는 것은 아니다.

5 대중 매체는 많은 사람들에게 대량의 정보를 전달할 수 있으므로 대중문화 형성에 큰 영향을 끼친다. 따라서 대중문화가

정답

대중 매체와 별개로 형성된다는 설명은 적절하지 않다.

6 대중문화는 청소년의 여가와 또래 문화에 큰 비중을 차지하며, 친구들 간의 대화나 사회적 관계 등에 큰 영향을 미친다.

7 역사를 소재로 한 대중문화 콘텐츠들이 역사에 대한 인식을 높였다는 점은 대중문화의 긍정적 측면이지만 역사 왜곡 논란이 끊이지 않는다는 것은 대중문화의 부정적 측면으로 볼 수 있다. 따라서 이 사례는 대중문화의 양면성을 보여 주는 것이라 볼 수 있다.

8 (1) 대중문화가 주는 즐거움을 누리며 그 안에서 긍정적인 가치를 찾는 것이 좋다.
(2) 많은 사람이 즐기는 대중문화라 하더라도 그 안에 담긴 의도나 이데올로기를 파악하여 비판적으로 살피는 태도가 필요하다.
(3) 바람직한 대중문화 형성을 위해서는 무엇보다 주체적인 수용 자세가 필요하다.

3일 교과서 기출 베스트 32~35쪽

• IV단원 3. 매체의 수용과 향유

1 ⑤ **2** ② **3** 게임 중독을 병으로 구분할 수 없다고 보며, 게임 산업에 대해 긍정적 관점을 드러낸다. **4** ⑤ **5** ⓐ: 정책적, ⓑ: 중립적 **6** ③ **7** ⑤ **8** ④ **9** 문화 산업의 목소리가 아닌 자신의 목소리를 내는 것이다.

1 이 글에서는 게임을 즐기는 이들 중 소수의 과몰입 집단은 치료가 필요함을 인정하지만, 이들을 '게임 중독'이나 '과몰입'과 같은 부정적인 용어로 지칭하는 것을 경계하며 '게임 편용'이라는 말을 써야 한다고 강조하고 있다. 게임을 본래의 취지가 아닌 학습의 대상으로 보고 활용하는 경우를 말하는 것은 아니다.

오답 풀이
① '게임 편용'이라는 용어는 업계 전문가 중 이 소장이 제안한 용어이다.
② '게임 중독'은 부정적인 용어라고 보고, 이와 비교하여 가치 중립적인 용어로 '게임 편용'을 제시하고 있다.
③ '게임 중독' 혹은 '과몰입' 같은 부정적인 용어가 게임에 대한 부정적인 인식을 심어 줄 수 있다고 보고 있다.
④ '게임 편용'은 '게임 중독' 대신 사용하기를 바라는 용어로 '게임 중독' 현상은 전체가 아닌 일부 사람들에게 일어나는 일이라고 했으므로 '게임 편용' 역시 일부 사람들의 태도와 관련된 것이라고 볼 수 있다.

2 이 글에서는 게임이 자기 주도 학습 태도를 유도하는 콘텐츠라 하였는데, 그 근거로 게임을 하기 위해 스스로 첨단 기기의 사용법을 깨우치는 것을 들고 있다. ②에서는 ㉠의 주장과 근거 사이의 관련성에 대해 의문을 제기하고 있으므로 ㉠에 대한 비판적 질문으로 적절하다.

3 이 글에서는 '게임 중독'은 병으로 구분할 수 없다는 관점과 '게임 산업'은 긍정적이라는 관점을 드러내며, '게임 중독'이라는 용어부터 '게임 편용'으로 바꾸어야 한다는 주장을 소개하고 있다.

평가 요소	확인 ☑
'게임 중독'과 '게임 산업'에 대한 관점을 밝혔다.	
제시된 형식에 맞추어 50자 내외로 서술하였다.	

4 이 글에서 '조 과장'은 게임 산업의 위축을 바라지 않으며, 행위 중독 만연과 관련 산업 육성을 적대적인 관계로 규정하기보다 조화롭게 고려해야 한다고 밝히고 있다.

5 이 글에서는 청소년의 중독 문제를 국가 정책, 사회 환경 등의 측면에서 대안을 찾을 수 있음을 밝히고 있다. 또한 중독 문제로 인해 관련 산업 육성에 대해 적대적인 입장을 갖지 말고 조화로운 방안을 찾아야 한다고 보고 있다는 점에서 게임 중독에 대해서도 비교적 중립적인 입장을 지녔다고 할 수 있다.

6 (나)는 대중문화의 수용자들이 생산자의 의도와 이데올로기적 조작에 영향을 받을 수 있음을 예를 들어 설명하고 있다. 따라서 생산자의 측면에서만 대상을 살피고 있다고 볼 수 없다.

오답 풀이
①, ② (가)는 대중음악의 노랫말이나 텔레비전 드라마나 영화의 사례를 들어 대중문화의 상투적이고 통속적인 특성을 보여 주고 있으며, (나)는 드라마의 자본주의적 가치관을 예로 들어 특정 이데올로기를 반영하는 대중문화의 특성을 보여 주고 있다.
④ (다)에서는 문화를 판단하는 기준이 대중 매체와 문화 산업에 의해 형성된 경우가 많다고 하였다.
⑤ (다)에서는 좋은 문화라는 자신의 판단 기준이 어떻게 생긴 것인지에 대해 자기반성적 태도가 필요하다고 하였다.

7 (나)에서 대중문화 상품의 생산자들은 자신의 의도를 전달하기 위해 이데올로기 조작을 하기도 한다고 하였다. 하지만 '승하'는 인기 있는 드라마라 해서 무턱대고 시청하고 있지 않고,

범죄 장면의 잔혹함이나, 이야기의 무개연성, 무분별한 광고 삽입 등을 비판적으로 살피고 있다. 따라서 '승하'를 이데올로기적 조작에 휩쓸린 수용자라고 보기 어렵다. 오히려 무비판적으로 드라마를 보고 있는 '수지'가 이데올로기적 조작에 영향을 받은 수용자라 할 수 있다.

8 고가의 프리미엄 패딩 점퍼를 입는 것은 결국 이익을 추구하는 업체의 상술에 넘어간 것이지 개성을 보장하는 것과는 관련이 없다.

9 이 글에서 글쓴이는 요즘 청소년들이 광고 전략에 넘어간 소비자로 전락하고 있음을 지적하며, 이를 '문화 산업의 목소리를 자신의 목소리로 착각'하는 것이라 말하였다.

평가 요소	확인 ☑
글에 나타난 비유적인 표현을 찾아 썼다.	
제시된 형식에 맞추어 30자 내외로 서술하였다.	

4일 기초 확인 문제 39~43쪽

• V단원 1. 국어의 역사와 다양성

1 (1) O (2) X (3) O (4) O **2** ⓐ: 서기체, ⓑ: 향찰 **3** ④ **4** ① **5** ② **6** (1) O (2) X (3) O **7** 먹글 **8** ⑤ **9** ④ **10** ④ **11** (1) X (2) O **12** ⓐ: 방언, ⓑ: 지역

1 (1) 고대 국어는 우리 선인들이 한반도에 살기 시작한 이후부터 통일 신라 시대까지 사용된 국어를 가리킨다.
(2) 고대 국어 시기에는 우리말을 표기할 고유의 문자가 존재하지 않았기 때문에 한자를 빌려 다양한 방식으로 차자 표기를 하였다.
(3) 중세 국어는 15세기 전후를 기준으로 전기와 후기로 구분하는 것이 일반적이다. 10세기 초~14세기 말까지의 국어를 전기 중세 국어, 15세기 초~16세기 말까지의 국어를 후기 중세 국어라고 한다.
(4) 중세 국어 시기에는 오늘날 쓰이지 않는 'ㅸ, ㅿ, ㆆ, ㆁ, ㆍ' 등의 음운이 사용되었다.

2 한글이 창제되기 이전인 고대 국어 시기에는 우리말을 표기할 문자가 없어 한자를 빌려 차자 표기를 하였다. 이러한 차자 표기 방식에는 '고유 명사의 표기', '서기체 표기', '이두', '구결', '향찰' 등이 있다.

3 중세 국어 시기에는 'ㅸ, ㅿ, ㆆ, ㆁ, ㆍ'와 같이 오늘날에는 쓰이지 않는 음운이 사용되었다.

4 오늘날에 사용하는 '산(山)', '강(江)', '백(百)', '천(千)'은 모두 한자어이다. 탐구 내용을 통해 볼 때 중세 국어 시기에는 이러한 한자어 대신에 '뫼', 'ᄀᆞᄅᆞᆷ', '온', '즈믄'과 같은 고유어를 사용하였음을 알 수 있다.

5 'ㅿ'은 16세기부터 약화되어 17세기에 소실되었다. 'ㅇ'으로 글꼴이 바뀐 것은 'ㆁ'이다. 'ㆁ'은 근대 국어 시기에 종성에서만 실현되고, 글꼴도 'ㅇ'으로 변했다.

6 (1) 'ㆍ'는 18세기에 첫째 음절에서 주로 'ㅏ'로 변하였으므로 'ᄑᆞᆯ'이 '팔'로 표기되기 시작한 시기는 18세기라고 할 수 있다.
(2) 'ㆍ'는 16세기부터 둘째 음절 이하에서 주로 'ㅡ'로 변하였다고 하였으므로 '모ᄅᆞ다'는 16세기에 '모르다'로 변하였다고 볼 수 있지만, 첫째 음절에서의 변화는 18세기에 일어났다고 하였으므로 'ᄇᆡ'는 18세기에 '배'로 변하였다고 볼 수 있다.
(3) 'ᄆᆞᅀᆞᆷ'은 16세기에 둘째 음절의 'ㆍ'가 'ㅡ'로 변하여 'ᄆᆞ음'이 된 후 18세기에 첫째 음절의 'ㆍ'가 'ㅏ'로 변해 '마음'이 되

정답

었을 것이라 볼 수 있다.

7 거듭 적기는 받침이 있는 체언이나 용언의 어간에 모음으로 시작하는 조사나 어미가 연결될 때, 앞 형태소의 말음을 종성에도 적고 뒤 형태소의 초성에도 적는 방식이므로 어간 '먹-'의 'ㄱ'을 어미 '-을'의 초성에도 적어 '먹글'로 썼을 것이다.

8 고유어가 한자어로 많이 대체되기 시작한 시기는 근대 국어 시기이므로 ⑤는 현대 국어의 특징이라고 보기 어렵다.

9 화자가 속한 지역이나 사회적 계층에 따라 언어 사용 양상이 다를 수 있지만, 지역이나 연령보다 사회적 계층에 따른 언어 변화가 가장 두드러지게 나타난다고 볼 수는 없다.

10 이 상황은 연령 또는 세대에 따른 언어 사용 양상의 차이를 보여 주는 것이지, 직업이나 전문 분야에 따른 언어 사용 양상의 차이를 보여 주는 것이 아니다. '섣달그믐'은 주로 노년층에서 쓰는 말일 뿐, 책을 통해 학습해야 하는 전문 용어는 아니다.

11 (1) 이 상황에서 의사가 '마크로라이드계 항생제, 항히스타민제'와 같은 의학 전문 용어를 사용하자 환자의 보호자는 이를 이해하지 못하고 있다. 이는 직업 또는 전문 분야에 따라 언어 사용 양상이 다름을 보여 준다.
(2) 직업 또는 전문 분야에 따른 언어 차이는 어휘 차원에서 가장 뚜렷하게 나타난다.

12 대구 출신인 이상화는 '민들레'의 경상도 지역 방언인, '맨드라미'라는 표현을 시에 활용하고 있다. 이는 지역에 따른 언어 사용 양상의 차이를 보여 주는 것이다.

4일 교과서 기출 베스트 44~47쪽

• V단원 1. 국어의 역사와 다양성

1 ② **2** ④ **3** '主'는 한자의 뜻을 빌려 쓴 것이고, '隱'은 한자의 소리를 빌려 쓴 것이다. **4** ① **5** ④ **6** ③ **7** ① **8** ② **9** ⑤ **10** 밥먹기, 쓰기, 년구ᄒᆞ기, 옮기 **11** ⓐ: 끊어 적기, ⓑ: 이어 적기, ⓒ: 거듭 적기 **12** ③ **13** ②

1 (가)는 한자를 활용하여 고유 명사를 표기하는 방식이 드러나는 자료이고, (나)는 한자를 국어 어순에 맞게 나열하는 서기체 표기가 나타난 자료이다. (다)는 한자의 뜻과 소리를 빌려 국어 문장을 표기한 향찰 자료이다. (가)~(다)는 모두 고대 국어 시기에 우리말을 한자의 음과 뜻을 빌려 표기한 차자 표기 방식을 보여 준다.

오답 풀이

①, ③ (가)~(다)는 모두 한글 창제 이전 고대 국어 시기의 자료들이다. 우리 고유의 문자가 등장한 것은 15세기 중세 국어 시기이다.
④ (나)의 서기체 표기에서 알 수 있듯이 한문 어순을 그대로 따르지 않고, 우리말 어순에 따라 한자를 배열하였다.
⑤ (다)에서는 한자를 활용하여 우리말의 문법적 의미를 가진 조사나 어미를 표기하였지만, (가)와 (나)에서는 조사나 어미를 표기하지 않아 완전한 우리말 문장을 표기하는 데에 어려움이 있었음을 알 수 있다.

2 〈보기〉와 같이 ㉡은 한문 어순에 따르면 서술어가 앞에 나와서 '맹세한다 하늘 앞에'로 배열되어야 하지만, (나)의 ㉡은 '하늘 앞에 맹세한다.'라는 우리말 어순에 따라 한자를 배열하였음을 알 수 있다.

3 (다)의 현대어 풀이를 보면 '主隱'은 '님은'이므로 '主'는 '임금'이라는 뜻을 빌려 표기한 것임을 알 수 있고, '隱'은 '은'이라는 소리를 빌려 보조사 '은'을 표기한 것임을 알 수 있다.

평가 요소	확인☑
'主'와 '隱'의 차자 표기 방식을 각각 밝혀 썼다.	
40자 내외로 서술하였다.	

4 《용비어천가》는 15세기 작품으로, 중세 국어의 표기 형태를 잘 보여 주는 자료이다. 중세 국어 시기에도 주체 높임법, 객체 높임법, 상대 높임법이 있었으며, 〈제1장〉의 '海東六龍이 ᄂᆞᄅᆞ샤'에서 주체 높임 선어말 어미 '-샤-'가 사용되었음을 확인할 수 있다.

5 '나모와(나모+와)', '남ᄀᆞᆫ(낡+ᄋᆞᆫ)'과 같이 한 단어가 뒤에 오는 조사에 따라 각각 다른 형태로 실현되는 것을 통해 중세 국어 시기에는 조사와 결합할 때 형태가 바뀌는 체언이 있었음을 알 수 있다.

6 '시미(심+이)', '기픈(깊+은)', '므른(믈+은)'에서 모두 받침이 있는 말 뒤에 모음으로 시작하는 조사나 어미가 연결될 때, 앞 형태소의 종성을 다음 형태소의 초성에 내려 쓰는 이어 적기 방식이 쓰였음을 알 수 있다. 또한 자음으로 끝난 체언 '심' 뒤에 주격 조사 '이'가 사용된 것을 확인할 수 있다.

오답 풀이

ⓐ 중세 국어에는 'ㅳ, ㅄ, ㅴ' 등의 겹자음이 모두 발음되는 어두 자음군

이 있었으나, ㉡에는 나타나지 않는다.
ⓓ 중세 국어에서 사용된 객체 높임 선어말 어미는 '-숩/줍/숩-인데, ㉡에는 나타나지 않는다.
ⓔ 중세 국어에는 몽골어나 여진어에서 들어온 외래어가 존재하였으나, ㉡에는 나타나지 않는다.

7 ㉠ '定ᄒᆞ샨'은 '정ᄒᆞ-+-샤-+-ㄴ'으로 주체 높임 선어말 어미 '-샤-'가 사용된 주체 높임 표현이다.
㉡ '累仁開國ᄒᆞ샤'는 'ᄒᆞ-+-샤-+-아'로 주체 높임 선어말 어미 '-샤-'가 사용된 주체 높임 표현이다.

오답 풀이
㉢ '님금하아ᄅᆞ쇼셔'에서 '하'는 높임의 호격 조사이고, '아ᄅᆞ쇼셔'의 '-쇼셔'는 상대를 매우 높일 때 쓰는 'ᄒᆞ쇼셔체'로 오늘날 '하십시오체'에 해당하는 상대 높임 표현이다.
㉣ '미드니잇가'는 '믿-+-으니-+-잇-+-가'로 상대 높임 선어말 어미 '-잇-'이 사용된 상대 높임 표현이다.

8 《노걸대언해》는 17세기 후반의 작품으로, 근대 국어의 특성을 잘 보여 주는 자료이다. 근대 국어 시기에는 'ᄢ, ᄣ'과 같은 어두 자음군이 소멸하고 'ㅺ, ㅼ, ㅽ, ㅾ'처럼 된시옷 표기로 정착되었다.

9 '-ㄴ다'는 '너'와 같은 2인칭을 주어로 하는 의문문에서 사용하는 의문형 종결 어미이다.

오답 풀이
① 모음 조화는 'ㅏ', 'ㅗ' 따위의 양성 모음은 양성 모음끼리, 'ㅓ', 'ㅜ' 따위의 음성 모음은 음성 모음끼리 어울리는 현상으로, 양성 모음으로 이루어진 체언 뒤에는 조사 'ᄂᆞᆫ'이, 음성 모음으로 이루어진 체언 뒤에는 조사 '는'이 결합하였다. 그러나 ㉠에서는 '너는'이 아닌, '너ᄂᆞᆫ'으로 표기하였으므로 모음 조화가 지켜지지 않고 있음을 알 수 있다.
② '니롬'에서 어두의 'ㄴ'이 그대로 사용되고 있는 것을 확인할 수 있다.
③ 'ㆍ'가 '니롬'에서는 둘째 음절에서 나타나지만 'ᄒᆞᄂᆞ뇨'에서는 첫째 음절과 둘째 음절에서 모두 나타나고 있음을 알 수 있다.
④ 주격 조사 '가'는 근대 국어 시기에 출현하기는 하지만 ㉢에는 나타나 있지 않다.

10 근대 국어 시기에는 명사형 어미로 '-음'과 함께 '-기'의 사용이 활발했는데 [A]에서 '-기'를 활용한 표현을 확인할 수 있다.

11 중세 국어 시기에는 이어 적기 방식을 사용하는 것이 일반적이었으며, 근대 국어 시기에는 중세의 이어 적기 방식이 현대의 끊어 적기 방식으로 가는 과도기적인 모습으로 거듭 적기 방식이 나타났다.

12 과거부터 현재까지 다양한 양상으로 어휘가 끊임없이 변화한다는 점을 통해 국어를 비롯한 언어는 하나의 유기체라는 점을 알 수 있으며, 이러한 변화를 이해할 때 우리는 국어에 담긴 문화적 특성들을 파악하고 현대 국어를 더 잘 이해할 수 있다.

13 (가)는 아동을 대상으로 한 번역이므로 (나)처럼 직역에 가깝게 번역하기보다는 원문의 맥락에 맞게 의역하거나 이야기의 내용을 창작하고, 아동이 이해하기 쉬운 어휘를 사용함으로써 내용을 쉽게 이해할 수 있도록 하였다.

정답

5일 기초 확인 문제 51쪽

• V단원 2. 언어와 매체의 생산과 발전

1 ⓐ: 목적, ⓑ: 수용자 **2** (1) O (2) X (3) O (4) O **3** ③ **4** ③

1 매체 자료를 생산할 때는 먼저 매체 자료를 생산하는 목적에 맞는 음향, 그림, 사진 등 자료를 선택해야 한다. 또한 이 자료를 수용할 수용자의 연령이나 성 등 그 특성을 고려하고, 자신이 선택한 매체의 언어적 특성과 파급력 등도 함께 고려해야 한다.

2 (1) 매체 자료의 생산 목적에는 '정보 전달', '설득', '심미적 정서 표현', '사회적 상호 작용' 등이 있다.
(2) '연령', '성' 등은 매체 자료를 생산하는 목적이 아닌 수용자의 특성이다.
(3) 매체 자료를 생산할 때는 소통하고자 하는 목적에 맞게 음향, 그림, 사진, 영상 등 자료를 활용하면 전달 효과를 높일 수 있다.
(4) 매체 자료를 생산할 때는 '매체의 언어적 특성'이나 '파급력' 등 매체의 특성도 고려해야 한다.

3 언어문화를 발전시키기 위해서는 언어 파괴 현상이나 과도한 외국어 사용 문제 등을 해결해야 한다. 제시된 대화에서 학생들은 '득템, 레알, 깜놀' 등의 단어를 사용하여 대화하고 있으므로 어법에 맞고 품격 있는 말을 사용하는 태도가 필요하다고 볼 수 있다.

4 매체 문화를 발전시키기 위해서는 왜곡되거나 잘못된 매체 자료를 가려서 수용할 수 있는 능력을 길러 주체적이고 비판적으로 매체 자료를 수용하는 문화가 자리 잡아야 한다.

5일 교과서 기출 베스트 52~55쪽

• V단원 2. 언어와 매체의 생산과 발전

1 ① **2** ③ **3** ⑤ **4** ② **5** ㉠은 일방 소통을 하는 매체이므로, 실시간 의사소통이 어렵다는 점에서 ⓒ는 적절하지 않다. **6** ② **7** ④ **8** 서로 예의 바르고 공손하게 대화하자. **9** ④ **10** ①

1 (가)~(다)는 매체 자료를 통한 의사소통의 목적, 수용자와 매체의 특성을 고려하여 매체 자료를 생산하기 위한 논의 과정을 보여 주고 있다.

2 (가)에서 작년에는 학교 선생님들과 학생들을 자선 장터 홍보 대상으로 삼았는데, 올해에는 학부모님들을 추가하여 매체 자료의 수용자를 확대하고 있다. 따라서 이전의 동일한 행사에서 대상으로 삼았던 이들을 수용자에서 제외하였다는 설명은 적절하지 않다.

오답 풀이
① (가)의 두 번째 장면에서 자선 장터와 관련된 홍보물을 만든다고 하였다.
② (가)의 네 번째 장면에서 남학생의 대사를 통해 홍보물의 대상을 학부모님에게까지 확대하려고 한다는 것을 알 수 있다.
④, ⑤ (가)의 두 번째 장면에서 자선 장터에서 판매할 물품을 기증받는다는 내용을 알리는 정보 전달의 목적을 드러내고 있으며, 물품 기증과 자원봉사 참여를 독려하는 설득의 목적이 나타남을 확인할 수 있다.

3 (나)의 두 번째 장면에서 학부모님들은 학교 선생님과 학생들에 비해 자선 장터에 대한 정보가 부족할 수 있다며, 이를 고려하여 매체 자료의 내용을 생성해야 함을 밝히고 있다. 따라서 수용자인 학부모님들의 배경지식을 고려하고 있음을 알 수 있다.

4 (나)에서 학교 누리집과 휴대 전화를 통해 자선 장터에 대한 내용을 전달하려는 것은 두 매체 모두 다수의 사람들에게 대량의 정보를 전달할 수 있는 매체이기 때문이다.

5 포스터는 주로 문구, 그림, 사진으로 구성되며, 일방 소통을 하는 매체이다.

평가 요소	확인 ☑
ⓒ가 적절하지 않은 계획임을 언급하였다.	
실시간 의사소통이 어려운 매체라는 점을 지적하였다.	
50자 내외로 서술하였다.	

6 '나'는 두 시간만 자신의 이야기를 들어 달라고 하였던 재판 당사자에게 발언 기회를 충분히 주어 그의 말을 차분하고 꼼꼼하게 들었더라면 더 좋은 결론이 나올 수 있고 법원에 대한 당사자의 신뢰도 쌓였을지도 모른다며 아쉬워하고 있다. 따라서 시간을 오래 들여 말을 할수록 오해가 쌓일 것이라 생각한다는 이해는 적절하지 않다.

7 ㉠은 불분명한 표현과 그에 대한 의사소통의 부재로 인해 분쟁이 발생하게 되었음을 보여 준다. 반면에 ㉡은 말 한마디로 인해 엄청난 고통을 주는 송사를 피할 수 있는 경우가 있음을

말하기 위해 인용한 속담이다.

8 이 글은 판사가 쓴 글로, 자신의 경험을 바탕으로 말과 글, 그리고 언어문화에 대해 성찰하며 언어문화를 발전시키기 위한 노력을 제시하고 있다. 1~2문단에서는 다른 사람의 말과 글을 조금 더 여유 있는 자세로 차분하고 꼼꼼하게 읽고 듣는 태도를 제안하고 있고, 3문단에서는 사람들 간에 존중하는 말과 글을 사용할 것을 제안하고 있다. 그리고 마지막 문단에서는 서로 예의 바르고 공손하게 대화할 것을 제안하고 있다.

9 (나)를 통해 타인의 자료를 무단으로 사용하는 것이 저작권 침해에 해당한다는 것을 알 수 있지만, 타인의 자료를 사용하는 양과 관련된 내용은 확인할 수 없다.

10 (가)의 ⓐ는 사건 보도로 인해 당사자의 인권 침해가 일어날 것을 경계해야 함을 말하고 있다. (나)의 ⓑ는 대가를 지불하지 않고 배경 음악을 사용하는 것이 저작권 침해 행위임을 말함으로써 타인에게 피해를 주지 않아야 함을 경계하고 있다고 할 수 있다.

6  누구나 100점 테스트 1회 56~59쪽

• IV단원 1. 문장의 짜임과 문법 요소 ~ 2. 담화의 다양한 갈래

1 ⑤ **2** ③ **3** ④ **4** ② **5** 아들은 ㉠과 같이 피동 형식의 문장을 사용하여, 방을 어지럽힌 주체가 자신임을 부각하지 않고 있다. **6** ① **7** ② **8** ⑤ **9** 문장 유형은 평서문이지만, 엄마가 아들에게 재활용 쓰레기 정리를 도와달라는 요청의 의도를 담고 있다. **10** ⑤

1 문장 성분의 구성 요소 중 부속 성분이면서, 체언을 수식하는 역할을 하는 것은 관형어이다. 예문에서 밑줄 친 '예쁜'은 '옷'을 수식하는 관형어이다.

2 ③은 '주어(은호는)와 서술어(~고 말했다)', '주어(민주가)와 서술어(예쁘다)'로 주어와 서술어의 관계가 두 번 나타나는 겹문장이다. 여기서 '민주가 예쁘다'는 인용절로, 전체 문장은 인용절을 가진 안은문장이다.

오답 풀이
① 주어(아기가)와 서술어(먹는다)가 한 번 나타나는 홑문장이다.
② 주어(친구는)와 서술어(성실하다)가 한 번 나타나는 홑문장이다.
④ 주어(학교에서)와 서술어(열었다)가 한 번 나타나는 홑문장이다. '에서'는 단체를 나타내는 명사 뒤에 붙어 앞말이 주어임을 나타내는 주격 조사이다.
⑤ 주어(선생님께서)와 서술어(주셨다)가 한 번 나타나는 홑문장이다. '께서'는 대상을 높임과 동시에 그 대상이 문장의 주어임을 나타내는 주격 조사이다.

3 '너의 일이 잘되기'는 명사형 어미 '-기'가 붙어서 형성된 명사절로, 문장에서 목적어 기능을 하고 있다.

오답 풀이
① 관형절에 대한 설명이다. '-(으)ㄴ', '-는', '-(으)ㄹ', '-던' 등의 관형사형 어미가 붙어서 만들어지는 관형절은 문장에서 과거, 현재, 미래, 회상의 시간을 표현하는 데에 사용된다.
②, ⑤ 부사절에 대한 설명이다. 부사절은 부사어의 역할을 하므로 절의 위치가 비교적 자유롭다.
③ 서술절에 대한 설명이다. 서술절은 절 전체가 서술어의 기능을 한다.

4 ㄱ은 앞 절과 뒤 절이 '나열'의 의미 관계를 갖는 대등하게 연결된 이어진문장으로 앞 절과 뒤 절의 순서를 바꾸어도 의미상 큰 차이가 없다.

오답 풀이
③, ④ ㄴ은 앞 절과 뒤 절이 '원인과 결과'의 의미 관계를 갖는 종속적으로 연결된 이어진문장이다.
⑤ ㄱ의 앞 절의 주어와 뒤 절의 주어는 각각 '낮말은, 밤말은'이며, ㄴ의 앞 절의 주어와 뒤 절의 주어는 각각 '비가, 길이'이다. 따라서 ㄱ, ㄴ 모두 앞 절과 뒤 절의 주어가 동일하지 않음을 알 수 있다.

5 "제가 어지럽혔어요."라고 말하는 것은 방을 어지럽힌 행동의 주체가 본인이라는 사실을 드러내는 것이다. 따라서 아들은 방을 어지럽힌 주체가 자신임을 부각하지 않기 위해 피동의 형태로 대답한 것이다.

평가 요소	확인 ☑
㉠이 피동 형식의 문장임을 밝혀 썼다.	
피동으로 말한 발화의 의도를 파악하여 썼다.	
제시된 형식에 맞추어 60자 내외로 서술하였다.	

6 주체 높임법은 서술의 주체를 높여 말하는 방법으로, 말하는 이보다 서술의 주체가 나이나 사회적 지위 등에서 상위자일 때 사용된다. ①에서는 '할머니'를 높이기 위해 주격 조사 '께서'와 선어말 어미 '-(으)시-'를 사용하여 주체 높임을 실현하고 있다.

오답 풀이

② 부사어가 지시하는 대상인 선생님을 높이기 위해 부사격 조사 '에게' 대신 '께'를 사용하고, 특수 어휘 '여쭈다'를 사용하여 객체 높임을 실현한 문장이다.
③ 듣는이를 높이기 위해 '하십시오체'의 종결 표현을 활용하여 상대 높임을 실현한 문장이다.
④ 듣는이를 높이기 위해 '해요체'의 종결 표현을 활용하여 상대 높임을 실현한 문장이다.
⑤ 목적어가 지시하는 대상인 할아버지를 높이기 위해 특수 어휘 '모시다'를 사용하여 객체 높임을 실현한 문장이다.

7 ㉠, ㉢은 과거 시제 선어말 어미 '-았/었-'을 사용하고 있으므로, 과거 시제를 나타냄을 알 수 있다. ㉡은 관형사형 어미 '-(으)ㄹ'을 사용하여 미래 시제를 나타내고 있으며, ㉣은 현재 시제를 나타내고 있다.

8 ⑤는 주동사 '맡다'에 사동 접미사 '-기-'가 결합하여 주어인 '친구들이' 부사어인 '나'에게 중요한 역할을 하게 시켰다는 의미를 표현하고 있으므로 사동 표현의 예로 적절하다.

오답 풀이

① 능동사 '심다'에 보조 동사 '지다'가 결합한 피동 표현인 '-어지다'가 쓰였다.
② 능동사 '지우다'에 보조 동사 '지다'가 결합한 피동 표현인 '-어지다'가 쓰였다.
③ 능동사 '끊다'에 피동 접미사 '-기-'가 결합하였다.
④ 능동사 '흔들다'에 피동 접미사 '-리-'가 결합하였다.

9 문장의 유형은 평서문으로 오늘이 재활용 쓰레기를 버리는 날이며 해야 할 일이 많다는 사실을 아들에게 전달하고 있다. 이는 게임을 하고 있는 아들에게 재활용 쓰레기 정리를 도와달라는 요청의 의도를 간접적으로 전달하고 있는 것이다.

평가 요소	확인 ☑
제시된 화자의 문장 유형이 무엇인지 밝혔다.	
상황 맥락을 고려하여 화자의 의도를 밝혔다.	
50자 내외로 서술하였다.	

10 이 광고문은 몸을 뜻하는 한자 '신(身)'과 안전띠를 결합한 이미지를 전체 면에 배치하고, 텍스트로 구현된 내용은 우측 하단에 제시하고 있다.

6일 누구나 100점 테스트 2회 60~63쪽

• IV단원 3. 매체의 수용과 향유 ~ V단원 2. 언어와 매체의 생산과 발전

1 ① **2** ⑤ **3** ③ **4** ② **5** ④ **6** 객체 높임 선어말 어미가 사용되지 않았다. **7** ① **8** ③ **9** ③ **10** ㉠: 분쟁, ㉡: 아름다움, 감동과 진실, 공감

1 ㄱ은 인공 지능으로 인간의 생활이 편리해질 것이라는 관점이, ㄴ은 인공 지능으로 인간이 건강한 삶을 유지할 수 있게 될 것이라는 관점이 드러난다. ㄷ은 인공 지능을 활용할 수 있는 집단과 그렇지 않은 집단 간에 격차가 심해질 것이라는 관점이, ㄹ은 인공 지능으로 인해 윤리적 문제가 발생할 수 있다는 관점이 드러난다. 따라서 ㄱ과 ㄴ은 긍정적 관점, ㄷ과 ㄹ은 부정적인 관점으로 볼 수 있다.

2 대중문화는 또래 문화를 형성하고 여가를 즐길 수 있게 하는 등 긍정적인 영향도 있지만, 지나치게 상업성과 이윤을 추구하여 자극적이고 선정적인 내용으로 일관할 수 있다는 점에서 부정적 영향을 주기도 한다. 자극적인 내용으로 이윤을 얻는 것은 수용자 입장에서 대중문화의 긍정적 영향으로 보기 어려우므로 적절하지 않다.

3 (가)는 고대 국어 시기 한자의 음과 뜻을 빌려 표기한 향찰 자료이고, (나)는 중세 국어 시기 한글로 표기된 자료이다. 15세기에 한글이 창제된 후 우리말을 우리 글자로 표기하게 되었으며, 글자 왼편에 방점을 찍어 음의 높낮이인 성조를 표시하였다.

오답 풀이

① (가)는 한자의 음과 뜻을 모두 빌려 표기하였다.

② (가)에서 문법적인 의미를 나타내는 조사나 어미는 한자의 음을 빌려 표기하고 있다.
④, ⑤ (가)는 고대 국어 시기에 한자의 음과 뜻을 빌려 표기하는 차자 표기가 쓰인 자료이며 (나)는 한글 창제 이후에 우리말을 우리 글자로 표기한 자료이다.

4 ㉠에서 '善化公主'의 '主(주)'는 한자의 음을 빌려 표기한 것이지만, 뒤의 '主隱'의 '主(주)'는 한자의 뜻을 빌려 표기한 것이다.

오답 풀이
③ ㉡은 현대 국어의 띄어쓰기에 따라 쓰면 '·:시·미', '기·픈', '므·른'으로 나눠 볼 수 있다.
④, ⑤ ㉡은 '시미(심+이)', '기픈(깊-+-은)', '므른(믈+은)'으로 분석할 수 있는데, 모두 앞 형태소의 종성인 'ㅁ, ㅍ, ㄹ'을 다음 형태소의 초성에 내려 쓰는 이어 적기의 표기 방법이 사용되었다.

5 첫 문장의 '漢語 니롬을 잘 ᄒᆞᄂᆞ뇨'의 '니롬을'에서 명사형 어미 '-(으)ㅁ'이 쓰였고, 마지막 문장의 '밥먹기, 셔품 쓰기, 년구ᄒᆞ기' 등에서 명사형 어미 '-기'가 쓰였음을 알 수 있다.

오답 풀이
① 한자어를 함께 사용하고 있다.
② '사ᄅᆞᆷ', '젼ᄎᆞ로' 등에서 둘째 음절에도 'ㆍ'가 쓰였음을 알 수 있다.
③ '앏피셔'에서 거듭 적기 표기 방법이 사용되었음을 알 수 있다.
⑤ 이 글이 쓰인 근대 국어 시기에는 중세 국어 시기에 사용된 'ㅿ'의 음운이 소실되어 사용되지 않았다.

6 《번역노걸대》에서는 부사어가 지시하는 대상인 '스승님'을 높이는 객체 높임 표현이 쓰였다. 이 표기에서 볼 수 있듯이, 중세 국어에서는 객체 높임 표현을 할 때 '-ᄉᆞᆸ/ᄌᆞᆸ/ᅀᆞᆸ-'과 같은 객체 높임 선어말 어미를 사용하였지만, ㉠이 쓰인 근대 국어에서는 이러한 객체 높임 선어말 어미가 사용되지 않았다.

평가 요소	확인☑
㉠과 《번역노걸대》의 해당 구절이 객체 높임 표현이 쓰인 구절임을 밝혔다.	
㉠은 《번역노걸대》와 달리 객체 높임 선어말 어미가 쓰이지 않음을 비교하여 서술하였다.	
80자 내외로 서술하였다.	

7 (가)는 우리 문화와 다른 일본어의 특성을 보여 주고 있으며, (나)는 세대 차이에 따른 언어 차이를 보여 주고 있다.

8 (가)에서 일본어에서는 가족에 관한 호칭어와 지칭어가 구별되어 있어서 가족을 지칭할 때 대명사를 사용하는 경우가 없고, '나의' 가족이라는 사실을 강조할 때만 1인칭 단수형 대명사를 사용한다고 하였다.

9 제시된 상황에서는 자선 장터에서 판매할 물품을 기증받는다는 것과 자원봉사자를 모집한다는 정보 전달과 설득의 '매체 자료 생산의 목적'을 밝히고 있다. 또한 생산하는 매체 자료의 수용자가 학교 선생님과 학생, 학부모님임을 밝히고 있다.

10 이 글의 글쓴이는 분쟁을 줄이고 평화로운 사회를 이루기 위해서는 최근 적대적이고 공격적으로 변해 가는 국어 생활 대신 '새 국어 생활'이 필요함을 말하고 있다. 이는 상대를 증오하고 비난하며 탐욕으로 물든 말, 적대적이고 공격적인 표현 대신에 아름다움, 감동과 진실, 공감을 나타내는 말들이 필요하다는 것이다.

평가 요소	확인☑
㉠, ㉡에 들어갈 내용을 제시된 글에서 찾아 바르게 썼다.	
문장이 자연스럽게 이어질 수 있도록 찾아 썼다.	

6일 창의·융합·코딩 서술형 테스트 64~67쪽

• Ⅳ단원 문장과 담화, 매체 문화의 향유 ~ Ⅴ단원 국어의 변화와 매체 문화의 발전

1 ㉠은 두 홑문장이 '-지만'이라는 연결 어미로 이어진 대등하게 연결된 이어진문장이고, ㉡은 명사형 어미 '-기'가 붙어 만들어진 명사절이 안겨 있는 문장이다.

평가 요소	확인☑
㉠이 이어진문장, ㉡이 안은문장임을 밝혔다.	
각각의 홑문장들을 완전한 문장 형태로 제시하였다.	

예시 답안
㉠은 '이 연필은 길다.'와 '저 연필은 짧다.'라는 두 홑문장이 대등하게 연결된 이어진문장이다. ㉡은 '치킨을 먹다.'라는 문장이 '지금은 너무 늦은 시간이다.'라는 문장에 명사절로 안겨 있는 형태로, 명사절을 가진 안은 문장이다.

2 '나가셨었는데'에서는 사물에 대해 주체 높임 표현인 '-(으)시-'를 사용하고 있으므로 고쳐야 하고, '떨어지겠습니다'에서는 이미 일어난 일임에도 미래 시제 선어말 어미 '-겠-'을 사용하고 있으므로 과거 시제로 고쳐야 한다. '믿겨지지'에서는 이중 피동 표현을 사용하고 있으므로 '믿어지지' 또는 '믿기지'로 수정해야 한다.

평가 요소	확인 ☑
㉠, ㉡, ㉢에 들어갈 내용을 찾아 바르게 고쳐 썼다.	
바르게 고친 표현을 완성된 문장으로 제시하였다.	

예시 답안
㉠: 나가셨었는데 → 나갔었는데, ㉡: 떨어지겠습니다 → 떨어졌습니다, ㉢: 믿겨지지 → 믿기지 / 저 제품도 잘 나갔었는데, 이 제품이 나온 후 믿기지 않게 인기가 떨어졌습니다.

3 담화가 이루어진 시간적 배경, 공간적 배경이 어떻게 되는지에 따라 동일한 담화 내용이 다르게 표현되거나, 다르게 이해될 수 있다. 즉, 발화와 관련된 상황이 다르기 때문에 동일한 발화가 다른 의미를 나타냄을 확인할 수 있다.

평가 요소	확인 ☑
㉠과 ㉡의 발화 내용을 정확히 밝혔다.	
㉠과 ㉡의 의미 차이가 상황 맥락에 의한 것임을 밝혔다.	
제시된 형식에 맞춰 서술하였다.	

예시 답안
㉠은 시간을 확인하기 위한 것이고, ㉡은 늦게 들어온 딸을 꾸짖기 위한 것이다. ㉠과 ㉡의 의미가 다른 이유는 상황 맥락이 다르기 때문이다.

4 같은 스마트폰의 출시를 기사화하면서도 신문마다 서로 다른 관점을 보여 주고 있다. 같은 사건에 대해서 긍정적인 관점의 기사를 제공하는 신문도 있고, 부정적인 관점의 기사를 제공하는 신문도 있음을 알 수 있다.

평가 요소	확인 ☑
긍정적인 관점의 표제와 부정적인 관점의 표제를 구분하여 밝혔다.	
소비자에게 미치는 영향을 대조의 방법으로 서술하였다.	

예시 답안
새로운 스마트폰에 대해 부정적인 기사를 낸 △△신문과 ○○신문을 읽는다면 구매를 망설이게 될 것이지만, 긍정적인 기사를 낸 □□신문과 ◇◇신문을 읽는다면 구매하고 싶은 마음이 커질 것이다.

5 매체 자료에는 관점과 가치가 반영되어 있고, 모든 정보를 객관적으로 다루는 것은 아니기 때문에 이를 비판적으로 수용해야 한다.

평가 요소	확인 ☑
이 기사문에 드러난 관점을 정확히 파악하였다.	
기사문이 누구의 이해관계를 고려하였는지 밝혔다.	
다른 관점에서 작성한 기사문과 비교하여 살펴보아야 한다는 내용을 언급하였다.	

예시 답안
이 기사문은 게임 산업을 긍정적으로 보고, 게임 중독이란 용어를 부정적으로 보고 있다. 이는 게임 관련 업계의 이해관계와 관련된 것이므로, 매체 자료를 비판적으로 수용하려면 게임 산업과 게임 중독 문제에 대해 다양한 관점을 다루고 있는 기사문을 함께 찾아 비교하며 살펴보아야 한다.

6 향찰은 대체로 고유 명사와 형식 형태소는 음을 빌리고 실질 형태소는 뜻을 빌려 우리말 어순에 맞게 표기한다고 하였으므로 이를 영어에 적용하도록 한다. 'Yeonuneun'은 이름 '연우'에 조사 '는'을 영어의 발음만 빌려 표기한 것이고, '학생'은 일반 명사이므로 'student'라는 영어 단어를 그대로 쓴 것이다. 여기에 서술격 조사 '이다'는 형식 형태소이므로 음만 빌려 'ida'로 표기하였음을 알 수 있다.

평가 요소	확인 ☑
빈칸에 들어갈 말을 정확히 찾아 썼다.	

예시 답안
㉠: 예, ㉡: 예, ㉢: 예, ㉣: 아니요

7 '마음'은 중세 국어 시기에는 'ᄆᆞᅀᆞᆷ'으로 쓰였지만 근대 국어 시기에는 'ᄆᆞ음'으로 쓰였다. 이는 'ㅿ'이 근대 국어 시기에 이르러 소멸되었기 때문이다.

평가 요소	확인 ☑
'ㅿ'의 소멸을 이유로 들어 평가하였다.	
30자 내외로 서술하였다.	

예시 답안
근대 국어 시기에는 'ㅿ'이 소멸되었으므로 맞는 표기이다.

8 전문 분야나 특정 직업에서만 쓰는 표현은 같은 직종이나 분야의 사람들은 쉽게 이해할 수 있으나 다른 분야나 다른 직종의 사람들은 알아듣기 어렵다. 전문 분야에서 일을 효과적으로 하기 위해 전문어를 사용하기 때문에 이러한 언어 차이는 어휘 차원에서 가장 두드러지게 나타난다.

평가 요소	확인 ☑
㉠~㉣에 들어갈 말을 정확히 썼다.	
전문 분야에 따른 언어 차이가 어휘 차원에서 가장 뚜렷함을 밝혔다.	

예시 답안
㉠: 심장이 갑자기 멈춤, ㉡: 발작, ㉢: 심폐 소생술, ㉣: 어휘

9 휴대 전화는 다양한 매체 언어를 활용할 수 있으며, 많은 사람에게 자료를 전달할 수 있어 파급력이 크다.

평가 요소	확인 ☑
휴대 전화를 통해 동영상을 전달할 수 있음을 언급하였다.	
많은 사람에게 한꺼번에 정보를 전달할 수 있음을 밝혀 서술하였다.	

예시 답안
휴대 전화를 사용하면 동영상을 전송하여 알리고자 하는 내용을 효과적

으로 전달할 수 있다. 또한 인쇄물을 보지 못하는 사람들에게도 정보를 전달할 수 있고, 많은 사람에게 한꺼번에 정보를 전달하는 것이 가능하다.

10 ㉠은 제시된 저작권 침해 사례 중에서 다섯 번째 사례와 관련이 있다. 음악 파일을 정당한 대가나 허락 없이 사용할 경우 다른 사람의 저작권을 침해할 수 있으므로 매체 자료를 생산할 때 저작권 침해 여부를 늘 살펴보아야 한다.

평가 요소	확인 ☑
㉠과 관련된 저작권 침해 사례를 적절하게 찾아 썼다.	
매체 자료를 생산할 때 유의해야 할 점을 저작권과 관련지어 밝혔다.	

예시 답안

㉠과 관련된 사례는 '내가 가진 음악 파일을 개인 누리집이나 블로그에 대가 없이 배경 음악으로 쓰기.'이다. 자신이 가진 음악 파일을 대가를 지불하지 않고 쓰는 행위는 저작권 침해에 해당하므로 매체 자료를 생산할 때 다른 사람의 저작권을 침해하고 있지 않은지 점검해야 한다.

7일 기말고사 기본 테스트 1회 68~73쪽

● IV단원 문장과 담화, 매체 문화의 향유 ~ V단원 국어의 변화와 매체 문화의 발전

1 ⑤ **2** ④ **3** ⑤ **4** '주어(기린이) 주어(목이) 서술어(길다)'로 구성되어 있으며, 서술절 '목이 길다'가 안겨 있는 겹문장이다. **5** ④ **6** ② **7** ④ **8** ㉠은 외부의 다른 원인에 의한 능력 부정을, ㉡은 주체의 의지로 행동을 하지 않는 의지 부정을 나타낸다. **9** ④ **10** ① **11** ③ **12** ④ **13** ⑤ **14** 모두 한자의 음을 빌려 문법적인 의미를 가진 형식 형태소를 표기하였다. **15** ③ **16** 중세 국어에서는 이어 적기 방식을 사용하였고, 현대 국어에서는 받침의 형태를 밝혀 표기하는 끊어 적기 방식을 사용하고 있다. **17** ③ **18** ② **19** ④ **20** ⑤

1 ㉠은 주어(민수는), 목적어(축구만), 서술어(좋아한다)로 구성되어 있고, ㉡은 주어(동생이), 부사어(벌써), 보어(고등학생이), 서술어(되었다)로 구성되어 있다. ㉢은 주어(지은이가), 부사어(교실에서), 부사어(조용히), 목적어(책을), 서술어(읽었다)로 구성되어 있다. 목적어가 있는 문장은 ㉠과 ㉢이다. ㉠에서 보조사 '만'은 목적격 조사 자리를 대신한 것으로 격 조사가 생략되어도 문장 성분의 역할은 달라지지 않는다.

오답 풀이

② ㉡에는 부속 성분인 부사어가 쓰였지만, ㉠은 주성분인 주어, 목적어, 서술어로만 구성되었다.
③ ㉡의 '고등학생이'는 서술어 '되다' 앞에 쓰이는 보어이다.
④ ㉡은 부속 성분인 부사어가 한 개 나타나고, ㉢은 부속 성분인 부사어가 두 개 나타난다.

2 '예쁜'은 용언 '예쁘다'에 관형사형 어미 '-(으)ㄴ'이 결합하여 관형어로 실현된 것이다.

오답 풀이

①, ③ 관형사가 사용되었다.
② '체언+관형격 조사'의 형태가 사용되었다.
⑤ 체언이 사용되었다.

3 겹문장은 주어와 서술어의 관계가 두 번 이상 나타나는 문장으로 안은문장과 이어진문장으로 나뉜다. ⑤는 대등하게 연결된 이어진문장이고 ①~④는 안은문장이다.

오답 풀이

① 서술절을 가진 안은문장이다.
② 명사절을 가진 안은문장이다.
③ 관형절을 가진 안은문장이다.
④ 부사절을 가진 안은문장이다.

4 '물이 얼음이 되었다.'에서 '물이'와 '얼음이'를 모두 주어로 보아 겹문장으로 착각할 수 있지만, 이 문장에서 '얼음이'는 '되다', '아니다' 앞에 오는 보어이다. 반면에 '기린이 목이 길다.'

정답

는 주어가 두 번 나타나며, 서술절 '목이 길다'가 안겨 있는 겹문장이다.

평가 요소	확인 ☑
주어와 서술어의 관계가 두 번 나타나는 겹문장임을 밝혔다.	
서술절이 안겨 있는 문장임을 밝혔다.	
60자 내외로 서술하였다.	

5 〈보기〉의 문장과 ④는 서술의 대상이 되는 객체를 높여 표현하는 객체 높임법이 실현되었다. 〈보기〉는 부사격 조사 '께'와 특수 어휘 '드리다'를 사용하여 객체인 '할머니'를 높이고 있다. 또한 ④는 특수 어휘 '모시다'를 사용하여 객체인 '부모님'을 높이고 있다.

오답 풀이

①, ⑤ 듣는이를 높여 말하기 위해 '하십시오체'를 사용하는 상대 높임법이 실현되었다.
② 서술의 주체인 할머니를 높이는 주체 높임법이 실현되었다.
③ 서술의 주체인 할아버지를 높이는 주체 높임법과 할아버지의 귀를 높이는 간접 높임 형태의 주체 높임법이 실현되었다.

6 ㄴ에서 형용사 '예쁜'은 관형사형 어미 '-(으)ㄴ'과 결합하여 현재 시제를 나타내고 있지만, ㄷ에서 동사 '멈춘'은 관형사형 어미 '-(으)ㄴ'과 결합하여 과거 시제를 나타내고 있다.

오답 풀이

① ㄱ에서 동사 '하다'는 현재 시제 선어말 어미 '-ㄴ-'과 결합하여 현재 시제를 나타내고 있다.
③ ㄱ에서는 시간 부사 '지금'을 사용하여 현재 시제를, ㄹ에서는 시간 부사 '어제'를 사용하여 과거 시제를 나타내고 있다.
④ ㄹ에서는 동사 '빌리다'에 선어말 어미 '-더-'를 결합하여 회상을 나타내고 있다.
⑤ ㅁ에서는 동사 '도착하다'에 선어말 어미 '-겠-'을 결합하여 추측의 의미를 나타내고 있다. '-겠-'은 미래 시제를 나타내면서 이외에 추측이나 의지, 가능성 등을 표현하기도 한다.

7 '덮여진'은 '덮다'에 피동 접미사 '-이-'가 결합된 피동사 '덮이다'에 '-어지다'가 동시에 결합된 것으로 이중 피동이 사용되었다. '덮인'이 바른 표현이다.

오답 풀이

① '업다'에 피동 접미사 '-히-'가 결합하였다.
② '쏘다'에 피동 접미사 '-이-'가 결합하였다.
③ '만들다'에 보조 동사 '지다'가 결합하는 '-어지다'의 구성이 나타난다.
⑤ '복구'에 피동 접미사 '-되다'가 결합하였다.

8 부정 표현에는 '안' 부정문과 '못' 부정문이 있다. '안' 부정문은 맥락을 고려할 때 주체의 의지에 의한 부정 표현으로, '못' 부정문은 주체의 능력 부족 혹은 다른 외부의 원인에 의한 부정 표현으로 이해할 수 있다.

평가 요소	확인 ☑
㉠, ㉡이 갖는 부정 표현 의미의 차이를 서술하였다.	
60자 내외로 서술하였다.	

9 대화 양상을 살펴보면 메이는 선배인 승하에게 왜 높임말을 써야 하는지 이해하지 못하고 있다. 따라서 우리말에는 나이, 친소 관계, 지위 등에 따라 높임말을 사용하는 문화적 관습이 있음을 말할 수 있다.

10 이 자료는 공공 기관의 주요 시책을 알리는 공익 광고로, '층간 소음'의 문제점을 이미지로 표현하여 이웃을 배려하는 공동체 생활을 강조하고 있다. 명사형 종결 표현은 사용되지 않았다.

11 제시된 자료는 인터넷을 기반으로 한 누리 소통망 매체이다. 누리 소통망은 개인이 쉽게 매체 자료를 생산할 수 있기 때문에 개인의 다양한 관점과 가치가 담길 수 있다. 따라서 객관적이고 중립적인 정보가 주로 다루어진다는 설명은 적절하지 않다.

12 이 글은 대중문화의 문제점을 소개하고 있으나, 대중문화가 세대 간 문화 교류 형성에 부정적 영향을 준다는 내용은 언급하지 않았다.

오답 풀이

①, ② (가)에서 문화 상품은 자본가의 마음에 들어야 상품화될 수 있으며, 문화 상품을 생산하는 자본가의 목적은 이윤을 창출하는 것이라고 하였다.
③ (다)에서 대중문화는 사회의 지배적 이데올로기를 반영하고 있으며, 대중문화의 수용자들은 이러한 이데올로기적 조작에 쉽게 영향을 받을 수 있다고 하였다.
⑤ (나)에서 대중문화의 생산자들은 이윤을 보장한다는 경험적 믿음으로 상투적이고 통속적인 소재를 활용한다고 하였다.

13 이 기사문에는 미디어에 담긴 외모 지상주의의 메시지의 문제점을 보도하고 있다. 이 기사문에서 언급한 바와 같이 매체에는 사회적 가치가 담길 수 있으며 대중문화의 수용자들은 반복적으로 매체를 접하면서 그런 가치관에 쉽게 젖어들 수 있는 위험성을 안고 있는 것이다. 따라서 대중문화를 수용할 때 미디어에 담긴 획일적 메시지를 경계하여 문화를 주체적으로 수용할 수 있는 태도가 필요하다.

14 이 자료는 향찰을 사용하여 표기한 것으로, 어휘적인 의미를 가진 부분은 한자의 뜻을 빌리고, 문법적인 의미를 가진 부분은 한자의 소리를 빌려 표기하였다. 밑줄 친 부분은 각각 보조사 '은', 연결 어미 '-고', 목적격 조사 '을', 부사격 조사 '에', 연결 어미 '-고'를 표기하기 위해 모두 한자의 음을 빌려 쓴 것이다.

평가 요소	확인 ☑
밑줄 친 부분이 한자의 음을 빌려 쓰고 있음을 밝혔다.	
밑줄 친 부분이 형식 형태소를 표기하는 기능을 한다는 점을 밝혔다.	
40자 내외로 서술하였다.	

15 모음 조화란 양성 모음은 양성 모음끼리, 음성 모음은 음성 모음끼리 어울리는 현상을 말한다. 중세 국어의 양성 모음에는 'ㆍ, ㅏ, ㅗ', 음성 모음에는 'ㅡ, ㅓ, ㅜ'가 있는데, 제시된 자료에서 '불가'는 양성 모음끼리, '블거'는 음성 모음끼리 어간과 어미가 결합한 것임을 알 수 있다.

16 중세 국어에서는 받침이 있는 체언이나 용언의 어간에 모음으로 시작하는 조사나 어미가 연결될 때, 앞 형태소의 종성을 다음 형태소의 초성에 내려 쓰는 이어 적기 방식이 일반적으로 사용되었다. 현대 국어에서는 받침의 형태를 밝혀 표기하는 끊어 적기 방식이 일반적으로 사용된다.

평가 요소	확인 ☑
중세 국어와 현대 국어의 표기 방식을 밝혔다.	
60자 내외로 서술하였다.	

17 근대 국어의 음운과 표기 현상을 살펴보면 '디다> 지다', '티다> 치다'와 같이 구개음화 현상이 점진적으로 나타난다.

18 전문어는 의미의 다의성을 갖는 경우가 적고, 지시적 의미 외에 다른 의미(표현적 의미, 연상적 의미 등)를 갖는 경우가 적어, 문맥 혹은 맥락의 영향도 적게 받는다.

19 제시된 대화에서 매체 자료 수용자가 선호하는 매체에 대한 내용은 나타나 있지 않다.

오답 풀이

① 학교 축제 프로그램 정보를 전달하고 행사 참여를 유도하는 목적으로 홍보물을 제작하고 있다.
② 행사 참여 대상의 규모를 200명 정도로 예측하고 있다.
③ 매체 자료 수용자가 학교 축제 기부금 사용에 대해 관심을 갖고 있다는 점을 고려하고 있다.
⑤ 영상 자료를 제작하며 배경 음악과 사진 등을 사용하고, 영상을 배포하는 등 매체의 의미 실현 방식을 고려하고 있다.

20 인터넷에서 검색하여 찾을 수 있는 자료를 자유롭게 편집하여 자신의 것으로 재생산하는 것은 저작권 윤리에 위배되는 행위이다. 따라서 바람직한 언어문화 및 매체 문화 조성을 위해서는 저작권 윤리를 준수할 필요가 있다.

7일 기말고사 기본 테스트 2회 74~79쪽

● Ⅳ단원 문장과 담화, 매체 문화의 향유 ~ Ⅴ단원 국어의 변화와 매체 문화의 발전

1 ⑤ **2** ⑤ **3** 직접 인용절에서 간접 인용절로 바꾸면 서술어에서 상대 높임법이 실현되지 않는다. **4** ④ **5** ④ **6** ③ **7** ㉠에 사용된 선어말 어미 '-았-'은 과거의 사건이 현재에도 영향을 미치고 있음을 보여 주며, ㉡에 사용된 선어말 어미 '-았었-'은 현재와는 단절된 과거의 사건을 보여 준다. **8** ① **9** ③ **10** ② **11** ③ **12** ④ **13** 대중문화 상품의 상업성과 획일성이 심화되고 있으므로, 스스로의 가치 판단에 따라 대중문화를 주체적으로 향유해야 한다. **14** ④ **15** ① **16** 주어를 높이는 주체 높임법이 실현되었으며 현대 국어에서는 높임의 선어말 어미 '-시-'가 사용되는데, 중세 국어에서는 '-샤-'가 사용되었다. **17** ④ **18** ① **19** ⑤ **20** ④

1 서술어 '붙이다'는 주어(동생이), 부사어(봉투에), 목적어(우표를)를 필요로 하는 세 자리 서술어이다.

오답 풀이

① 서술어 '날다'는 주어(새가)만 필요로 하는 한 자리 서술어이다.
② 서술어 '다르다'는 주어(나는)와 부사어(너와)를 필요로 하는 두 자리 서술어이다.
③ 서술어 '가다'는 주어(친구가)만 필요로 하는 한 자리 서술어이다.
④ 서술어 '잡다'는 주어(고양이가)와 목적어(쥐를)를 필요로 하는 두 자리 서술어이다.

2 ①~④의 밑줄 친 부사어는 모두 뒤에 오는 특정 성분을 수식하는 성분 부사어이고, ⑤의 밑줄 친 부사어는 문장 전체를 수식하는 문장 부사어이다.

오답 풀이

① '빠르게'는 뒤에 오는 용언 '지나간다'를 수식한다.
② '꽤나'는 뒤에 오는 용언 '맑다'를 수식한다.
③ '아주'는 뒤에 오는 관형어 '새'를 수식한다.
④ '여기에'는 뒤에 오는 용언 '앉아서'를 수식한다.

3 ㉠은 직접 인용절이고 ㉡은 간접 인용절이다. 간접 인용절에서는 '나'의 입장에서 상황을 표현하기 때문에 직접 인용절과 달리 높임법이 실현되지 않는다.

평가 요소	확인 ☑
간접 인용절에서 서술어를 통한 상대 높임 표현의 실현 유무를 밝혔다.	
50자 내외로 서술하였다.	

4 ④의 관형절 '형이 시험에 합격했다는'을 완결된 문장의 형태로 바꾸면, '형이 시험에 합격했다.'가 된다. 관형절의 형태와 비교하였을 때 생략된 문장 성분이 없으므로 ㉠에 해당하지

정답

않는다.

오답 풀이

① 관형절을 문장 형태로 바꾸면 '동생이 놀이터에 가다.'이므로 관형절에 주어 '동생이'가 생략되어 있음을 알 수 있다.
② 관형절을 문장 형태로 바꾸면 '내가 음악을 즐겨 듣다.'이므로 관형절에 목적어 '음악을'이 생략되어 있음을 알 수 있다.
③ 관형절을 문장 형태로 바꾸면 '우리가 음식을 먹다.'이므로 관형절에 목적어 '음식을'이 생략되어 있음을 알 수 있다.
⑤ 관형절을 문장 형태로 바꾸면 '도서관에서 책을 빌리다.'이므로 관형절에 목적어 '책을'이 생략되어 있음을 알 수 있다.

5 ㉠은 대등하게 연결된 이어진문장이므로 앞 절과 뒤 절의 순서를 바꾸어도 문장의 의미가 달라지지 않지만, ㉡은 앞 절이 뒤 절과 '원인'의 의미 관계를 갖고 있기 때문에 앞 절과 뒤 절의 순서를 바꾸면 의미가 어색해진다.

오답 풀이

① ㉠은 대등하게 연결된 이어진문장, ㉡은 종속적으로 연결된 이어진문장, ㉢은 서술절을 가진 안은문장으로 모두 겹문장이다.
② ㉠은 연결 어미 '-고'에 의해 대등하게 연결된 이어진문장으로 앞 절과 뒤 절이 '나열'의 의미 관계를 갖고 있다.
③ ㉡은 연결 어미 '-여서'에 의해 종속적으로 연결된 이어진문장으로 앞 절과 뒤 절이 '원인'의 의미 관계를 갖고 있다.
⑤ ㉢은 서술절을 가진 안은문장으로 절 표지가 따로 없으며 ㉠, ㉡과 달리 연결 어미도 나타나지 않는다. 서술절은 절 자체가 문장에서 서술어 역할을 한다.

6 주체 높임이 쓰인 문장은 ㉡, ㉤이고, 객체 높임이 쓰인 문장은 ㉠, ㉣이고, 상대 높임이 쓰인 문장은 ㉢이다. ㉠은 부사어가 지시하는 대상인 '부모님'을 높이기 위해 부사격 조사 '에게' 대신 '께'를 사용하고, 특수 어휘 '드리다'를 사용한 객체 높임법이 실현되었다. ㉡은 서술의 주체인 '할머니'를 높이기 위해 주격 조사로 '께서'를 사용하고, 높임 선어말 어미 '-시-'와 특수 어휘 '계시다'를 사용한 주체 높임법이 실현되었다. ㉢은 듣는이인 '엄마'를 높이기 위해 종결 어미로 격식체인 '하십시오체'를 사용한 상대 높임법이 실현되었다. ㉣은 목적어가 지시하는 대상인 '할머니'를 높이기 위해 특수 어휘 '모시다'를 사용한 객체 높임법이 실현되었다. ㉤은 서술의 주체인 '선생님'을 높이기 위해 주격 조사로 '께서'를 사용하고 높임 선어말 어미 '-시-'를 사용한 주체 높임법이 실현되었다.

7 선어말 어미 '-았/었-'은 과거 시제를 나타내고, '-았었/었었-'은 현재와는 단절된 과거 시제를 나타낸다. ㉠에서는 계란 값이 오른 과거의 사건이 현재까지 지속적으로 영향을 주는 상황을 보여 주며, ㉡에서는 쇼핑하는 것을 좋아한 행위가 현재에는 단절된 느낌을 전달한다.

평가 요소	확인 ☑
㉠, ㉡에 사용된 선어말 어미를 밝혔다.	
㉠, ㉡에 사용된 선어말 어미의 의미 차이를 비교하여 서술하였다.	
100자 내외로 서술하였다.	

8 부정 부사에는 '안'과 '못'이 있다. 이 중 행동 주체의 의지에 의한 부정의 의미가 표현되는 것은 '안'이다.

9 '오늘은 택시가 잘 잡히지 않는다.'에서 '잡히다'는 피동사이다. 주어인 '택시'가 다른 주체에 의해 잡히는 동작을 당하는 것이므로 의미상 피동 표현임을 알 수 있다. 또한 활동 자료에서 목적어의 유무에 의해 피동 표현과 사동 표현을 구별할 수 있다고 했는데 해당 문장은 목적어가 없으므로 피동으로 볼 수 있다.

오답 풀이

① 의미상 주어인 '꽃'이 다른 주체인 '사람들'에 의해 꺾이는 동작을 당하는 피동 표현이다.
② 의미상 주어인 '기분'이 다른 주체에 의해 풀리는 동작을 당하는 피동 표현이다.
④ 의미상 주어인 '햇살'이 고드름에게 녹는 동작을 하게 하는 사동 표현이다.
⑤ 의미상 주어인 '어머니'가 동생에게 머리를 감는 동작을 하게 하는 사동 표현이다.

10 영수가 상황 맥락을 고려했다면 지환의 질문에 '늦어서 미안해.'라는 등의 답변을 했을 것이다. 그렇지만 영수는 상황 맥락을 고려하지 못한 채 지환의 발화를 언어적 맥락을 중심으로 이해하여 답하였다.

11 이 자료는 학부모를 대상으로 '○○문화제'와 관련된 정보를 전달하는 공고문이다. 예상 독자인 학부모를 고려하여 높임 표현을 사용하였으며 주요 내용을 항목화하여 간결하게 제시하였다. 그러나 공고문과 관련한 문의 사항 정보는 확인할 수 없다.

12 이 자료는 영화와 관련된 인터넷 기사문으로 댓글을 통해 매체 수용자들이 적극적으로 의견을 표현하고 있음을 확인할 수 있다. 댓글의 내용을 살펴보면 '댓글 1'은 배우의 연기력에 초점을 맞추고 있으며 '댓글 2'는 작품의 현실 반영 문제에 초점을 맞추고 있다. '댓글 3'은 작품의 완성도와 관련한 의견을 표현하고 있다. 따라서 모든 댓글이 작품의 현실 반영에 초점을 맞추고 있는 것은 아니며, 영화를 바라보는 개인의 다양한 관점과 가치가 나타남을 볼 수 있다.

13 대중문화는 상업 광고를 무분별하게 노출하며 상업성을 드러내거나 인기 있는 특정 장르나 프로그램을 반복하는 획일성을 보이기도 한다. 따라서 수용자는 대중문화에 담긴 생산자의 의도와 목적 등을 파악하고 스스로의 가치 판단에 따라 대중문화를 주체적으로 향유해야 한다.

평가 요소	확인 ☑
〈보기〉와 관련하여 대중문화의 부정적인 측면을 제시하였다.	
〈보기〉와 관련하여 대중문화의 올바른 수용 태도를 제시하였다.	
60자 내외로 서술하였다.	

14 제시된 자료는 고대 국어 시기에 고유 명사를 표기하는 방법을 보여 주는 것으로 '素那'는 한자의 음을 빌려 표기한 것이고, '金川'은 한자의 뜻을 빌려 표기한 것이다.

오답 풀이

① 우리말의 어순에 맞게 한문을 변형하여 표기한 것은 '서기체 표기'이다.
②, ⑤ 향찰에 대한 설명으로 향찰은 어휘적인 의미를 가진 부분은 주로 한자의 뜻을 빌리고, 문법적인 의미를 가진 부분은 주로 한자의 소리를 빌려 표기하였다.
③ 한문 어구 사이에 우리말 조사나 어미를 덧붙여 표기하는 방식은 '구결'이다.

15 중세 국어에서 주격 조사는 '이'만 쓰였는데, 환경에 따라 다른 형태로 실현되었다. 'ㅣ'와 반모음 'ㅣ̆' 뒤에서는 주격 조사가 실현되지 않았으므로, ㉠에서 주격 조사 'ㅣ'가 결합되었다는 설명은 적절하지 않다.

오답 풀이

② '남ᄀᆞᆫ'은 '낡+ᄋᆞᆫ'이 결합된 것으로 양성 모음으로 이루어진 체언 뒤에 조사 'ᄋᆞᆫ'이 사용된 것이다. 이를 통해 모음 조화 현상이 반영되었음을 알 수 있다.
③ ㉢은 '깊-+-은'이 결합할 때 '기픈'으로 이어 적기한 것이다.
④ '믈>물'로 변하는 원순 모음화 현상이 아직 일어나지 않았음을 알 수 있다.
⑤ ㉤은 '내ㅎ+이'의 형태로 ㅎ 종성 체언의 형태를 볼 수 있다.

16 중세 국어에서는 주체 높임법 실현을 위해 자음으로 시작하는 어미 앞에서는 '-시-'를 썼지만, 모음으로 시작하는 어미 앞에서는 '-샤-'로 구분하여 사용하였다.

평가 요소	확인 ☑
높임법의 종류와 높임의 의미를 실현하는 형태를 밝혔다.	
중세 국어와 현대 국어를 비교하여 서술하였다.	
80자 내외로 서술하였다.	

17 근대 국어 시기에는 주격 조사 '가'가 출현하였고, 중세 국어 시기에 객체 높임을 표현하던 선어말 어미 '-ᄉᆞᆸ/ᄌᆞᆸ/ᅀᆞᆸ-'이 점차 쓰이지 않게 되었다.

오답 풀이

ㄱ. 근대 국어 시기에는 중세 국어 시대에 쓰이던 음운이 축소되거나 소실되었다. 'ㅿ'은 16세기부터 약화되어 17세기에는 소실되었다. 'ㅿ'이 종성에서만 실현되었던 것은 아니다.
ㄷ. 근대 국어 시기에는 'ᄢ, ᄣ'과 같은 어두 자음군이 소멸하고 'ᄭ, ᄯ, ᄲ, ᄶ'처럼 된시옷 표기로 정착되었다.

18 제시된 대화에서 딸은 '정월 대보름'이라는 단어를, 아빠는 '노잼'이라는 단어를 이해하지 못하고 있는데, 이는 연령이나 세대에 따라 사용하는 어휘에 차이가 있음을 보여 준다.

19 '플라스틱 사용을 줄이자'라는 주제로 공익 광고를 제작한다면, 사람들을 설득하기 위한 목적이므로 전달하고자 하는 메시지가 잘 드러나는 것이 중요하다. 특히 공익 광고는 공적인 목적으로 내용을 전달하는 것이기 때문에 줄임말, 은어를 적극 사용하는 것은 올바른 매체 언어 사용에 부합하지 않는다.

20 자료에 제시된 내용은 공통적으로 저작권 침해에 해당되는 사례이다. 이와 관련하여 올바른 매체 문화를 조성하기 위해 필요한 태도는 저작권 윤리를 준수하는 것이다.

Memo

기말고사 대비

필수 개념어 모아 보기

필수 개념어 모아 보기 활용 안내

- 쉽고 재미있는 문제로 **단원별 필수 개념어** 익히기!
- **교과서**에서 뽑은 예시 문장으로 **내용 학습**에, **개념 학습**까지 **한 번 더!**

1. 문장의 짜임과 문법 요소

1 빈칸에 들어갈 말을 찾아, 바르게 연결하시오.

1 ______ 은 문장 구성에 필수적으로 필요한 성분으로, 주어, 서술어, 목적어, 보어가 있다. 예 나는(주어) 채소를(목적어) 좋아해(서술어). • • ㉠ 이어진문장

2 ______ 은 문장 구성에 부속적인 성분으로, 관형어와 부사어가 있다. 예 소녀가 참(부사어) 예쁜(관형어) 옷을 입었다. • • ㉡ 주성분

3 ______ 은 다른 문장 성분과 직접적 관련이 없는 성분으로, 독립어가 있다. 예 우와!(독립어) 기다리던 날이 드디어 왔다. • • ㉢ 독립 성분

4 ______ 은 문장과 문장이 대등하게 이어지거나 종속적으로 이어진 것이다. • • ㉣ 안은문장
예 낮말은 새가 듣고, 밤말은 쥐가 듣는다.(대등하게 연결된 이어진문장)
비가 와서 길이 질척하다.(종속적으로 연결된 이어진문장)

5 ______ 은 문장이 다른 문장 속의 한 문장 성분이 되는 것이다. • • ㉤ 부속 성분
예 우리는 그가 옳았음을 깨달았다.(명사절을 가진 안은문장)

2 빈칸에 들어갈 알맞은 내용을 골라 색칠하시오.

1 ______ 높임법은 말하는이가 듣는이에게 높이거나 낮추어 말하는 방법으로, 주로 종결 표현으로 실현되며 격식체와 비격식체로 나뉜다. 예 질문이 있습니다. / 질문이 있어요. / 질문이 있어. [상대 | 주체]

2 ______ 시제는 발화시가 사건시보다 앞선 시제로, 선어말 어미 '–겠–'이나 '내일', '장차'와 같은 시간 부사가 활용된다. 예 내일 결승전이 열리겠습니다. [과거 | 미래]

3 ______ 인용을 할 때에는 인용한 부분을 큰따옴표로 표시하고 격 조사 '라고'를 붙여 쓴다. 예 그는 나에게 "잘 가."라고 말했다. [직접 | 간접]

4 ______ 표현은 주어가 다른 주체에 의해 어떤 동작을 당하게 되는 것을 말한다. 예 하늘이 곧 갤 것처럼 보인다. [피동 | 사동]

5 ______ 표현은 '안, 못'을 사용한 짧은 부정문과 '아니하다, 못하다'를 사용한 긴 부정문으로 나눌 수 있다. 예 아침을 안 먹었다. / 아침을 먹지 않았다. [긍정 | 부정]

정답 1 1 ㉡ 2 ㉤ 3 ㉢ 4 ㉠ 5 ㉣ 2 1 상대 2 미래 3 직접 4 피동 5 부정

2. 담화의 다양한 갈래

1 빈칸에 들어갈 말을 찾아, 바르게 연결하시오.

1 ______ 는 하나 이상의 발화나 문장이 연속되어 이루어지는 말의 단위를 가리킨다. •

2 담화의 구성 요소는 ______, 청자(독자), 언어, 맥락으로 이루어진다. •

3 ______ 맥락은 앞이나 뒤에 놓인 언어의 한 부분을 통해 파악할 수 있는 맥락이다. •

4 비언어적 맥락 가운데 ______ 맥락은 화자, 청자, 시간, 공간 등을 가리킨다. •

5 비언어적 맥락 가운데 ______ 맥락은 제도, 계층, 역사적·사회적 맥락, 이념 등을 가리킨다. •

• ㉠ 사회·문화적

• ㉡ 담화

• ㉢ 상황

• ㉣ 언어적

• ㉤ 화자(필자)

2 빈칸에 들어갈 알맞은 내용을 <보기>에서 찾아 쓰시오.

보기

기사문 보도문 공고문 광고문

1 ______ 은 도입부, 중반부, 후반부로 구성되며, 방송이 속보성을 중시하는 현재성 매체이기 때문에 현재 시제를 많이 활용한다.

2 ______ 은 목적(상업, 공익, 기업 광고 등)과 매체(인쇄, 방송, 라디오 광고 등)에 따라 나눌 수 있으며, 축약적이고 재미있는 표현이 빈번하게 사용된다.

3 ______ 은 공적인 목적이나 종류, 게시 장소에 따라 다양한 내용으로 작성되며, 보는 이의 이해를 돕기 위해 내용을 간결하게 작성한다.

4 ______ 은 표제, 부제, 전문, 본문, 해설로 구성되며, 인용 표현과 피동 표현이 많이 사용되는 경향이 있다.

정답 1 1 ㉡ 2 ㉤ 3 ㉣ 4 ㉢ 5 ㉠ 2 1 보도문 2 광고문 3 공고문 4 기사문

3. 매체의 수용과 향유

❶ 빈칸에 들어갈 말을 찾아, 바르게 연결하시오.

1 ________과 신문은 특정 사건이나 쟁점에 관심을 두고 집중적으로 보도하는 경향이 있다. •

2 ________ 기반 매체는 개인이 좀 더 쉽게 매체 자료를 생산할 수 있으며, 생산자와 수용자 간의 상호 작용이 활발히 일어난다. •

3 매체 자료를 수용할 때에는 매체 자료에 반영된 ________과 가치를 파악하고 매체 자료가 전달하는 의미를 비판적으로 수용해야 한다. •

4 매체 자료를 ________으로 수용하기 위해서는 매체 자료의 출처는 어디이며, 생산자는 누구인지 점검해야 한다. •

5 매체 자료를 비판적으로 수용할 때에는 자료의 내용이 ________인 사실에 근거하고 있는지 점검해야 한다. •

• ㉠ 비판적

• ㉡ 인터넷

• ㉢ 관점

• ㉣ 객관적

• ㉤ 텔레비전

❷ 빈칸에 들어갈 알맞은 내용을 골라 색칠하시오.

1 ________는 대중이 즐기는 문화로, 주로 텔레비전, 영화, 인터넷, 라디오 등과 같은 대중 매체를 통해 형성되고 전달된다. [대중문화 | 또래 문화]

2 대중문화가 수용자의 욕망이나 심리 구조, 독서 습관, 문화 수용 태도의 형성에 기여하는 것은 대중문화의 ________ 영향이다. [긍정적 | 부정적]

3 대중이 선호하는 문화만을 강조하여 문화의 획일성이 심화되는 것은 대중문화의 ________ 영향이다. [긍정적 | 부정적]

4 바람직한 대중문화를 형성하려면 대중문화를 ________으로 향유해야 한다. [수동적 | 주체적]

정답 ❶ 1 ㉤ 2 ㉡ 3 ㉢ 4 ㉠ 5 ㉣ ❷ 1 대중문화 2 긍정적 3 부정적 4 주체적

1. 국어의 역사와 다양성

1 다음 설명에 해당하는 시대를 골라 색칠하시오.

1 겹자음이 모두 발음되는 어두 자음군이 있었다. ㉾ ᄠᅳᆮ(뜻), ᄡᆞᆯ(쌀), ᄢᅮᆯ(꿀)

중세 국어 | 근대 국어

2 이어 적기 방식이 끊어 적기 방식으로 가는 과도기적 현상으로 거듭 적기 방식이 나타났다. ㉾ 님금미(님금+이), 먹글(먹-+-을)

중세 국어 | 근대 국어

3 종성의 'ㄷ'과 'ㅅ'은 발음상의 구별이 어려워지면서 'ㄷ'을 'ㅅ'으로 적는 경향이 나타났다.

중세 국어 | 근대 국어

4 주격 조사는 '이'만 쓰였으며, 환경에 따라 다른 형태로 실현되었다.
㉾ ᄉᆡ미(ᄉᆡᆷ+이), 부톄(부텨+ㅣ), ᄃᆞ리(ᄃᆞ리+Ø)

중세 국어 | 근대 국어

5 모음에서 'ㆍ'가 점차 소실되어 16세기부터 둘째 음절 이하에서는 주로 'ㅡ'로, 18세기에는 첫째 음절에서 주로 'ㅏ'로 변하였다.
㉾ 모ᄅᆞ->모르-(16세기), ᄑᆞᆯ>팔, ᄇᆡ>배(18세기)

중세 국어 | 근대 국어

6 받침에는 주로 여덟 개의 초성자(ㄱ, ㄴ, ㄷ, ㄹ, ㅁ, ㅂ, ㅅ, ㆁ)만 적도록 하였다.

중세 국어 | 근대 국어

7 순음(입술소리) 밑의 'ㅡ' 모음이 원순 모음 'ㅜ'로 바뀌었다.
㉾ 믈>물, 블>불, 플>풀, 브티다>부티다

중세 국어 | 근대 국어

2 빈칸에 들어갈 말을 찾아, 바르게 연결하시오.

1 고대에는 우리말을 표기할 문자가 존재하지 않았기 때문에 (　　) 를 빌려 다양한 방식으로 차자 표기를 했다. •

2 현대에는 개화기를 거치며 (　　) 이 국문으로 인정받았고, 표기 생활에도 변화가 생겼다. •

3 우리가 사용하는 언어는 (　　), 연령, 세대, 성별, 직업, 문화 등에 따라 언어 사용 양상이 다양하게 나타난다. •

• ㉠ 지역
• ㉡ 한자
• ㉢ 한글

정답 ❶ 1 중세 국어 2 근대 국어 3 근대 국어 4 중세 국어 5 근대 국어 6 중세 국어 7 근대 국어 ❷ 1 ㉡ 2 ㉢ 3 ㉠

2. 언어와 매체의 생산과 발전

1 빈칸에 들어갈 알맞은 내용을 <보기>에서 찾아 쓰시오.

보기

정보 전달　설득　심미적 정서 표현　사회적 상호 작용　수용자　생산자　특성　양식

1 ______ 을 소통 목적으로 하는 경우, 정확하고 신뢰성 있는 내용으로 구성하며 간결하고 명확한 표현을 사용한다.

2 ______ 을 소통 목적으로 하는 경우, 사회적 관계를 바탕으로 사적·공적 영역의 맥락을 고려하여 생산한다.

3 ______ 를 고려하여 매체 자료를 생산할 때에는, 수용자의 연령과 성, 다수인지 소수인지, 관심사는 무엇인지, 배경지식은 어느 정도인지 고려한다.

4 매체 자료를 생산할 때에는 매체의 언어적 ______, 매체의 파급력 등을 고려한다.

2 언어문화, 매체 문화의 발전과 관련하여 알맞은 설명을 찾아 바르게 연결하시오.

1 언어 파괴, 과도한 외국어의 사용 등을 지양한다.

2 다른 사람이 쉽게 이해할 수 있는 표현을 사용하며, 차별 표현이나 비하 표현 등은 사용하지 않는다.

3 다른 사람과 진정한 의사소통을 하기 위해 다른 사람의 생각이나 감정을 정확히 이해한다.

4 정확하고 진실한 자료, 바르고 고운 매체 언어로 이루어진 자료, 즐거움과 도움을 주는 자료를 생산한다.

5 매체의 이면에 숨겨진 의도를 파악하고 왜곡되거나 잘못된 매체 자료를 가려서 수용한다.

㉠ 바르고 품격 있는 언어를 사용하는 문화

㉡ 다른 사람의 말을 경청하는 문화

㉢ 매체 자료를 주체적·비판적으로 수용하는 문화

㉣ 다른 사람을 존중하고 배려하는 문화

㉤ 건전하고 건강한 매체 자료를 생산하는 문화

정답 ❶ 1 정보 전달 2 사회적 상호 작용 3 수용자 4 특성 ❷ 1 ㉠ 2 ㉣ 3 ㉡ 4 ㉤ 5 ㉢

Memo

Memo

수능 기초 Final Course 교재

2021 신간

수능 **포**기**자**를 위한 단 하나의 대책

10일 격파 시리즈

초단기 수능 기초

어렵게만 느껴졌던 수능은 BYE~
핵심 개념&유형만 쏙쏙 담아
10일 안에 수능 기초 다지기!

수능 빈출 유형 정복

수능에 자주 출제되는 문제를
집중 연습하여 실력을 점검하고
빠르게 수능 빈출 유형 마스터!

실전 감각 익히기

모의고사 형식의 수능 실전 문제로
단기간에 시험 감각을 익혀
실제 수능에서도 자신감 UP!

수능 기초, 쉽게 접근하고 빠르게 끝내자!

국어: 고1~3 / 문학, 독서
수학: 고2~3 / 수학Ⅰ, 수학Ⅱ
영어: 고1~3 / 듣기, 독해

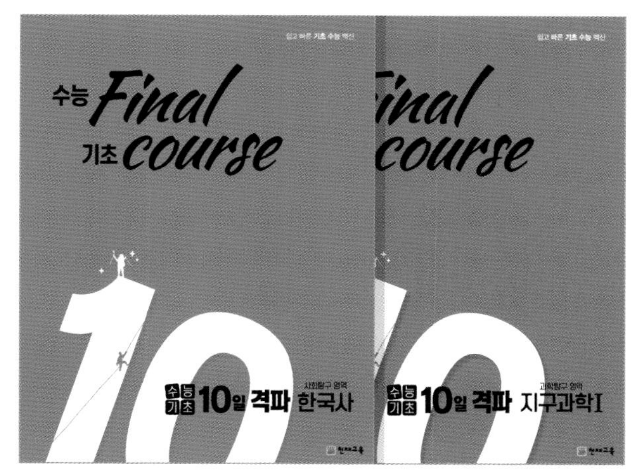

사회: 고2~3 / 한국사(고2), 한국지리, 생활과 윤리, 사회문화
과학: 고1~3 / 물리학Ⅰ, 화학Ⅰ, 생명과학Ⅰ, 지구과학Ⅰ

book.chunjae.co.kr

교재 내용 문의 ······························ 교재 홈페이지 ▸ 고등 ▸ 교재상담
교재 내용 외 문의 ························· 교재 홈페이지 ▸ 고객센터 ▸ 1:1문의
발간 후 발견되는 오류 ·················· 교재 홈페이지 ▸ 고등 ▸ 학습지원 ▸ 학습자료실